破译自然之谜

柯 理/编

兵器工业出版社

内容简介

大自然以它的美丽与神奇，向我们展示了这样一幅幅令人困惑的画面，神秘失踪的古大陆，在神话与传说中若隐若现；分别沿着南、北纬30°线，仿佛打开了一个魔盒，种种不可思议的景象呈现在眼前；山海异形、荒野怪物、湖怪海妖……动物学家在大开眼界的同时，又陷入了无法解释的矛盾之中……

图书在版编目(CIP)数据

破译自然之谜/柯理编.—北京:兵器工业出版社,2000.10

ISBN 7—80132—774—8

Ⅰ.破…　Ⅱ.柯…　Ⅲ.科学知识-普及读物　Ⅳ.Z228

中国版本图书馆CIP数据核字(2000)第67835号

出版发行:兵器工业出版社

责任编辑:解常琪　刘燕丽

责任技编:刘　风

社　　址:100089　北京市海淀区车道沟10号

经　　销:各地新华书店

印　　刷:北京市忠信诚印刷厂

版　　次:2000年10月第1版第1次印刷

印　　数:1－3000

封面设计:金　子

责任校对:王　峰

责任印制:王京华

开　　本:850×1168　1/32

印　　张:9

字　　数:220千字

定　　价:19.00元

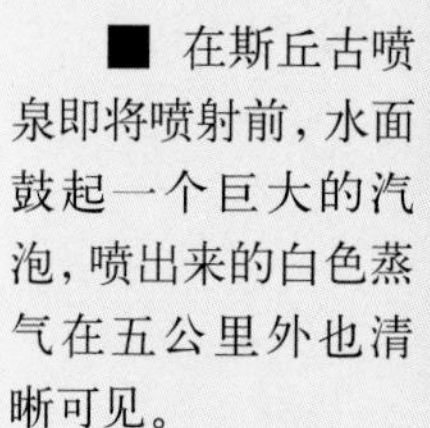

■ 在斯丘古喷泉即将喷射前，水面鼓起一个巨大的汽泡，喷出来的白色蒸气在五公里外也清晰可见。

■ 极其珍贵的石化森林，石化森林内的圆木，至今仍保留原来树木的特征。

■ 一种能生长在火山口边的奇异植物，科学家们希望通过对它的研究来实现到火星上生存的可能。

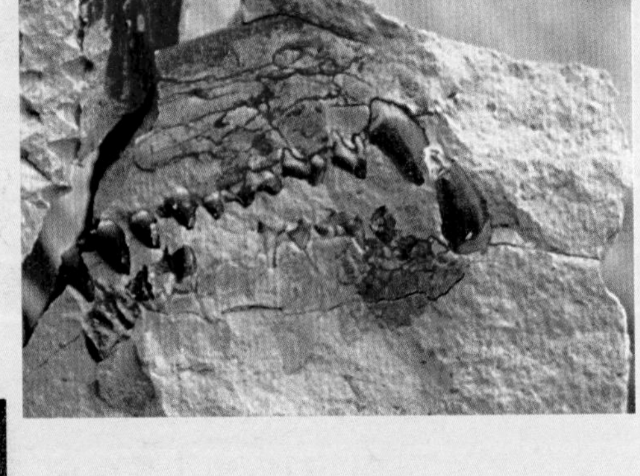

■ 一头岳齿兽的颚骨在岩石内保存完好。

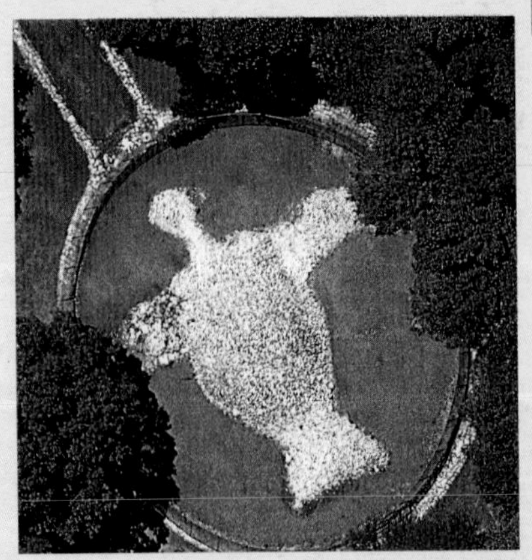

■ 1500 年前天然形成的一只大鸟，其模样只能从高空俯瞰才能看清楚。

■ 在北美洲丛林中发现的一条巨型蛇形土丘，科学家难以解释它的真正用途。

■ 一具罕见的保整最为完整的恐龙化石。

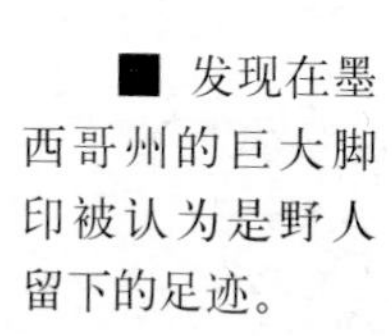

■ 发现在墨西哥州的巨大脚印被认为是野人留下的足迹。

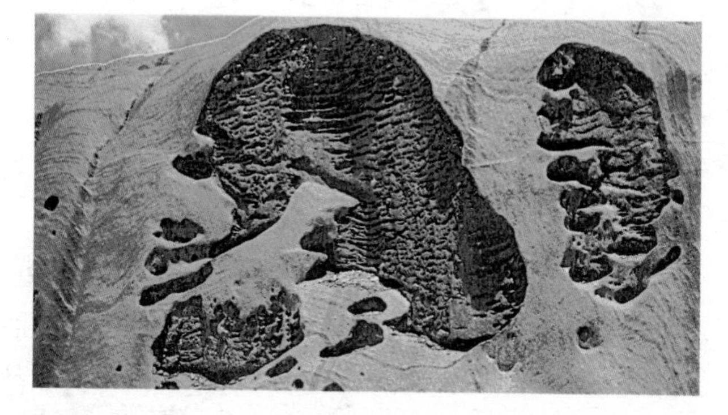

■ 外太空物体撞击地球的痕迹——陨石坑。

■ 美国犹它州南部山区岩石间，发现的形如彩虹的岩石桥。

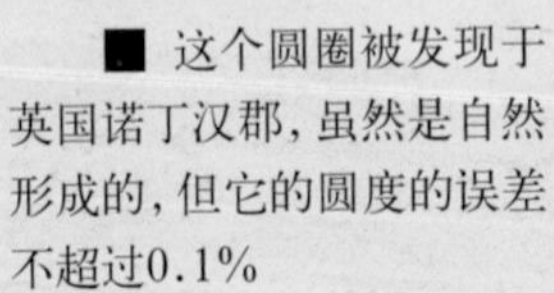

■ 这个圆圈被发现于英国诺丁汉郡，虽然是自然形成的，但它的圆度的误差不超过0.1%

■ 澳大利亚沙漠中部一块充满着神秘的巨大赤色沙岩。

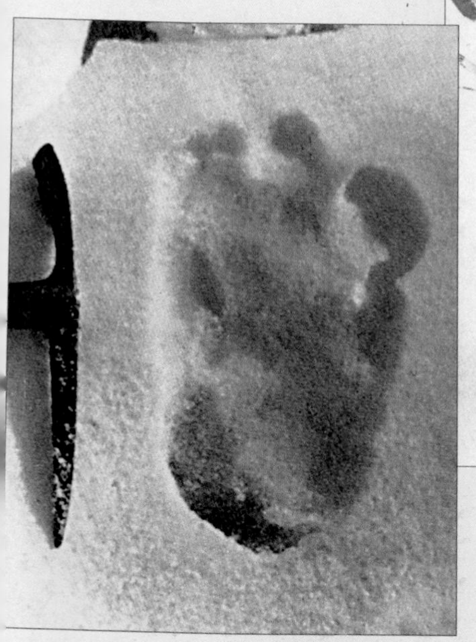

■ 这就是雪人留下的足迹，科学家们根据它制成了35公分宽，43公分长的石膏足印模型。

■ 这是太平洋中一个小岛，船艇经过这里时，船员总能听到一个神秘的呼救声，但小岛上却从未发现过任何人的踪迹。

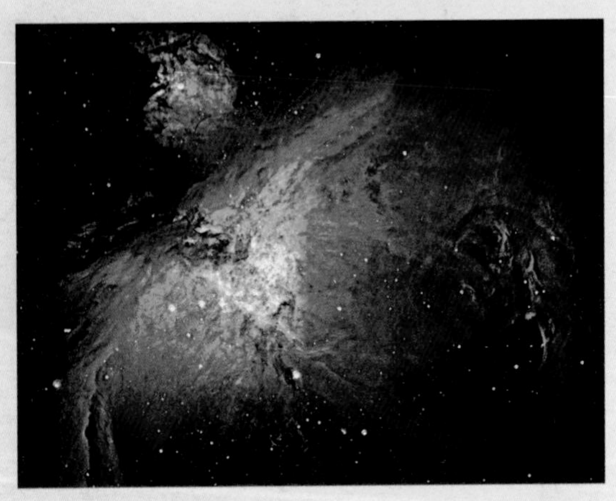

■ 1964年，一位美国摄影家用特殊镜头拍下了这幅异常的照片，照片上的星宿和五颜六色的云层组成了一张沉思的人脸。

■ 1991年，从冰雪中挖出的一具珍贵的史前干尸，这具存在了5000多年的尸体令人感到吃惊！

前　言

千百年来，人类一直以探索、征服自然为己任。然而至今为止，自然界并未被征服，同时未知的自然之谜不减反增，自然界种种神奇诡异、难解难分的现象仍然困惑着人类。我们忍不住要问：难道已进入21世纪的人类的科技手段，在大自然面前仍旧显得那么无能、无助吗？

这似乎是一种矛盾：人类对自然界了解得愈多，愈显得它深不可测、神奇无比。自然界的神奇更促进了人类探索、破解自然之谜的决心，成为一种人类不断进步的动力。甚至或许，这种矛盾本身就是一个谜，当有一天人类能破解这个谜的时候，同时也到达了自己的巅峰——那时的人类，或许已是无所不能！

整天忙于谋生、营营碌碌的人们，请睁开眼睛，看看大自然的神奇吧：打开地球的秘密档案，首先是传说中的古大陆，露出了蛛丝马迹；令人困惑不已的自然异景；开启地球记忆之门的北纬30°；蕴藏玄机的南纬30°；杀机隐伏的神奇水域;人“神”莫辨的山海异形;游走在荒野中的神秘动物;乍隐乍现的湖怪海妖;深不可测的大洋之谜……

读者朋友,看到这儿,或许你已惊诧于离我们近在咫尺的大自然中竟然有如此之多未被解开的秘密。那不是因为在你的潜意识中高估了人类的科技能力,而是因为,你大大地低估了大自然——大自然的神秘与神奇,即使到了今天,许多方面仍在我们的知识之外、视野之外、能力之外。

或许我们应该谦虚一点,反省一下,更审慎地面对看似浅显,实则无所不包、无所不有的大自然,承认自己的无知和无能:要完全解开大自然的种种谜语,我们还需要很长时间,需要付出很多、很多的努力……

编 者

2000.10

破译自然之谜

目录

第一章　宇宙天机:浩瀚星空里的重重谜团

阿波罗11号在执行计划期间,阿姆斯特朗在回答休斯敦指挥中心的问题时吃惊地说:"……这些东西大得惊人!天哪!简直难以置信。我要告诉你们,那里有其它的宇宙飞船,它们排列在火山口的另一侧,它们在月球上,它们注视着我们……"

第二章　亦幻亦真:惊心动魄的第三类接触

在那个蛮荒的年代,只有矛和弓箭,但头颅骨圆洞的边缘没有裂纹,比较光滑,与受长矛、弓箭刺杀的裂洞明显有别,那么,4万年前的古人会是被什么武器打死的呢?凶手果真如有些人猜测的,是来自外太空的"外星人"?他们不知出于什么原因,

目录

第三章 谜光幻影:坠人神秘的“超自然”现象

在印尼爪哇岛上有一个死亡之洞,位于一个山谷中,共由六个庞大的山洞组成。令人惊奇的是,据说不论是人,还是动物,只要站在距洞口 6~7 米远的范围之内,就会被一股无形的力量“吸”进去。一旦被吸住,使出浑身解数也无法脱身。

第四章　四维探奇：诡秘异常的失踪事件

果然，伊尔哈特小姐求救信号于7月10日再次出现，三个地方的无线电测向器同时抓住目标，结果发现，交汇点就在豪兰岛以北约500公里的海面。事实上，这个海区已经被搜寻了好几遍，而且在接到电信的当时，他们既没有发现这个海区的任何漂浮物，也没有监听到所发出的求救信号。营救人员被坠入云里雾里，整个搜索舰队全部陷入茫然不知所措中。

目录

第五章　幽灵之宝:无迹可寻的神秘藏金

基德虽然死了,但有关他藏宝的传闻不胫而走,探索他藏宝的活动近300年来始终没有中断过。狡兔三窟,基德藏匿的财宝到底有几处?总计有多少?这些都只有他自己才能知晓。但随着他命归黄泉,基德财宝成了一笔真伪难辨的幽灵之宝。

第六章　千古谜案:名人身上的浓浓迷雾

如果关于阿里玛西的约瑟夫的故事确有历史

第八章 离奇灾劫:有史可载的迷离玄案

她们俩每人都分别写了那天她们曾看到和听到的非常详细的记录:她们的经历是不一样。埃莉诺被整个事件所迷住,她于1902年1月进行了第二次参观,当时,那地方的几样事情再度显出好像有奇怪的、虚幻的,几乎是鬼一般的性质,但是详情有点儿怪诞。

目录

第九章　奥秘深藏:未知事物的终极探索

1971年8月23日,在西班牙南部离柯都瓦市不远的贝尔梅兹村,农妇戈美芝正在厨房准备早餐,忽然她发现脚下的瓷砖地面上印出了一张人的面孔,表情惨然,看上去并非任何色料所绘成。戈美芝吓了一大跳,想赶快把它擦掉,但却总也抹不掉那清晰的面部轮廓、嘴鼻、眼睛等,越擦那对眼睛似乎张得越大。

第一章 宇宙天机：浩瀚星空里的重重谜团

阿波罗11号在执行计划期间，阿姆斯特朗在回答休斯敦指挥中心的问题时吃惊地说："……这些东西大得惊人！天哪！简直难以置信。我要告诉你们，那里有其它的宇宙飞船，它们排列在火山口的另一侧，它们在月球上，它们注视着我们……"

□ 宇宙中的“黑色骑士”

在太阳系中存在着来自地球之外的人造天体,这已不是什么奇闻了。

1961 年,在巴黎天文观测台工作的法国学者雅克·瓦莱发现了一颗运行方向与其它卫星相反的地球卫星,这颗来历不明的卫星被命名为“黑色骑士”。随后,世界上有许多天文学家按瓦莱提供的精确数据,也发现了这颗环绕地球逆向旋转的独特卫星。1981 年苏联的一家天文台也证实了“黑色骑士”的存在,具体特征如下:它在地球高空的轨道上,循着极大的椭圆轨道运行,体积甚小,十分耀眼,像是个金属球体。

法国学者亚历山大·洛吉尔认为,“黑色骑士”可以用与众不同的方式绕地球运行,表明它能够改变重力的影响,而这只有作为外星来客的 UFO(不明飞行物体)才能做到,因此这颗被称作“黑色骑士”的奇特卫星可能与 UFO 具有联系。

1983 年 1 ~ 11 月间,美国发射的一颗红外天文卫星在北部天空扫描时,在猎户座方向两次发现一个神秘天体。两次观测这个天体时隔 6 个月,这表明它在空中有稳定的轨道。

1988 年 12 月,前苏联科学家通过地面卫星站发现有一颗神秘的巨大卫星出现在地球轨道上,他们当时以为这是美国“星球大战”中的卫星。稍后前苏联方面才知道,美国的科学家也在同一时间发现那颗神秘的卫星,而美国人则以为它是属于苏联的。

经过美苏两国高层官员通过外交途径接触和讨论,双方明白那颗卫星是出自第三者。以后的一系列调查表明,法国、西德、日本或地球上任何有能力发射卫星的国家都没有发射它。

根据前苏联的卫星和地面站的跟踪显示,这颗卫星体积异常巨大,具有钻石般的外形,而外围有强磁场保护;内部装有十分先进的探测仪器。它似乎有能力扫描和分析地球上每一样东西,包括所有生物在内。它同时还装有强大的发报设备,可将搜集到的资料传送到遥远的外空中去。

1989年,在瑞士日内瓦召开的一次记者招待会上,前苏联的宇航专家莫斯·耶诺华博士公开了此事。他强调说:“这枚卫星是1989年底出现在我们地球轨道上的。它肯定不是来自我们这个地球。”他表示,前苏联将会“出动火箭去调查,希望尽量找出真相。”

此事披露之后,至今世界上已有200多位科学家表示愿意协助美苏去研究这颗可能是来自外太空某一个星球的人造天体。法国天文学家佐治·米拉博士说:“很明显,这颗卫星飞行了很长的途径才来到地球,事实上它的设计也是这样。虽然只是初步估计,但我敢说它至少已制成5万年之久!”

运行在地球轨道上的不仅有完好的外来的人造卫星,而且有爆炸后的外星太空船残骸,前苏联科学家在60年代初期,首次发现一个离地球达2000公里的特殊太空残骸。经多年研究后,他们才确信那是一艘由于内部爆炸而变成10块碎片的外星太空船的残骸,并向报界宣布了这个消息,引起了世界上的关注。

莫斯科大学的天体物理学家玻希克教授说,他们使用精密的电脑追踪这10片破损的残骸的轨道,发现它们原先是一个整体,据推算它们最早是在同一天——1955年12月18日——从同一个地点分离,显然这是一次强力爆炸所致。他说:“我们确信这些物体不是从地球上发射的,因为苏联在大约2年之后——1957年10月——才将第一枚人造卫星射入太空。”

著名的前苏联天体物理研究者克萨耶夫说:“其中两个最大片

的残骸直径约为30米，人们可以假定这艘太空船至少长60米，宽30米；从残骸上看，它外面有一些小型圆顶，装设望远镜，碟形天线以供通信之用，此外，它还有舷窗供探视使用。”这位研究者补充说：“太空船的体积显示它有好几层，可能有5层。”

另一位前苏联物理学家埃兹赫查强调说：“我们多年搜集到的所有证据显示出，那是一艘机件故障的太空船发生爆炸。”他还说：“在太空船上极可能还有外星乘员的遗骸。”

前苏联科学家的发现已使美国同行产生了浓厚的兴趣。美国核物理学家与宇航专家斯丹顿·费德曼说：“如果我们到太空去收回这些残骸，相信我们可以把它们拼合起来。”

十分有趣的是，就在前苏联人宣布他们发现地外太空飞船残骸的10年前，一位美国天文学家约翰·巴哥贝曾在国内一份著名的科学杂志上发表了一篇文章，其中提到有10块不明残片像10个小月亮似地围绕地球运行；这位天文学家认为，它们来自一个分裂的庞大母体，而这个不明物体分裂的时间就是1955年12月18日。这正好与前苏联科学家的研究结果不谋而合；同时巴哥贝也驳斥了炸裂物体的存在只是一种自然现象的可能性。

是耶？非耶？这一切，直到21世纪的曙光降临，我们的科学家也还不知道，这颗5万年前被发射升空的人造卫星，它的主人到底是谁？他们发射该卫星的目的何在？

□ 我们是宇宙中惟一的智慧生命吗

这个问题，假如有三个答案可供选择的话，我们既不敢说“是”，也不敢说“否”，而只能选择“说不定”。

天文学家们估计，在望远镜所及的范围内，大约有10^{20}颗恒星,假设1000颗恒星当中有1颗恒星有行星,而1000颗行星当中有1颗行星具备生命所必需的条件,这样计算的结果,还剩下10^{14}颗。假设在这些星球中,有0.1%颗星球具有生命存在需要的大气层,那么还有10^{11}颗星球具备着生命存在的前提条件,这个数字仍是大得惊人。即使我们又假定其中只有0.1%已经产生生命,那么也有1亿颗行星存在着生命。如果我们进一步假设,在100颗这样的行星中只有1颗真正能够容许生命存在,仍将有100万颗有生命的行星……

毫无疑问,和地球类似的行星是存在的,有类似的混合大气,有类似的引力,有类似的植物,甚至可能有类似的动物。然而,其他的行星非要有类似地球的条件才能维持生命吗?

实际上,生命只能在类似地球的行星上存在和发展的假设是站不住脚的。以往人们认为被放射物污染的水中是不会有任何微生物的,但是实际上有几种细菌可以在核反应堆周围的足以让多种微生物致死的水中存活。

有两位科学家把一种蠓在100°C的高温下烤了几个小时后,马上放进液氦中(液氦的温度低得和太空中一样)。经过强辐照后,他们把这些试验品再放回到正常的生活环境中。这些昆虫又恢复了活力,并且繁殖出了完全"健康"的后代。

这无非是举出了极端的例子。也许我们的后代将会在宇宙中发现连做梦也没有想到过的各种生命,发现我们在宇宙中不是惟一的、也不是历史最悠久的智慧生物。

地球外的茫茫宇宙中,究竟有没有生命?究竟有没有类似地球人甚至更文明的高级外星人?随着空间科学技术的不断发展,这个富有神话色彩的猜测,越来越激励着人们去探索。对这个亘古未解之谜,目前众说纷纭,莫衷一是。最近,日本著名的宇航学教授佐贯亦男与地外生命学专家大岛太郎,发表了有关地外生命的对话，论点新颖，妙趣横生。

科学家能够提出地球外有生命，甚至推测存在着比我们更聪明的外星人，是很了不起的。因为有些人会用地球上生命形成与存在的传统理论来衡量外星球，忘却了他们之间在地理条件和自然环境上的不同。

科学家希柯勒教授在实验室里创造了一种与地球环境截然不同的木星环境，在这样的环境条件下成功地培养了细菌与螨类，从而证明生命并不是地球的“专利品”。我们地球上的所有生物也不是按照同一个模式生活的。氧是生物进行新陈代谢的重要条件，但是有一种厌氧细菌，就不需要氧，有了一定的氧反而会中毒死亡。高温可以消毒，会使生命死亡，但海底有一种栖息在140°C条件下的细菌，温度不高反而会死亡。据估计，地球上不遵守生命理论而存在的生物有好几千种，只是我们没有全部发现而已。

有些人妄断地球的环境是完美无缺的，什么只有一个大气压，温度、湿度正常……其实，这些标准是地球人自定的。事实上，地球上的各种生命不一定都生活在“自由王国”之中，它们必须受到各种限制。我们不应该以地球上生命存在的条件去硬套外星球，各个星球有自己的具体条件。如果表面温度为零下15°C至零下150°C的火星上存在着火星人，他们也许会认为在地球这种温度条件下根本无法存在地球人。

于是，在生命理论的研究领域中，行星生物学应运而生了。它主要研究地外各种行星的自然条件，是否存在适宜于这些环境条件的生物，地球生物是否可移居到地外行星上去，以及发现行星生物的新方法。因为生物往往具有一种隐蔽的本能，即使存在也不一定能轻易被发现。例如地球空间中存在着许多微生物，但又有谁能用眼睛去发现它们呢？目前，对火星、金星、木星等的探查工作刚刚开始，断言这些星球上不存在任何生命，似乎为时过早。

随着人类对自然界认识的深化及当代科学技术的飞速发展,人们提出在地球以外的星体上存在生命甚至高级文明社会的问题不足为怪。科学家们为好奇心所驱使,极力想探索出个究竟来,于是在20多年前就产生了寻找“地外文明”的科学探讨方向。

在地球以外广大的宇宙中是否有智慧生命的问题上,科学家们分成了两大派。一派说,既然我们人类居住的地球是个最普通的行星,那么有智慧的生命就应当广泛地存在和传播于宇宙中。另一派却说,尽管生命可能在宇宙中广为存在和传播,但能使单细胞有机体转变成人的进化过程所需的特定环境出现的可能性是极小的,因此在地球外存在智慧生命就不大可能了。就科学的发展来看,这样的争论是正常的、有益的,而且会推动对“地外文明”的探索。

外星人的传闻日益增多,不管男女老幼,对此都很感兴趣。除了我们地球的人类之外,其他天体上到底有无类似人的生命?这个问题已成为当代科学的第一大谜。

为解开此谜,1987年10月,世界上有69位著名科学家联合发出呼吁,要求对外星智慧生物进行世界性的探索。

至今为止,各国科学家们为外星人的存在与否找到了各种各样的证据,但没有一样证据,能充分地证明他们存在或不存在!

□ 月球上的谜团

月球是我们居住的地球的卫星,也是我们在宇宙中最近的邻居。但就是这个我们拜访过的最近的邻居,仍然有一大个谜团包围着它,像多雾之夜包围着它的浓雾……

月亮上的"建筑物"

月球是地球黑夜的光明使者,那皎洁如玉的月光,笼罩着诗一般的气氛。自古以来,它激发了人们多少美丽的想象。嫦娥奔月、吴刚伐树、玉兔捣药,虽说"高处不胜寒",却也"别有天地"。然而,当代科学对于月球环境的了解,则会令古人大失所望的:这里是一个极端死寂和干燥的荒凉世界,布满了大大小小坑穴(环形山);月面有日照的地方可达127℃,夜晚则降到-183℃。

近年,有关宇宙探测器对于月球秘密的意外发现使科学家们产生了种种怀疑和推测。

1969年7月至1972年12月,在美国执行"阿波罗"登月计划的过程中,宇航员拍下了一些月面环形山的照片,从这些照片上看,环形山上分明留有人工改造过的痕迹。

例如,在戈克莱纽斯环形山的内部,可以看出有一个直角,每个边长为25公里;在地面及环壁上,还有明显的整修痕迹。更为独特的是另一座环形山,它的边缘平滑,过于完整,环内呈几何图形,有仿佛是划出来的平分线,在圆周的几何中心部位,有墙壁及其投影。该山外侧有一倾斜的坡面,其形状有如完整的正方形,在正方形内有一个十字,把正方形等分成对称的各部分。

其实,有关月球的多种令人不解现象,在近200年间人类对月球的观测过程中,已被陆续发现。

1821年底,约翰·赫谢尔爵士发现月球上有来历不明的光点。他说,这光点是同月球一起运动着,因而它绝不可能是什么星星。

1869年8月7日,美国伊利诺斯州的斯威夫特教授与欧洲的两位学者希纳斯和森特海叶尔,观察到有一些物体穿越了月球,发现"它们仿佛是以平行直线的队形前进的。"

1876年被天文学界宣布消失的静海的林奈环形山,在原消失地竟出现了一个白色的直径达7公里的奇异光环。有的学者提出,这种情形可能意味着有什么透明物质覆盖了某种基地。

1874年4月24日,布拉格的斯切·里克教授,观察到一个闪着白光的不明物体缓缓地穿过了月球,并从那里飞出。

1877年11月23日夜晚,英国的克来因博士和在美国的一批天文学家,惊愕地看到一些光点从其它环形山集中到柏拉图环形山中,这些光点穿越了柏拉图环形山的外壁,在山的内部会齐,并且排列成一个巨大的发光三角形。看来很像某种信号的图案。

1910年11月26日发生日蚀时,法国和英国的科学家分别观测到"有一个发光的物体从月球出发","月亮上有一个光斑"。据当年观测者的描述,日蚀过程中月亮上出现的物体形似现代的火箭。

1953年12月21日,英国天文协会月球部主任威尔金斯博士在广播谈话中透露:在月面的危海地区观察到了大量的"圆屋顶";这些半圆形的"建筑物"呈耀眼的白色,它们中最小的直径也有3公里。

前苏联的莫杰维耶夫博士说:"我们完全不明白这是怎么回事,而我们也相信美国方面也和我们一样,无法解释这件事。"

惟一的推测,就是活动在地球之外的超级智能力量支配的美制轰炸机在月球上的出现与隐没。更多的线索,可能是为地球上的人们所想象不到的。

围绕地球卫星——月球出现的一系列无法解释的现象,已使科学界中的有识之士警觉到:地外智能力量正在"使用"我们的月球。

陌生的语言

宇宙飞船月球轨道2号在宁静海(月球上的平原)上空49公里高度拍摄到月面上有方尖石。美国科学专栏作家桑德森指出,“(这些)方尖石底的宽度为15米,高为12~22米,甚至有可能达到40米”。法国亚历山大·阿勃拉莫夫博士对这些方尖石的分布作了详细的研究,他计算了方尖石的角度,指出石头的布局是一个“埃及的三角形”。他认为,这些东西在月球表面的分布很像开罗附近吉泽金字塔形的分布……方尖石上许多“侵蚀”产生的几何图形线条,不可能都是“自然界”的产物,在宁静海的方尖石照片上人们发现了极其正规的长方形图案。

阿波罗11号在执行计划期间,阿姆斯特朗在回答休斯敦指挥中心的问题时吃惊地说:“……这些东西大得惊人!天哪!简直难以置信。我要告诉你们,那里有其它的宇宙飞船,它们排列在火山口的另一侧,它们在月球上,它们注视着我们……”到此无线电播音突然中断,美国地面无线电爱好者也只抄报到这里。那么,阿姆斯特朗看见了什么呢?美国宇航局再没有解释。

阿波罗15号飞行期间,斯科特和欧文再度踏上月球的土壤。在地球上的沃登十分吃惊地听到(录音机同时录到)一个很长的哨声,随着声调的变化,传出了20个字组成的一句重复多次的话,这陌生的发自月球的语言切断了同休斯敦的一切通信联系。此事至今还是一个未解开的谜。宇航员柯林斯曾独自在月球轨道上飞行,他见到的一些月面痕迹使他大为吃惊,迄今为止,没有解释。

月球可能是空心的

关于月球存在智能活动的另一种观点是，月球是空心的。当美国阿波罗 11 号宇宙飞船 1969 年 7 月 20 日月球登陆成功以后，不少月岩标本被带回到地球上来，对这些样品的分析结果使人吃惊。苏联天体物理学家瓦西尼和晓巴科夫撰文道："月亮可能是外星人的产物，15 亿年来，它一直是他们的宇航站。月亮是空心的，在它荒漠的表面下存在着一个极为先进的文明。"

阿波罗计划进行中，当 2 号宇航员回到指令舱三小时后，无畏号登月舱突然坠毁于月球表面。设置在距坠毁处 72 公里的地震记录仪记到了持续十五分钟的震荡声。声音越传越远，慢慢地减弱，先后共延续了半小时。这种无线电震荡，好像一只巨大的钟发出的声音，如果月球是实心的，那么这声音只会延续一分钟。这一现象摈弃了有关科学已完全认识了月亮的构成和月球的性质的理论和假设。我们的月球可能是空心的。

日月并行之谜

离杭州 82 公里的海盐县南北湖风景区鹰窠顶上见到的"日月并升"现象，是个千古之谜。

这种现象，不但在当地群众中世世代代流传，在明代古书上也有描述和记载。但是由于种种原因，这一天下奇景，几乎湮没了千年。直到 1980 年杭州大学的冯铁凝先生从古书中发现后于当年的农历十月初一，终于和武林中学的谢秉公老师有幸见到了太阳和月亮在清晨并升的奇景。这一消息传开，引起了很多人兴趣。这几年每当十月初一清晨，少则一二千、多则四五千人观看奇景。

日月并升是一种什么现象呢？从这几年的出现过程看，有这样几种情况。

日月合为一体同时从海(钱塘江)上升起，太阳和月亮重叠，但太阳直径略大于月亮；太阳升起不久，在太阳旁出现一个暗灰色月亮，团结着太阳，一忽儿跃在太阳右边，一忽儿又跃在左边，一忽儿又在太阳上面，一忽儿又在下面。当月亮经过太阳时，太阳表面大部分被月亮遮盖，颜色变暗；月亮先出，几乎在同一直线上太阳随之出来，太阳托住月影一起跃动；月影先在日轮中，后又跳出日轮，在太阳四周跃动，阴影呈月牙形；月影在日轮中一起升起，并在日轮中跃动，直到月影消失。

从 1980 ~ 1985 年所出现的日月并升现象，最短只有 5 分钟，最长 31 分钟，一般在 15 分钟。而且各次出现的景观，又不完全一致，到目前为止，尚无科学的解释。

□ 星际战神的可疑历史

在欧洲，火星被赐以战争之神的名字“马尔斯”，这也许是由于火星能发出令人生畏的红色光芒，而这红光则会令人联想到战争的流血场面吧。在中国，自古以来人们就反感于火星的红光，视火星为不吉利的“丧门星”。

现代探测表明，火星表面所以呈红色，是由于火星大气能够发出红外线光，使火星像一个巨大的气体激光器。火星地表亦富含氧化铁而呈红色。

多少年来，人们一直幻想着“火星人”的存在。但实际上，火星远不具备地球上的生存环境。这里的大气极其稀薄，只相当于地球 3 万米高空的大气；同时大气成分以二氧化碳为主，而且异常干燥。火星赤道地区全年平均气温仅达到 -15°C。春季的大风暴异常猛烈,可在火星上空形成经久不散的、面积极大的“大黄云”。火星表面类似月球,环形山密布,大约有几万座。

经过地球人的探测努力,尽管未能发现“火星人”的现实踪影,但从“人面石”到类金字塔建筑物的发现,已经表明火星上确有文明遗迹的存在。而最先为揭示火星文明秘密提供证据的,正是美国于 1976 年发射的火星探测器“维京 1 号”。

同年 7 月 31 日,“维京 1 号”拍下了著名的火星表面照片,这就是火星“人面石”照片。从照片上看,一处巨大的建筑犹如五官俱全的人脸仰视着太空。该照片受到了美国航空航天局的重视,为此还成立了由 3 名技术人员组成的专门研究小组,来分析这令人莫名其妙的画面,以鉴别是否属于自然侵蚀或自然光影所致。

专门研究小组成员采用计算机最新的处理技术对火星“人面石”照片进行分析。他们认定:“人面石”是修建在一个极大的长方形台座上,刻有轮廓分明的鼻子以及左右对称的眼睛,还有略张开的嘴巴。“人面石”全长(从头顶至下巴颏)为 2.6 公里,宽度为 2.3 公里。

美国航空航天局共存有 6 张火星“人面石”的照片,这是当初“维京 1 号”在不同的时间、从不同的角度拍摄的同一物体。此外,从这些照片上还发现有类似金字塔的火星古建筑,它们地处“人面石”西南部约 16 公里处,其边长是埃及金字塔的 10 倍、体积超过其 1000 倍。它们对称排列在“人面石”的对面;除了塔形建筑,还有其他形状的一些建筑。

门森德·伊比特罗是美国航空航天局电子工程技师,也是专门研究小组的成员之一。他在介绍对火星“人面石”的检测情形时说:“眼睛部分里面有眼球,也就是有瞳孔。眼睛部分经用计算机进行处理分析,看出内部面积很大。越往外越狭小,明显地能看出刻有半球似的眼球。更有趣的是,仔细一看眼睛下方还刻有像眼泪似的东西。这意味着什么就弄不明白了……”

另一位小组成员、计算机技师格里古利·林耐尔说:“更不可思议的是嘴的部分。嘴里刻有像牙齿似的东西,说是牙齿,当然大得超过了想像。既然这样清楚地看出了牙齿、眼泪和眼珠,那就证明确实是人工建筑物。”

专门研究小组对于“人面石”照片上出现的塔形物体和排列在其附近的人工建筑物,也进行了放大处理和仔细分析。分析结果表明,火星上的金字塔和埃及金字塔相同,都是面向正北方修建的。研究人员还在照片上发现,在类似古代都市遗迹的建筑物和金字塔群附近,有人工修的城堡似的墙壁向前延伸。其墙壁的一面长达 2 公里,呈 V 字形耸立。从形式上看,就像地球上的古城堡似的,不知用途何在。

对于火星上出现人工建筑物的事实,由于有已向公众公开过的火星“人面石”照片为证,已是不容否认的了。前不久,美国加利福尼亚州的马萨诸塞州的一些火星研究专家,将他们从旧资料堆中偶然发现的一组有趣的火星照片公布在报纸上:这些照片都是 1976 年“维京 1 号”、“维京 2 号”探测器在飞临火星上空时成功地摄取下来的,只是因为当时照片太多而被积压下来。在这些拍摄于十多年前的火星照片上,人们可以看到一尊尊石头人像(眼、鼻、口甚至头发都清楚可辨)、一座座高耸的金字塔、一片片类似城市废墟的奇迹。

前苏联方面同美国一样,也曾先后向火星发射过多艘探测器,因而也掌握了大量的有关火星建筑物的数据和图片资料。迄今为止,苏美两国科学家已在不声张的情况下,对火星金字塔进行了系统的研究。

两国科学家根据现有资料判断,火星上的建筑物集中分布在三处地区:火星埃利西高原,这里可见到一些四角金字塔的建筑群;火星南极地区,发现有几何构图的结构体;火星北半球的基道尼亚地区,该地区发现了类似埃及金字塔群的废墟和圈形构成体。

科学家们仔细地研究了火星地图和照片,并在地球上对火星金字塔进行模拟,与埃及、墨西哥金字塔外形及平面配置逐一做了详尽比较。结论是:"火星照片上可见的构成体,总体上与火星上的景观特点正相吻合。"此外,还有些科学家认为,火星金字塔的外形与地球金字塔相比较也都是相似的,只是火星金字塔的庞大体积实在使地球金字塔相形见绌。

显然,在久远的火星历史上,曾有过智能生物的大规模的文明活动。那么,这些智能生物究竟源于火星本土,还是来自于火星之外的世界呢?对此,没有任何可供追究与探索的凭据。不过,应该肯定的一点是:火星的自然环境已发生过不可逆转的悲剧性演变。

据美国航空航天局的科学家们的调查分析,在距今5亿年前,火星上不仅有辽阔的海洋和大陆,而且空气同地球上一样湿润,空气成分也同现在的地球几乎相同,因此很可能存在与人相似的生物。在一次记者招待会上,美国航空航天局艾姆斯研究中心的火星问题专家说:"火星上的水,比一般人一度所认为的要多得多,而且火星上仍发生类似地球上的季节变化。""火星的水,足够填满一个10~100米深的海洋。"

尽管对于有关火星残存生态环境的情报,美国与前苏联都采取了秘而不宣的态度;但既然美国科学家已说明火星上发现了大量水的存在,那么显而易见,作为水的载体,河流、海洋以及其间鱼类等生物的存在,也就不是不可能的了。

对此,瑞士物理学家马素·比索夫博士说,早在1976年美国"维京1号"探测器降落在火星上时,就已发现上面有人工水道和海洋生物,水里生活着数百种鱼类。前苏联方面对此也知情。比索夫说，因为美苏“担心引起世人的恐惧，所以便协议不将它公开出来”。

最近，美国航空航天局也宣布说，在处理和分析火星照时，发现有的照片上出现了三角形的“怪物”形象，火星上的这些“怪物”显然是会移动的。它们究竟是生物变异的产物，还是某种机械装置呢？难以判明。

不过，无论怎样说，如今火星上的智能生物或者说火星人早已是不存在的了。那么，这些在火星上留下了众多的石头建筑杰作的智能生物到底哪里去了呢？难道火星“人面石”的眼泪是注明火星主人的命运悲剧吗？

1989年，瑞士天文学家帕沙向报界披露了有关火星“人面石”的新的内幕消息：火星上的巨型人面建筑是报警的象征；它的内部装有一部图像发射器，其最低限度在50万年前已向地球不断地发出一项不祥的警告。据说，该电波显示了数十万人死在街上的惨景，似乎表明火星蒙受了一场灭顶之灾，使得火星人个个皮黄肌瘦并死于饥饿和干渴。

帕沙提到，来自世界各地的50位科学家已看过这段触目惊心的电视片，而前苏联和美国的科学家看到该片已逾两年。其中不足90秒的部分清晰而没有受到干扰。

这是耸人听闻吗？

美国航空航天局成立的火星“人面石”特别研究小组成员认为：古代火星人的灭亡确实是由于遭遇到了某种灭顶之灾，而这种灾难可能来自于臭氧层的被破坏。门森德·伊比特罗结合地球南极出现臭氧洞的实际说：

“臭氧层一破损，来自太阳的有害紫外线，就会直射到地球上，地球上的生物就会发生皮肤癌，也许很快就会死亡。而更可怕的是，这些有害的紫外线，会把水分解成氢和氧。结果，分量轻的氢气,会逃往宇宙空间,长此以往水就会消失。留下的氧,会使土地酸化,使地表的颜色变红。火星上那人脸一般的人工建筑物的眼泪,也许就是向整个宇宙生物发出的警告。”

格里古利·林耐尔也认为:“如果我们人类现在不立即停止排放废气,防止臭氧层遭到破坏,那么,我们不久就会走向与火星相同的命运。”

无须赘言,火星巨型人面建筑的眼泪及其古老的电波信息,既是对昨日火星不幸灾变的纪念,也是对今朝地球可能命运的警示。它并非杞人忧天,为了防止地球文明重蹈火星文明的覆辙,我们人类必须对此有所准备。

从这个意义上说,1989 年 7 月 20 日,美国总统布什所宣布的将建成以月球为基地的实现载人飞船访问火星的宇宙计划,其内涵是不言而喻的。

地球并非永久绿洲,人类对此不能无动于衷。也许,火星的历史正是一部绿洲变荒漠、人类绝灭的文明夭折的历史。“人面石”留下的当是对后人的训诫:不容“马尔斯”再度挑起对于大自然的战争!

□ 火星上的“生命”启示

一位天文学家接到了一家报纸编辑的电报,内容是:“请用 100 字电告:火星上是否有生命?”

这位天文学家回电说:“无人知道!”并且重复了 50 遍。

这件事情,发生在人类对宇宙的探索之前。后来,到了 1965 年 7 月,美国宇航局首次成功发射的“水手 4 号”太空探测器,近距离地飞过了火星,并且向地球发回了 22 帧黑白图像。这些图像显示:这颗神秘的星球上布满了令人恐怖的深坑,并且显然和月球一样,是个完全没有生命的世界。以后数年中,“水手 6 号”和“水手 7 号”也飞过了火星,“水手 9 号”对火星做了环绕飞行。它们向地球送回了 7329 幅照片。1976 年,“海盗 1 号”和“海盗 2 号”进入了长期轨道的飞行,在这期间,它们发回了 6 万多幅高质量的图像,并且将一些登陆车组件放在火星表面上。

到 1998 年初,尽管当时人人都热衷于写作,但对“火星上是否有生命”这个问题的回答,却依然仅仅可能一直是“无人知道”。不过,科学家们手头上已经掌握了更多的资料,并且对这个问题形成了一系列见解。

火星的外表虽然伤痕累累,现在却已经有许多科学家认为:火星地表之下,有可能生存着最低级的、类似细菌或病毒的微生物有机体。另一些科学家虽然感觉到火星上现在根本不存在生命,但并不排斥这样一种可能性:在某个极为遥远的古老时期,火星可能曾经出现过“生物繁盛”的时代。

这些争论的范围不断扩展,其中的一个关键因素就是:从作为陨石到达了地球的火星碎片或岩石当中,是否找到了一些可能存在过的微生物化石,是否找到了生命过程的化学证据。这个证据,必须连同对生命过程进行的那些肯定性试验结果,一同被认定下来——“海盗号”登陆车就曾经进行过此类试验。

探索火星上的生命的故事中,存在着诸多令人困惑的因素,其中包括美国宇航局发表的官方结论:1976 年,“海盗号”对火星的探测“没有发现任何有说服力的证据,表明火星表面存在着生命”。

但是,吉尔伯特·莱文却不能接受这个说法,他是参与“海盗号”计划的主要科学家之一。他进行了“放射性同位素跟踪释放”实验,而这个实验则显示出了准确无误的积极读数。他当时就想如实公布这个结果,但是,美国宇航局的同事们却阻止了他。

1996 年,莱文博士对此评论说:“他们提出了一些解释来说明我的实验结果,但那些解释没有一个具有说服力。我相信,今天的火星上存在着生命。”

看来,莱文的同事们之所以阻止他公布自己的实验结果,是因为他的试验与另外一些试验得出的负面结果相对立,而那些试验是一些更年老的同事设计的。

“海盗号”上的质谱分光仪并没有探测到火星上的任何有机分子,这个事实受到格外的重视。不过,莱文后来证明:这个探测器上的质谱分光仪的工作电压严重不足——在一个标本里,它的最小灵敏度是 1000 万个生物细胞,而其他正常仪器的灵敏度却可以下降到 50 个生物细胞。

1996 年 8 月,美国宇航局宣布,他们在编号 ALH8400 的火星陨石中,发现了微生物化石的明显遗迹。只是到了这个时候,莱文才受到了鼓舞,公布了自己的实验结果。美国宇航局公布的证据,有力地支持了莱文本人的观点,即这颗红色星球上一直存在着生命,尽管那里的环境极为严酷:“生命比我们所想象的要顽强。在原子反应堆内部的原子燃料棒里发现了微生物;在完全没有光线的深海里,也发现了微生物。”

英国欧佩恩大学行星科学教授柯林·皮灵格也同意这个观点,他说:“我完全相信,火星上的环境曾一度有利于生命的产生。”他还指出,某些生命形式能够生存在最不利的环境中,“有些能够在零度以下相当低的温度中冬眠;有的试验证明,在 150°C 高温里也有生命形式存在。你还能找到多少比生命更顽强的东西呢?”

火星上冷得可怕——各处的平均温度为 - 23°C,有些地区则一直下降到 - 137°C。火星上能供生命生存的气体极为匮乏,例如氮气和氧气。此外,火星上的气压也很低,一个人若是站在“火星基准高度”上(所谓“火星基准高度”,是科学家一致确定的一个高度,其作用相当于地球上的海平面),他感受到的大气压力相当于地球上海拔30000米高度上的压力。在这些低气压和低温之下,火星上即使有水存在,也绝不可能是液态的水。

科学家们认为,没有液态水,任何地方都不可能萌发生命。假如这是正确的,那么,火星过去和现在存在着生命的证据,就必然非常明显地意味着:火星上曾经充满过大量的液态水——我们将看到,有无可辩驳的证据能够证明这一点。火星上的液态水后来消失了,这也无可置疑。但是,这并不必然意味着任何生命都不能在火星上存活。恰恰相反,最近一些科学发现和实验已经表明:生命能够在任何环境下繁衍,至少在地球上是如此。

1996年,一些英国科学家在太平洋海底4000多米的地方进行钻探,发现了"一个欣欣向荣的微生物地下世界……(这些)细菌表明:生命能在极端的环境里存在,那里的压力是海平面压力的400倍,而温度竟高达170°C"。

研究海底3000多米处的活火山的科学家也发现了一些动物,它们属于所谓鼷虎鱼属动物,聚居在布满各种细菌的领地上,而那些细菌则在从海床上隆起的、沸腾的、富含矿物质的地幔柱上,繁茂地生长。这些动物通常只有几毫米长,样子很像蠕虫,而在这里,其尺寸畸形发展成为巨大的怪物,样子使人联想到神话中的蝾螈,那是传说生活在火里的一种大虫子或者爬行动物。

鼷虎鱼属动物赖以生存的那些细菌,其模样也几乎同样古怪。它们不需要阳光来提供能量,因为没有阳光能够穿透到这样的深海下面。但它们却能利用"从海底冒出来的、接近沸腾的水的热量"。它们不需要有机物碎块作为营养,而能够消化"热海水中的矿物质"。这样的动物被动物学家归入极端变形的"自养生物"类属,它们吃玄武岩,以氢气为能量,并且能从二氧化碳中提取碳元素。

科学家们的报告声称:

> 另外一些自养生物被发现于海底3000米处,那里惟一的热源是岩石的热量……在113°C的高温中能够发现这些生物……在酸流中也能发现这些生物;在苯和环乙酮等物质的有害环境中,在马里亚纳海沟11000米的深海里,都能够发现这些生物。

可以想见,火星上有可能存活着这类生物,它们也许被封闭在了10米厚的永久冻土层当中。人们认为,火星地表下面存在着这种永久冻土层,它们也许已在火星悬浮的大气里存在了无比漫长的时期。

在地球上,休眠的微生物被琥珀包裹了数千万年而保存下来。1995年,美国加利福尼亚州的科学家曾经成功地使这些微生物复活,并把它们放在了密封的实验室里。另外一些有繁殖能力的微生物有机体,已经从水晶盐当中被分离了出来,它们的年龄超过了两亿年。

在实验室中,"细菌孢子被加热到沸点,然后被冷冻到-270°C,这个温度范围正是星际太空间的温度变化范围。等温度条件一好转,这些细菌孢子立即恢复了生命。"

同样,有些病毒即使在此类生物组织外面没有活力,也能够在细胞中被激活。在其休眠状态下,这些可怕的小生物(其身体比可见光的波长还短)可以说几乎是永远不死的。经过仔细检查,科学家发现它们都极为复杂,并具有由 1.5×10^4 个核苷组成的基因组。

随着美国宇航局对火星的继续探索,科学家们相信,火星和地球之间存在交叉感染的情况是极为可能的。的确,早在人类开始太空飞行时代以前很久,可能已经发生过这种交叉感染的情况了。来自火星表面的陨石落到地球上,同样,有人认为因小行星的撞击而从地球“飞溅出去的”岩石有时也必定会到达火星。

可以想见,地球上的生命孢子本身就有可能是由火星陨石携带过来的——反之也是如此,生命孢子也可能被从地球上带到火星。阿德莱德大学的保罗·戴维斯教授指出:

> 对地球上的生命来说,火星并不是一个特别有利于生存的地方……然而,地球上发现的一些细菌物种依然能够在火星上生存下来……如果生命在以往遥远的年代里曾在火星上牢牢地扎根和发展,那么,当其生存条件逐步恶化的时候,生命也就有可能逐步地适应其更为严酷的环境。

火星上到底有没有生命?也许,直到人类的脚印踏上火星之前,它永远不会有一个明确的答案……

□ 金星上的万座城墟

1988年,前苏联宇宙物理学家阿列克塞·普斯卡夫宣布说:“发现于火星上的‘人面石’同样也存在于金星上。”

据人类目前所知,金星的自然环境比起火星来要严酷得多。金星表面温度可达到500℃,它的大气层中含有90%以上的二氧化碳,空中还经常落下毁灭性的硫酸雨,特大热风暴比地球上12级台风还要猛烈数倍。从1960~1981年以来,美苏双方共发射近20个探测器,仍未认清浓厚云层包裹下的金星真面目。

欧洲出于对明亮金星的喜爱,把金星称为“维纳斯”(美和爱的女神)。在中国,古人称金星为“启明星”或“长庚星”。因为黎明和夜间,它分别在东方和西方出现,如同白昼与长夜的空中使者。

对于金星秘密的最重要发现,是由前苏联科学家尼古拉·里宾契诃夫在比利时布鲁塞尔的一个科学研讨会上披露的。1989 年 1 月,前苏联发射的一枚探测器穿过金星表面浓密的大气层用雷达扫描时,发现金星上原来分布有 2 万座城市的遗迹。

起先,科学家们见到这些传回地球的照片,以为上面出现的城墟可能是大气层干扰造成的幻象,或是飞船仪器有问题。但经过深入分析后,他们发觉那确是一些城市遗迹,是一种绝迹已久的智能生物留下来的。

里宾契诃夫博士在会上说:“那些城市全散布在金星表面,如果我们能知道是谁建造它们就好了。……我们绝对无法在金星生存片刻,但一些生物却做到了——并留下了一个伟大文化遗迹证明它。”

这位前苏联科学家具体介绍说:“那些城市以马车轮的形状建成,中间的轮轴就是大都会所在。根据我们估计,那里有一个庞大的公路网将它们所有城市连接起来,直通向它的中央。”

他说:“那些城市皆是倒塌状态,显示出它们已建成有一段极长的日子,……目前那里没有任何生物,所以最保守的估计,就是那里的生物已死了很久。”

由于金星表面的环境太坏,派宇航员到那里实地调查根本就不可能,但里宾契诃夫博士表示说,前苏联将不惜代价,用无人探测飞船去看清楚那些城市的面貌。

美国发射的探测器也发回了有关金星城墟的照片。经过全面的辨认,那 2 万座城市遗迹完全是由“三角锥”形金字塔状建筑组成的。每座城市实际上只是一座巨型金字塔,全部没有门窗,估计出入口可能开设在地下。这2万座巨型金字塔摆成一个很大的车轮形状,其间的辐射状大道连接着中央的大城市。

研究者认为,这些金字塔式的城市可昼避高温,夜避严寒,再大的风暴也奈何它不得。

联系到金星上发现的作为警告标志的垂泪的巨型人面建筑即"人面石",科学家们不得不把金星与火星看成是一对经历过文明毁灭命运的"患难姊妹"。据推测,800万年前的金星经历过地球现今的演化阶段,应该有智能生物存在。但由于金星大气成分的变化,使二氧化碳占据了绝对优势,从而发生了强烈的温室效应,造成大量的水蒸发成云气或散失,最终彻底改变了金星的生态环境,导致生物绝迹。

倒塌的金星城市中,究竟会隐藏着怎样的更加难以捉摸的秘密呢?这只有等待人类未来的实地探测了,但愿这一天并不遥远。

迄今为止,人们在月球、火星、金星上都发现了文明活动的遗迹和疑踪,甚至在距离太阳最近的水星的阴面发现过一些断壁残垣。作为金字塔式的建筑则使地球、月球、火星、金星构成一种互为联系的文明系统。这就使人有理由相信,太阳系的文明发展史绝非起源于地球,它的鼎盛时期已出现于地球之前,而延续到地球这里的,将是太阳系文明的终结史。

不过,这丝毫不妨碍世世代代的地球人类去为创造一个全新的黄金般的文明时代而努力,然而这毕竟只是太阳系中独存的文明硕果了。

第二章 亦幻亦真：惊心动魄的第三类接触

在那个蛮荒的年代，只有矛和弓箭，但头颅骨圆洞的边缘没有裂纹，比较光滑，与受长矛、弓箭刺杀的裂洞明显有别，那么，4万年前的古人会是被什么武器打死的呢？凶手果真如有些人猜测的，是来自外太空的“外星人”？他们不知出于什么原因，杀死了这个倒霉的地球人吗？

□ 来自遥远星球的“客人”们

对于来自外星球的客人们、我们人类的态度是矛盾的:一方面,我们尊重他们,相信他们有更高级的文明:另一方面,我们又害怕他们,怕他们怀有敌意。但在几次被“证实”的接触中,人们发现,和平,也是他们所向往的……

英国格洛斯特郡的一家人声称被几名来自一个遥远星球的外星人劫持了。这几位外星人声称,如果能允许他们与地球人和平地生活在一起的话,那么他们将提供他们的技术与地球人共享。约翰·曼和他的妻了格洛丽亚以及他的妹妹弗朗西丝都说他们看了那个星球的影片,这几个外星人告诉他们,他们的家乡已被一系列核爆炸毁灭了。

1978 年 6 月 19 日星期一,约翰带着家人告别了住在伯克郡的母亲,驱车上路回自己坐落在格洛斯特郡的家。他们的故事是在催眠术下讲述出来的。

21 时 30 分从伯克郡出发时,车上除了大人外,还有 3 个孩子,5 岁的娜塔莎、3 岁的坦亚和坐在尾座打盹的老大维克多。他们到达牛津郡的斯坦福特镇时正好是 22 时 15 分,约翰对这条路十分熟悉,他确信再有 1 小时就到家了。

这时约翰注意到 1 公里远的上空有一个耀眼的发光飞行物,女人们也看到了,并一致认为它太大了,以至不可能是一颗星。行驶了 1 公里后,这个发光的物体还保持原有的距离,约翰把车停下来想听听有何噪音。突然,一道红光闪烁了一下,接着变成了白光,这个飞行物变得更大了。天上原本是满月当空,此时却漆黑一片。约翰听到了一种声音,“那是一种沙沙声与火车轮压在铁轨上的隆隆声混合在一起的声音。”

约翰说:“月亮重又出现了,我可以看清在30米高处有一巨大的圆形飞行器,它在慢慢地移动,直接向我们飞来,掠过了汽车和树梢,我们看得更清楚了,它是个巨大的飞碟,下部有一圈明亮的彩灯。”

约翰的妻子在呼唤他:“快,约翰,进到车里来,它要着陆了。”他回到车里,开动了车。但是行驶了90米以后,他意识到他们不在熟悉的A417公路上。“天异常黑,我们被一道高高厚厚的篱笆挡住了,什么也看不到。”他回忆说,“这条路弯弯曲曲,忽高忽低,还有几个急转弯。我有一种奇怪的感觉,如果我的两只手离开方向盘的话,这辆车也会自动行驶。”

他们又绕过一个急转弯,发现他们已在法明顿,此时已是22时30分了。随后他们向西伦塞斯特驶去,车上的弗朗西丝女士注意到在他们车右侧180米处还有一个同样的飞碟,当汽车快到家时,那个飞碟消失了。

到家20分钟后,约翰打电话给离法明顿7公里远的诺顿警察局,报告他们发现了UFO。当看了一下手表后,他大吃一惊,此时已是午夜之后了,他们本应该在1小时前到家。弗朗西丝坚持自驾车回自己的家,她的丈夫就住在附近的斯洛德镇。约翰的妻子忙着给孩子们铺床。

第二天晚上,约翰下班回家,他决定顺着昨天的路线找一找那条两边有篱笆的弯路,但是什么也没找到。周末他又去寻找那个飞碟降落的地方,也没有发现任何痕迹,难道这一切是一场梦吗?

几天后,约翰发现自己胸口下边出现了一块红色斑迹,他的妻子左臂和腿上也出现了红斑。他们询问了弗郎西丝,她也长了红斑,挠痒时已抓破了皮肤。更奇怪的是,他们3人的右膝下面都有一块无法解释的青肿。

1周后,5岁的孩子娜塔莎夜间醒来时大哭大叫:"妈妈在哪,我要妈妈。"这个小姑娘在一夜之间连续做了4场噩梦。

"她告诉我,她看见许多奇怪的人,他们长着滑稽的眼睛正在瞪着他。"约翰的妻子格洛丽亚说,"'有个人把妈妈和爸爸带进了另一间房子',当我努力想从女儿那得到更多关于梦的事时,她说,'你应该知道,因为你在那呀!'"

这个梦使约翰·曼确信,在他们归途的那段时间里一定发生了某种古怪的事。他和妹妹弗朗西丝决定接受催眠术以弄清那潜意识中的记忆。杰弗里·M·卡特尼大夫为他们做了催眠术,结果令人震惊。

约翰回忆起那个UFO在他汽车前方盘旋的情景,它离地面有30米高,约翰没有把车开进一条黑漆漆的道路;相反,他把车停了下来,下了车,走进一片白雾之中。至少有8个影子般的家伙与他擦肩而过,他们向约翰的汽车走去,把妇女和孩子都带了出来。

"我们一块向那明亮的光柱走去,"约翰说,"走进光束之后,我们向上飘浮了起来。后来,我与3个穿着金属紧身服装、戴头盔的人在一间房子里,房子是圆的,很宽敞。这几个怪人眼睛呈灰白色,脸色也是灰的。"

"其中一个用英语表示欢迎,并告诉我,他们希望对我进行检查。我留下了,妻子和孩子们进了另一个房间。我坐在一张像牙科大夫看牙用的那椅子上,一位女人走来,把我的一只手放在椅子的扶手上,另一只手压在一个桌上的按钮上。"

"一束强烈的光线照在我的脸上,然后,一个女人从天花板上拔下了什么,屋子顿时黑了。我感到头昏眼花,当醒来时,一个人走进屋来,与那个女人谈话,他们用的是什么语言我听不懂。他自我介绍叫艾诺克西亚,并且告诉我跟他回到来时的第一个房间去。"

“艾诺克西亚告诉我,有什么东西来了,飞船不得不做短距离的转移。我们感到地板稍微颤了一下,飞船开始起飞了。”

“后来我问他们,飞船是靠什么动力飞行的。他们说这是一套机密程序,他们正准备把这项技术作为筹码和地球人讨价还价,以求与地球人和平相处地生活在一起。这个人带我到了一间被他称为‘航行室’的屋子,打开了屏幕,说他想给我展示一下他家乡的图景。”

“我的印象这部电影是立体的,仿佛使人身临其境。一架飞机着陆了,我们仿佛登上了飞机,飞往一片荒芜的大地,满目疮痍,到处是灰色的砾石和岩石。我看见有些岩石裂开了,一个飞行器出现了,它有一辆公共汽车那么大。这个飞行器进入了一个隧道,然后,我看到6个人抬着一个板条箱。艾诺克亚西说,这个板条箱是一口棺材——是用来收集尸体的,我感到十分沮丧。”

“弗朗西丝也被迫接受了外星人的检查。然后,一个叫做尤克塞利的人,他穿的制服上有一个扁平的白色圆片,他告诉弗朗西丝,他是来自詹诺斯星球的一位飞行专家,想给她看一部电影,以使她理解为什么他们要离开那个星球到别处寻找谋生之地。”

“屏幕上出现了3个星球,他把它们称为萨尼亚、萨顿和詹诺斯,”弗朗西丝回忆说,“很明显,萨顿星球离太阳最近,又紧挨着詹诺斯。这两个星球开始崩溃,有不少物体在爆炸。这个外星人告诉我,瞧,那是一个核电站,它引起了一系列的反应和爆炸,从而毁灭了这个星球。”

“下一幅画面,”弗朗西丝回忆说,“是一位年轻的金发女人和两个孩子。尤克塞利告诉我,那是他的妻子、儿子和女儿,他们都在爆炸中丧生了。然后他说,幸存者都逃上了一艘基地飞船,这飞船把他们运送到可以飞往外层空间的宇宙飞船上,以求为詹诺斯星球上的人民寻找一个新家。他们看到了地球,想生活在地球上。”

弗朗西丝和约翰都记得在离开这飞船之前,外星人给了他们每人一杯无色的液体让他们喝下去。“这可以帮助你们忘掉这一切,”外星人说,“你们必须忘掉这一切,因为你们将会被检查,我们会再次相遇,你们还会认识我们的。”

这难道是一个科幻故事吗?科学家和医生们检查了这个家族,没有发现有精神病史。那位催眠术专家确信他们说的是真话,在治疗过程中,他们是分别接受催眠术,几位孩子也是如此,但他们所述基本相同。

□ 警察的“困惑”

当警察报告在天空发现奇怪飞行物时,UFO 迷便把这些警察视为受欢迎的新伙伴。要是这样一些训练有素、值得信赖的人都打算承认 UFO,那么,我们相信 UFO 存在怎么会被认为是不正常呢?近年来,世界各地的警察观念有所转变,亲眼所见的证据,使他们相信有来自其他星球外星人的可能性。

神秘的“入侵者”

巡警吉恩·伯特兰当面对一个怀有敌意的入侵者时,他立即单膝跪下,拔出了左轮手枪——这是任何一位训练有素的警察遇到紧急情况时,都会立即做出的动作。但是,他面对的不是一般的入侵者,这个向他猛冲过来的物体绝非来自地球。

伯特兰是美国新罕布什尔州埃克塞特城的巡警。那天他被召到指挥部,责成去调查一位青年人“被一物体追踪”的案子。这位青年名叫诺尔曼·马斯卡罗，1965 年 9 月 3 日凌晨，他从埃姆斯伯雷沿着 150 号公路免费搭乘别人的车回家，发现路边一块农田中，出现一个闪闪发光的红色物体，这个物体向他运动过来。

伯特兰认识这个小伙子。他说："这是一个壮汉，一定有什么东西真的惊吓了他。他几乎拿不住手中的香烟，脸色苍白。"他们乘警车前往那块农田，坐在车内等了几分钟，什么也没有发现。

"我用无线电话向总部报告，告诉他们这里什么也没有，"伯特兰回忆说，"他们告诉我，在回大本营之前再到那块地里走一圈，我必须承认，半夜闯入私人领地寻找飞碟是愚蠢的。"

他们走出车外，不停地前后挥舞着手电筒。诺尔曼突然喊道："看，它来了！"一个巨大的黑色物体，宛如谷仓那么大，闪烁着红色的光芒。它的光使人几乎看得清附近的树梢，从这边到那边扫来扫去。

"然后，这个物体似乎翘起来，向我们猛冲。我单膝跪下，拔出左轮手枪，但是我没有射击。我突然意识到开枪是不明智的，所以我向诺尔曼叫喊，要他马上跑到警车上去。然而，他木然呆在那里，我不得不把他拖上了车。"

伯特兰继续回忆说："这个物体距我们头顶大约 30 米，发出明亮红光带有晕圈。我想我们大概会被活活烧死，但是它射出的光没有热度，我也听不到任何噪音。我听到附近谷仓旁的几匹马在叫，踢着马厩，四处的狗开始狂叫。这一切的确发生在我的眼前。"

伯特兰的搭档大卫·亨特巡警赶到现场时，这个 UFO 仍然看得见。他们 3 个人站在那里不知所措，这种状态持续了 10 分钟。"它飘动、摇摆和飞行是任何飞机都做不到的。"伯特兰说，"然后它箭一般地飞过树林向汉普顿飞去。"

两个警察返回办公室去写报告，伯特兰想起 1 小时前在 101 号公路上遇到一位妇女，她坐在停下来的车中，神情十分沮丧，因为有一红色发光物体曾追逐她。他当时送她回家,但并没有把那个发光物体当回事。现在他明白她见到什么了。

还有许多人也看到了这个 UFO。两个警察返回警察局没多久,就有一个电话从汉普顿打来,声称他被飞碟追踪。

询问过伯特兰和亨特的空军调查员告诉他们要保持沉默,不要对外界透露所看见的东西,不要让报纸把消息弄到手,但是一家当地报社的记者还是得到了这个消息。

五角大楼宣称一次代号为"大爆炸可可"的高空战略空军演习对此事负有责任。参加这次军事演习的官员说,埃克塞特城在此次演习的范围内,"当接近这个地区时,飞机就展示出标准的位置灯、反碰撞灯、机翼灯以及着陆灯。"

伯特兰写了一封抗议信,信中说:"我在空军服役 4 年,为各种军用飞机加过燃料,这个物体消失后,我立刻看到一架 B—47 飞机在空中,但是这架飞机与我们所见到的那个物体毫无关系。"

同年 3 月份,埃克塞特城又一次被 UFO 造访。在一个星期天的夜里,一名警察中尉正在检查城门的时候,看到了一个运动极快的白色发光体向西方落下。他为了看得清楚一些,便爬上一座小山,那个发光物看上去像一个闪光的蛋,它的下部闪耀着红色、白色、蓝色和绿色的光芒,正在慢慢地前后运动着。然后,很快降落下来,在数条电线上空盘旋。

这位中尉用无线电向指挥部报告,一位少校赶到了,并带来了望远镜。这位少校一直怀疑 UFO,尽管在去年 9 月,他的部下曾报告发现 UFO。现在他观测到这个顶部有个发亮圆盖的蛋形物体时,转变了观念。伯特兰警官和一位新闻记者也看到了这个 UFO。

被停职的 UFO 目击者

警长杰夫·格林豪失去了妻子又失去了工作,仅仅因为他声称在 1963 年 10 月 17 日的夜里看见了什么,他因此而受到责难。

晚上 22 时刚过,居住在美国亚拉巴马地区法尔克威勒城的杰夫·格林豪警官在家中接到一个电话。一位妇女说她看见一个 UFO 闪耀着光芒降落在城西的一块田地上。26 岁的格林豪那时已下了班,但是他决定去调查一下,并带上了照相机。

当他驱车沿着砾石铺的路驶向这个遥远的着陆地点时,他看到一个人影站在路当中。高度和人大体差不多,但是包裹着银色的衣服,看上去像锡纸一样,头上似乎戴着头盔并且有触角天线。随后这个人影走过来,格林豪用闪光灯拍摄了 4 张照片,然后扭亮了车上的探照灯,这个人影转身跑走了。“我从没见到任何人能跑得那样快。”

格林豪同意刊登他拍下的照片,照片上展示着一个模糊不清的宇航员形状的人物。几个星期后,他的妻子因不能应付舆论压力而离开了他。格林豪的汽车引擎爆炸了,接着他的一辆旅行大篷车起了火。11 月 15 日,他被要求停职。

他看到的是外星人,还是出于恶意由某人扮装的一个骗子呢?尽管许多人报告在那天夜里也看到了奇怪的灯火,但格林豪还是失去了上司的信任。

追踪 UFO 的巡警

一个黑色的不明飞行物像飞行的子弹一样,穿越美国新墨西哥州索柯罗市的政府办公大楼。巡警朗尼·赞莫若开足马力驾驶警车冲向劳罗德大街进行追踪。为写报告他注意了一下时间,当时是 1964 年 4 月 24 日 17 时 45 分。尽管赞莫若没追上这个物体,但是那天的情景他将终生难忘。

当加速出城时,他注意到天空有一火焰在西南 1 公里方向,还听到了爆炸声,这噪音来自一个炸药贮藏库方向。难道炸药库爆炸了吗?他决定放弃追踪 UFO,改道炸药库。

他转了弯,驶上砾石路。那逐渐减弱的蓝色和桔红色火焰几乎可以跟落日媲美。随着他颠簸着爬上一座小山,那火焰看不到了。他 3 次倒车转向,试图在砾石中找出另一条路来,因为车轮被石头卡住了。

在小山顶上,赞莫若四处张望寻找炸药库。这时,在 140 米远处有一个闪闪发光的物体映入眼帘。"最初它看上去像一辆翻倒的小卧车,"他回忆说,"我想可能是几个淘气的孩子把车弄翻了,我看到有两个穿着白色套服的人紧挨着那个物体,一个似乎转过身来,直奔我走来,他飞快地跳跃着。"

这位警察开始驱车向那里靠近,想前去帮帮忙。当他再次向那物体望去时,那个家伙已经消失了。那个椭圆形物体是银白色的,像是铝制品。他停住车,用无线电话向总部报告说,他正在调查一起可能是车祸的事件。

当他放下无线电话时,听到两三声雷鸣般的巨响,"就像某人用大锤狠狠地砸在门上一样。"然后,那轰鸣声又开始了,越来越大,频率越来越快。"就像喷气飞机的声音,"这位警官告诉调查者说,"我知道喷气式飞机的声音跟这个差不多。"

现在,他再次看到了蓝色和桔红色的火焰,这个物体正在腾空直上。他注意到物体是椭圆形的,而且很平滑,看不见门或窗子。上面有划出的红色徽记,大约有 10 米宽。当轰鸣声加剧的时候,赞莫若转过身来跑掉了,"我认为这个东西要爆炸了。"

他跑过自己的汽车,腿绊在保险杠上跌了一跤,爬起来接着跑,不时回头看一眼将要发生什么,这个飞行器还在从刚刚着陆的荒芜的河谷缓缓升高。赞莫若警官跑过小山脊就趴在地上,用双臂紧护住头部。

当轰鸣声停止时,他战战兢兢地向山顶望去,只见这个物体正在加速向西南方向飞去,距离地面的高度大约有3~3.4米。然后它突然射向高空,箭一般飞走了,没有任何噪音和烟雾,最终消失在附近的山峰后面。赞莫若用无线电话向当班的中尉做了汇报,一辆警车火速赶到了现场,增援者们注意到在沙地表面有5~8厘米深的"着陆痕迹",四周的灌木丛和野草有烧焦和熏烧的痕迹。

空军调查员几天后到达了,执意把赞莫若巡警的发现解释为某种自然现象。

然而,一些调查人员承认赞莫若可能看到了某种真正的尚不可确定的不明现象。其中一位名叫艾伦·海尼克的博士,他一向对UFO的报告十分重视,他说:"警察出具的证据在某些案件中足以能把一个人送上电椅,然而在这个案子中,警察的证据竟被完全忽视,真是荒唐。"

□ UFO来自何处

多年来关于UFO的报告越积越多,这意味着人们对UFO不再不屑一顾地视为不存在的天上馅饼。当我们接受了外星人操纵的飞行器可能正在入侵我们领空的观点后,我们也许应该问:它们到底来自何方?谁控制着它们?它们为何而来?

UFO真的存在吗?或者它们仅仅是人们虚构的故事?如果它们真的存在,那么它们来自何方?它们为什么要在地球上盘旋或在地球上着陆呢?

许多人报告看到了 UFO,这些人大多数是严肃的、敏感的,以至连怀疑主义者也不能把他们视为幻觉狂、歇斯底里、人类灵魂的巫师或者自然科学的叛逆。全世界有几百万份 UFO 目击报告,在美国仅 1973 年就有 1500 份这类报告。在 J·艾伦·海尼克博士伊利诺斯研究中心的计算机资料处理检索柜内有五万多份关于 UFO 的材料,所有这些目击事件都未能做出解释。

UFO 的研究者们承认报告中的不明飞行物 90% 被证明是自然现象或人造飞行物。金星、商业卫星、军事和民用飞机、彗星、流星和陨石、巨大的气球、雪茄状的云朵、球形闪电甚至军事照明弹、迁徙的鹅群等都被误认为是太空飞船。但是仍有 10% ~ 20% 的目击物没有找到合理的解释。

各国政府的新闻封锁可能促使 UFO 研究者夸大事实。为了证明 UFO 的存在,他们常常对某些目击事件添油加醋,甚至忽视了与他们描述事实相冲突的证据。

但是今天越来越多的政府承认在天空中存在着一些物体,它们来自人类控制之外的什么地方。尽管美国政府否认 UFO 存在的可能性,但在它的军队已起草了与 UFO 打交道的程序。1957 年,来自美国中央情报局的消息承认:"可以肯定的一件事是,我们正在受到来自外层空间的监视。"前苏联、意大利、巴西和阿根廷纷纷公布了官方发现 UFO 的报告,明确承认 UFO 的存在。1974 年,法国国防部长罗伯特·盖利说:"目击不明飞行物体的报告正在不断增加,这些物体有时是球形的,有时是椭圆形的,它们的特征是运动速度超乎寻常地迅急。"

"警察、飞行员、航空界的头头脑脑都提供过有关的报告,这些报告和其他大量的有关材料是令人印象深刻和不安的。可以肯定,确实存在着我们不能理解的事物,而且这些事物目前是难以解释的。”

甚至英国也不否认存在着非人类操纵飞行器的可能性，尽管面对好挖苦的美国大众时，英国总是表示沉默。一位皇家空军发言人说：“国防部认为在银河系其他部分生存着智慧生命的可能性不是没有理由的。然而，我们必须拥有有关那些生命存在的不可辩驳的证据，到目前为止，没有一人提供出钢铁般的牢靠证据。”

1977年，当发现UFO的报告洪水般从威尔士的布罗海文三角区涌来时，一位国防部发言人说：“我们接受了那些头脑清醒、有理性的人们的报告，这些人所观察到的事物并不是他们想像的，但是用传统科学的手段人们无法解释发生过什么事情。”

“我们调查这些UFO目击报告仅仅是为了发现是否对我们的国家安全存在威胁。如果不存在这种威胁，那么事情就到此为止。我们没有调查是否存在UFO或发生这些事的原因。”当问到谁认定对国家安全不存在威胁时，发言人说：“我们并不准备就我们如何调查的问题进行讨论。”

私人UFO研究者们则不然，美国的海尼克博士、斯坦顿·弗里德曼和雷蒙德·E·弗劳尔，英国的诺尔曼·曼利弗、珍妮·伦德尔斯和斯蒂沃特·坎贝尔，都从目击者那里取得了细节性的描述，并仔细检查了这些人及其亲友的背景，以确定他们是可信赖的人而不是在哗众取宠或欺骗，然后他们寻找可能的多种解释，并且经常这样去寻找解释。

多年来，通过仔细严格的调查，把人们目击到的物体形状综合起来。这些UFO通常是碟形、雪茄形、卵形，通常有十分明亮的圆盖，几乎总有与地球上的飞机所不同的航行灯或者示警灯。

它们的出现似乎有某种规律——美国发现UFO的高峰年是1947年、1952年、1954年、1966年、1973年、1975年；前苏联看见UFO的高峰年是1962年、1977年；英国是1954年、1968年、1973年和1977年9月;西欧是1952年、1968年、1973年;南美是1957年、1962年和1965年;澳大利亚和远东是1959年、1965年和1978年9月;斯堪的那维亚是1964年,当时在挪威、瑞典上空,人们看到了数千枚神秘的火箭。

UFO向我们所知道的某些自然法则挑战——这也许就是许多科学家为什么否认它们存在的原因,他们更喜爱一个一切都是合理的、清楚的世界。UFO运动相当快,其速度将会把人类撕成两半,当它们以超音速飞行时,没有刺耳的声波。它们用各种方式变换方向和高度,似乎与地球引力开了个大玩笑;它们还产生高压电子电荷,不仅使它们本身熠熠闪光,而且干扰了地球上的发电及电力供应。

UFO中许多是由有生命的人操纵的,这些人似乎可分为三类——小人类,身高不足1.2米,大脑袋,穿着一件从头到脚的银色或绿色服装;与人类高矮相仿的外星人类,大眼睛、薄嘴唇;巨人类,身高2.1米以上;还有一种罕见的毛茸茸、头发长长的小人类,身高大约1.2米。

它们是从哪里来的呢?一般认为,它们是来自别的星球。UFO主义者注意到在1967年和1973年发现UFO的高峰年恰好是火星轨道离地球最近的时间,他们认为火星人也许是等待着合适的机会来地球旅行,正如前苏联和美国选择精确的时刻发射金星探测器一样。但是,随着美国在80年代发射火星和金星探测器证明金星和火星上都没有生命存在,科学实验使火星人、金星人的理论宣布破产。

马里的多贡斯人在人类宇航员发现天狼星位置的好几个世纪之前,他们就知道了这个星座。UFO的目击者认为他们所见到的外星人来自尚未发现的星球——银河系之外的星系、星球,地球上的科学家说这是不可能的。就人们目前所知而言,还没有什么东西比光速更快,科学家说从外星系到达我们这里要花很长时间,他们怀疑这种旅行是否值得。

最近关于心灵感应的发现为重新思考远距传物打开了一扇窗口,它并没有超出人类的想像,如果高智能的外星人可以把飞碟制造得远比我们所拥有的飞行器性能先进的话,那么他们也许会以动画片上的某种旅行方式显现出来。

某些学者说UFO的外星人来自地球,爱因斯坦首先发展了这个理论。两个世界在不同的范围内可以共存,它们缠结在一起,大多数时间内彼此看不见,许多UFO主义者相信UFO所做的是:当它们想要或者能够潜入我们的意识时,它们就会出现。

还有人认为远距传物旅行者是很早以前就居住在地球上了,他们适应了所着陆的那个国家的语言和生活习惯。美国科学基金会最高奖金获得者拉尔夫·布鲁姆说,专家们从没有令人满意地解释出为什么有些人比其他人更聪明,或者生来便是领导者,他相信"超人"们可能正在与人类进行接触实验。"严肃地说,你与之结婚的这个人就可能是外星人的后裔。"他说。

肯耐斯·休尔先生以前曾在纽约海登天文馆工作,他说:"我们的祖先在远古时代乘坐宇宙飞船来到了地球,这是可能的。或者他们大批留在了地球,但是我们没有意识到他们的存在,他们也许是以超凡的不可辨认的形式存在于地球上。"

这样一种理论可解释一些UFO目击者报告的"黑衣男人"等令人迷惑的现象。英国萨默塞特郡的一位妇女声称被外星人强奸,UFO的调查者贝利·金采访了她,写了报告。但是这位妇女收到几封信和几个电话,警告她不要谈及此事,两位神秘的男人拜访了她的丈夫和她本人几次,并且强调要她保守秘密。

第三种观点是UFO起源于地球的中心。从古到今,一些科学家就争论不休,他们认为地球不是固体的,而是空心的。柏拉图说

"宽和窄的隧道都进入了地球深处"。僧侣的经文说地下有一个世界叫做阿格哈塔,在那里,数百万生灵生活在一个由世界之王统治的亚热带伊甸园中,他们通过一些僧侣把信息传达给地球表面上的人类,这些僧侣能够在秘密通道中旅行,而那些秘密通道可能在喜马拉雅山上。

19世纪晚些时候,挪威水手奥拉夫·詹森声称他和他的父亲驾船驶到了一个奇妙的水下世界,并在那里和巨人一起生活了2年。他说那里的居住者可以活500年,他们有从空气中获取能量以推进各种机器的能力,他们对地球表面上的人类将要发生什么事情是很清楚的。詹森临终前躺在床上仍反复向一位美国记者讲述这些细节。

1968年11月23日,美国"ESSA—7号"卫星发回的照片表明北极没有云层覆盖,并且北极有一个十分圆的黑圈,拥护地球空心观点的人立刻声称这可能是进入地下世界的通道。他们说地球并不是圆的,而是有锯齿形的顶部和底部,以至真正的北极是在半空中。他们说这就是为什么罗盘在离北极和南极150公里的地方会出毛病的原因了,这样的洞,不仅在北极有,在南极也有,它们是UFO可能出现的地点。它们来自何方?为什么它们对地球感兴趣呢?难道它们出来只是想同地球人开个玩笑吗?——就像《免费搭乘游览银河指南》一书的作者道格拉斯·亚当斯所写的那样,富家的纨绔子弟乘坐星际运动赛车纵情于挑逗地球?或者它们有严肃的目的?

吉姆·劳伦茨是航空现象研究组织的主任,他说:"对于它们来说,不拘数量地企图着陆于地球就像我们侵入莽林深处一个古代文明部落一样,把我们的文明影响给他们,其结果将是毁灭性的。"

"最终它会出现在我们的头上,我们现在掌握着这把钥匙,可以通向我们认为不存在的一个宇宙。现在我们或者使用这把钥匙

——或者在疯狂的战争中死亡。”

□ 外星人尸检报告是真是假

这是新墨西哥州几年来最猛烈的一次风暴，狂风暴雨彻夜不停。半夜时分，牧场主比尔·布雷泽尔听到一阵奇怪的爆炸声。他先扭开了灯，然后备上马鞍，骑上马，出去看看他的羊群是否安然无恙。那是1947年7月3日凌晨。

他发现，牧场的田地里被许多小木条和薄薄的金属片覆盖了。这些木头看上去像胶杉，掂一掂很轻，但质地坚硬，不燃烧，也折不断。有些残片上刻有奇怪的象形文字。布雷泽尔注意到一个巨大的碟形物体降落在大田里。他骑着马靠近这个物体，看到了更为奇怪的事情。那里有几个家伙，似人非人，躺在碟状物体旁边。有些仍然活着，但是不能讲话。布雷泽尔急速跑回房中，向郡长报告，他还向附近的罗斯韦尔空军基地报了警。

杰瑟·马赛尔少校率领一支调查队赶到现场，当救护车运走这些烧焦的尸体时，几辆军车满载士兵，赶来收集这些残骸，并立即在这几块田地周围设立了安全警戒线，并告诉牧场主布雷泽尔不要对任何人讲他所看到的任何事情。

新墨西哥州是美国原子、火箭、航天飞机和雷达的研究中心。罗斯韦尔是美国第509航空联队的基地，拥有各种战术原子弹。马赛尔并不清楚这一失事的飞行器到底是什么，但是他知道它不该出现在这样一个敏感的区域里。

7月8日，军方封锁此事的企图严重受挫，基地的新闻报道员沃尔特·豪特未经指挥官威廉·布兰查德上校的允许，就向一家报纸透露了此消息。消息说，“许多关于飞碟的谣言于昨日变成了现实。昨天第509航空联队的情报机构在当地某些牧场主的合作下获得了一个飞碟的残骸。”

“这个物体在上周某时着陆于罗斯韦尔附近的一个牧场,它的残骸在牧场主的房屋附近被收捡起来,罗斯韦尔空军基地对它进行了调查。现在这个飞碟及附属物已由马赛尔少校转交给了上级指挥部。”

无线电波很快把这则消息传递给遍及世界各地的报纸,在舆论压力之下,美国空军不得不透露出一些细节。但是记者们这时发现这则新闻的内容已变了,罗斯韦尔和华盛顿抛出了一连串的否认材料。得克萨斯一家电台转引了一位空军官员的陈述,这位官员说这些残骸是高空探测气球的遗物。一些新闻报纸刊登了这位官员的照片,还刊登了另一位官员正在检查一只气球的照片。

这些官方消息很快使人们对罗斯韦尔事件失去了兴趣,但是一些UFO研究者极为不满。写《百慕大三角之谜》一书的一位作家查尔斯·博利茨着手调查此事件。1980年,他与威廉·英尔合作出版了一本新书,在这本书中,他们对政府掩盖事实的真相进行了谴责。他们认为,在罗斯韦尔发现的飞碟是一艘装载着6名外星人的宇宙飞船。他引证了一位政府工程师格雷第·巴内特的话,巴内特曾告诉朋友们他也是于7月3日早晨第一批到达那个地点的人员之一。“我接到命令被派遣出来,”巴内特说,“当雷电闪烁的时候,一个巨大的金属物体映入我的眼帘。它是一个碟形物体,直径大约有7.5~9米。当我正在察看这个物体的时候,一些人从其他方向赶来了。在察看那几具坠落于地面的尸体时,我认为飞行器中还可能有外星人的尸体,那个飞行器已被爆炸或撞击撕裂。”

“尸体的头是圆的,眼睛很小,没有头发。按照我们标准来看,他们的身材很小,脑袋与身躯相比似乎显得太大。”

“他们的衣服似乎是一整块,颜色是灰的。你看不到任何拉链、皮带或钮扣。似乎都是男性,我凑得更近些,想接触他们。这时,一位军官驾着卡车赶到了,并控制了这个地区,他告诉大家,军队正在接管此地,命令所有人离开。"

"许多士兵出现了,在四周设立了警戒线。我们在离开时,被告之不允许对任何人讲我们所看到的一切。"

博利茨和英尔没能从巴内特本人那里得到消息,巴内特死于1969年。牧场主布雷泽尔不久也死了,但是他的儿子比利告诉人们,他的父亲是如何发现那个残骸的。

"父亲非常不愿意谈起它,"比利说,"军事当局要他发誓保守秘密,他很认真地承诺了。我不知道那个飞行器是什么,但是爸爸有一次说,军事当局告诉他,他们断定飞行器不是我们人类制造的。"

"他告诉我,飞船上的几个家伙仍然活着,但是喉咙已被吸入的气体烧伤,不能再讲话了,他们被运到了加利福尼亚。在人们尚未找到与他们沟通信息的方法之前,他们就死了。"

博利茨和英尔也引证了加利福尼亚大学一位物理学教授威斯勃格博士的话,他声称他检查过这个飞碟。这位博士说,"它的形状像个龟背壳,有一个小机舱,里面大约有4.5米宽,机舱内遭到严重的毁坏,里面有6个外星人。对其中一个尸体的解剖表明,除了在身高方面的区别外,他们的内部构造与我们人类相似。"

"一个外星人正坐在看上去似乎像一个操纵台的前面,台子上写有一些象形文字。这些文字非常古怪,是一种根本不可知的语言。舱内没有驱动器或发动机之类的东西,没有人知道这个飞碟是如何驱动的。"

洛杉矶一位摄影家巴伦·尼科尔斯·万·波彭声称他在两位军方人士的陪同下为失事的飞碟拍了照片。

万·波彭进行了一系列照片金属相性分析,他说,他被护送到罗斯韦尔空军基地,拍了数百张照片,这些照片在天黑前全部交了出去。他描述这个飞碟大约有9米宽,机舱的直径约有6米。舱内的地板上覆盖着塑料单子,单子上有许多象形文字。前舱内有4张椅子,操作台上有几个按钮和操纵杆,在每个座位上,都有带子捆着的一具尸体,身高0.6~1.2米。

巴伦补充道:"这4个家伙的脸都是苍白的。他们穿着闪亮的黑色无口袋的服装,衣服从脚到脖子紧紧地裹在身上。鞋似乎是用同一材料制成的,显得很柔软。手就跟婴孩的手差不多,手指也是5个,指甲修剪得很光滑。"博利茨和英尔说,万·波彭私藏了一张底片,并把它锁在一个安全地方。1974年,他死了,终年90岁,但没有发现那张底片的踪迹。

这两位作者声称马赛尔少校于1978年接受了关于罗斯韦尔事件的采访。那时他已退役,住在路易斯安那州的霍马。当问到他在那个牧场收集的残骸是否真的是一只气象气球的碎片时,他说:"不是。"

他继续说:"那段时间我对天空中的每种飞行物都相当熟悉,那些残骸不是我们的,也不是外国的。我也相当熟悉各种测量气球或用于军事或民用的雷达跟踪仪器。它是一种我从未见过的东西,肯定不是我们人类制造出来的。它肯定不是什么气象气球。"

那么当时为什么说它是气球呢?马赛尔说准将雷米命令封锁消息,"让新闻界远离军营"。博利茨称那尸体和残骸被秘密地用船、卡车和火车运送到各个不同的科学中心。

他说:"我们已调查了那些对外星人尸体进行过解剖和对这个飞碟进行过检查的医学家、工程师,调查了那些可以清楚地回忆起这次事件的人,他们的讲述十分有用。可以肯定是,这次事件绝不是天方夜谭。"

博利茨相信这些事实被封锁起来,是为了避免引起大众的恐慌,或出于某些军事原因。任何国家如果能够弄清这个飞碟是如何被驱动的,那么它就将拥有在太空和导弹竞争中无可匹敌的优势。

只有继任的未来总统们才被允许分享这一秘密。

博利茨回忆说,吉米·卡特曾许诺如果他能当选总统,那么他将使政府部门关于 UFO 的情报公开化成为可能。当作者摇响白宫的门铃时,他被告之公开 UFO 的调查材料将不会被批准。

博利茨认为:"卡特的沉默毫无疑问是被这样的事实所逼迫的——他已知道了内情,这个内情使他确信必须对此保持沉默。"

另据美国研究员伦纳德·斯特林菲尔德透露,美国已从坠毁的外星人飞行器中找到了大约 30 具外星人尸体。其中的大多数已被做了尸体解剖检验。所有这些外星人的尸体或被保存在俄亥俄州怀特·帕特森空军基地,或被保存在科罗拉多州斯普林斯附近的空军联合指挥中心。

斯特林菲尔德说,那些外星人的身高在 1.2~1.5 米之间,很单薄,脑袋特别大,没有头发。他是在与好几位关键人物交谈之后,公布这番令人震惊的消息的。他补充说,一支被称为"蓝色贝雷帽"的训练有素的特种部队时刻做好准备,一旦有 UFO 失事,他们就会立即出动。

所有为斯特林菲尔德提供消息的人都要求不要向外界透露出姓名,斯特林菲尔德拒绝说出他们的身份,即使在他的著作受到提问时也恪守诺言。

一位在 20 世纪 50 年代早期观察过一次对外星人尸体解剖手术的医生描述说,这具外星人的尸体只有 1.2 米高,它有一个梨状的脑袋,一双蒙古人的眼睛深深凹陷在脸部,没有眼睑,没有耳垂,没有牙齿和头发。

1952 年,美国空军某部接到命令多次派飞行员驾驶战斗机去攻击 UFO,并将奇怪的飞行器击落。一位空军少校飞行员在 1952 年间曾在怀特·帕特森空军基地的地下室看到几具外星人的尸体在那里保存着。这位少校现已退役。

另一位美国空军战斗机飞行员在 1953 年看到 3 只破旧的板条箱被运到怀特·帕特森基地。有人告诉他里面装有外星人的尸体,他们乘飞碟坠毁于亚利桑纳州。一位军官说当救援人员赶到时,这几个似人非人的家伙还活着,尽管给他们吸了氧气,他们最终还是死了。

一位军队情报官员目睹了 9 具外星人的尸体,那是 1966 年。他看到他们冷冻在怀特·帕特森空军基地,有人告诉他在政府各基地中共有 30 具外星人的尸体。这位情报官后来又获悉,在 1966～1968 年,曾有 5 架 UFO 坠毁于俄亥俄州、印第安纳州和肯塔基州。

一位参加过尸体解剖的医生说,这几具尸体没有消化道痕迹,也没有性器官,他们的血液是无色的。现在,斯特林菲尔德已经结集出版了他的 UFO 调查报告。

□寻找外星人的踪迹

要想世上所有的人都相信外星人的存在,就必须有充足的证据。在向太空探索的努力还未有结果的情况下,我们只有在地球上寻找他们曾经拜访地球时留下的踪迹。

宇宙人方程式

在茫无涯际的宇宙之中,在无法穿透的时间和空间的无限之中,我们的地球碰巧有了孕育生命必需的一切条件,于是人类诞生了，并创造了无与伦比的文明。可是，在数以亿万计的恒星系中，有没有和我们人类一样的智慧生命存在呢？我们的地球真是宇宙的孤儿吗？

如果地球果真是宇宙中的孤儿，那么人类迈出地球向外星球发出探寻生命的一切努力都是徒劳，而且，有关地球历史中种种不能解释的谜团将更加神奇无比。

我们一直在试图认证有关太空智慧生命体的传说，在此，我们特别感激那些把我们当知音的好心人。

人类从没放松对外星可能存在生命的现象进行科学的论证。1961 年，11 位世界性的权威科学家在美国国家射电天文台集会，提出了著名的"宇宙人方程式"：

$N = N_l f_p n_e f_l f_l CL$

在这个复杂的方程式中，N 表示银河系中可能存在的天体，当然，是一种有着高度文明的天体，后边的 N_l、f_p、n_e、L 都代表了构成生命要素的一个方面，f_p 表示行星在恒星中所占比例，n_e 表示恒星中适合生物产生的行星数，L 代表文明社会存在的时间。科学家们给每一项设定了两个值：如果取正常值，$N = 50000000$；如果取绝对最小值，$N = 40$，意思是说，在我们的银河系最少也有 40 个不同发展程度的文明社会。我们知道，银河系之外，宇宙中还有亿万计的"银河系"，那么宇宙文明是一定存在的了。

人类对外星人的研究倾注的心血越多，似乎也越感动着外星人的"出现"。但各种有关外星人的研究都碰到了一个大难题，那就是，总有许多有关外星人的遗体、遗骸、遗物报告，在每到关键时刻，这些人证，物证，不是不翼而飞了，就是隐匿不出门。

科学家们告诉我们说，无论什么星球，只要具备和远古时代地球相同的条件，经过漫长的时间孕育，都会自然地产生文明，这是无法遏制，也不可阻挡的事实。可是，面对着有关外星人呼之欲出的答案,人类囿于自身的浅薄无知,无法克服的时间、空间、智慧上的障碍,以致无法和宇宙文明交融。

为了搜索外星生命,各国也曾努力捕捉来自太空的电波,并一次次发出电信图码,迄今为止,还没有得到任何有效资料和答复,但也许是出于保密的考虑,总之没有公布出来。

前苏联和美国都曾隐藏了有关与外星人“交往”的记录达数十年。根据最终披露的结果,我们确知,1981年5月14日,在太空中行驶了75天的前苏联“礼炮6号”就经历了一次与外星人会面的事件。当时,“礼炮6号”准备返航,宇航员科华永诺克、萨云基治发现,在距“礼炮6号”60米的地方,停着一艘泛着银光的飞行器,飞行器里清清楚楚地站着几个人,这几个人比常人有着大一倍的蓝眼睛,坚挺的鼻子,绯红色的皮肤,面部残酷而无表情。

两名前苏联宇航员拿出一幅星空图向外星人示意,外星人也向宇航员展示了一幅地图,宇航员们发现我们地球所处的太阳系也赫然存在其中,宇航员又用摩尔斯电码向外星人传送信号,外星人也传送过来一些奇异的电码,后来科学家经过大量艰苦的工作,就是不能破译其中奥秘,只是猜测可能是用数学符号表示沟通的方程式。

外星人还向两名前苏联宇航员表演了他们的“绝活”,他们常常走出飞行器,在没有太空服的情况下,在太空行走遨游,有时甚至距飞行器很远,就这样两下并肩飞行4天以后,外星人终于离去,两名前苏联宇航员不失时机地拍下了照片。

时至今日,外星人仍旧与人类保持着某种若即若离的联系,这是人类一直满怀激情和信心探索外宇宙的主要原因之一。

如果纯粹听由各种有机会进行太空飞行的宇航员描述神秘的太空之旅,我们也许因为得不到某种佐证而心存疑窦,但如果我们在远古的一些民族神话中去找寻有关各种空中旅行的描述时,我们会轻易地发现，这并不完全是那么荒谬背理的猜测或是类似荒唐的心血来潮的想法。

“小天使”们是谁

第一种佐证出自《圣经·旧约全书》，先知以西结叙述了一位先祖关于一次空中飞行的经历，当然其中有相当大程度的联想：

> “我曾看见并正在看见，在小天使们头上的苍穹之中，形成了像蓝宝石似的东西，看起来就像是宝座。”
>
> “正面那个穿细麻大衣的男子说：进去吧，去那些轮子中间，在小天使们的脚下，两手抓着火红的炭……于是他就进去了，我看着他进去的。”
>
> “但是，小天使们站在殿的左边，光彩充满了内院。耶和华在小天使面前，在崇高庄严的殿堂的极限处，充满了云彩，前院沐浴着耶和华崇高庄严的光辉。”
>
> “有人听到小天使翅膀发出簌簌的声音，这声音一直传到外院，恰如全能的主说话时的声音。”
>
> “这时他向穿细麻大衣的男子示意说：你在小天使们脚下的轮子中间取火来！那男子就进去了，走到轮子旁边。”
>
> “我曾看见并正在看见，在小天使们身边立着四个轮子，在每一位小天使身边均有一个轮子，这些轮子细看之下就像绿松石。四个轮子都是一个样子，犹如一轮套一轮。这些轮子行走的时候，它们能够向任何方向行走，但不可来回反复地掉转方向，第一个轮子走向何方，其余随之……他们全身，背上、手上和翅膀上及他们的轮子上，

各处长满了眼睛,四位小天使的轮子都是如此。这些轮子的名称叫旋转。”

“当小天使们行走时,这些轮子也在他们身边一块行走,每当小天使们扇动翅膀,离地腾空时,他们也控制这些轮子不离其身边。”

“只要这些小天使站着,这些轮子也站着,一旦他们升空,那么这些轮子也跟着升空。……这时,小天使们扇动翅膀,在我眼前离地升空,他们出去的时候,轮子也跟在他们身边。”

这些带轮子的飞行器会是什么人的工具呢?这些小天使们是谁呢?

在神奇的古印度,一篇古代的梵文是这样描述出现在天上某种飞行器的:

“他们有一种依靠自己的内在力量像鸟一样运动的能力,无论是在地面上,在水中还是在空中都一样的装置,称为天堂战车……它能在天空中运动,从一个地方到另一个地方……从一个国家到另一个国家,从一个世界到另一个世界……”

“天堂战车是由进行学术研究的传教士们命名的……这些战车不会断裂,不能被分隔,也不会起火,更不会被摧毁。”

“这些飞行器拥有许多秘密,诸如停止飞行的秘密,隐形的秘密,偷听敌人的飞行器的噪音和谈话的秘密,查明敌人的飞行器内部情况的秘密,查明敌方飞行器的秘密或飞行方向,使敌方飞行器里的秘密失败,人员昏迷并毁灭敌方飞行器……"

这篇令人惊骇不已的古梵文还仔细地描绘了飞行器是由 31 个主要部分组成的,并对飞行员的穿衣和吃饭均作了论述。此外,原文还包括建造飞行的运输工具所不可缺少的 16 种金属材料的记录,迄今为止,人类所熟悉的只是其中 3 种材料。

在印度吠陀和史诗的各种翻译作品中,有着无数令人心仪的原始时代的飞行机器和空想的武器记录,史诗浸淫着这个国度,一个稍微受过一定教育的印度人,很小时候就熟知原始时代的诸神乘飞机,赶着马车到处跑,而且拥有了可怕的武器！在他们心目中,这些从来没有什么令人感到新鲜和吃惊的地方！

来自阿尔盖世界的"公民"

在犹太教神秘主义体系的主要著作《光辉之书》里,有这样一段令人惊异的记述:一位尘世之人与一位来自阿尔盖世界的一位遇难者之间有一次谈话,谈话内容是这样的:在地球被火焚毁以后,一些劫后余生的逃难者,在拉比约塞的率领下,遇到了一位突然从岩缝里走出来的陌生人,这位陌生人长着一张与众不同的脸,拉比约塞便走到陌生人面前,并问他到底从何而来,陌生人告知是阿尔盖世界的居民。

逃难者深感意外,惊奇地说:难道阿尔盖世界里有生物?

陌生人回答说:在阿尔盖世界里,播种与收获要经过好几年才轮番一次,就连日月星辰的排列布局也与他从这里看到的情况不一样！

这段话叙述的背景是流传了近 2000 年的口头传说,显然,如果有外星人,那么这个阿尔盖世界来的公民肯定就是外星人,他从一种不同于他自己的行星上习以为常的角度,来看待日月星辰,此外,他那里有着不同于地球的一年四季的排列顺序。

在土耳其安纳托利亚的地下城市里,多次发掘出头戴高帽子的人物头像,这种与肢体相比大得不成比例的硕大头颅显然是以某种外星文明为模拟对象的。为什么会建这座地下城市?因为他们想把自己隐藏起来,为什么要隐藏?因为他们害怕"能飞行的敌人"。

闪米特人在他们的圣书《科布拉·纳克斯特》中描述说,所罗门大帝利用一辆飞行器把这一地区搞得鸡犬不宁,不仅所罗门大帝本人,他的儿子,所有恭顺他的人,都有幸坐过这辆飞行器。阿拉伯历史学家阿里·玛斯乌迪也曾描述到所罗门的飞行并大致介绍了他的部族。当时的人类对于飞行现象产生了无比的恐惧,所以才要修建庞大的地下城市以把自己隐藏起来。

在古印度传说中,还有这样一段记录:

> "于是国王和后宫家眷,王后嫔妃,宫廷权贵以及来自王国各地的头领乘上飞船。飞船升入天空后顺风行驶。越过海洋直向阿兰蒂斯城飞去。那里正举行节日的庆典,飞船下来,国王下船参加了庆典,短暂的停留之后,国王的飞船在众人惊愕不已的注视下重新腾空而起。"

显然,在传说中的外星世界,也一样存在着与人类相似的某些制度。

地球文明的催化剂

在追踪玛雅文明之谜时,绝大多数考古学家都不会放过"铭文神殿"中帕卡尔石棺上那个精心雕琢的盖子，许多人认为在这个盖子上隐含着古代玛雅文化真正起源的最重要线索。

盖子上的雕刻很复杂，中心图案刻画的是一个蜷曲的、几乎处于胎儿状态的玛雅人形，中心图案一圈环绕的是一些奇怪的图案，包括人物和复杂的边缘雕刻，所有这些都带有象征的意味。图案的颜色鲜明，使中心的人物看起来像是浮在那里似的，这是一个融化了许多雕刻智慧和手法的艺术品，但也就是从发现它的那一天起，这个石棺盖子似乎就引发了十分激烈的争论。

迄今为止，争论还没有结束。那图案中心的人物是谁？他到底在做什么呢？那么多形态各异的象征物又意味着什么？

瑞士著名作家艾端兹·温·丹尼肯于本世纪60年代仍在孜孜不倦地研究这个图案，不过，他的视点比一般研究者站得要高远得多。他的研究成果汇成了一个著名的诊断：即来自其他星球的有智慧生命曾拜访过地球上的原始民族，并成为地球文明的催化剂。他进一步提出，宇宙间有数十亿个星星，因此极有可能在某个星球上存在着同人一样的生物，他们处于比我们更为高级的进化阶段，而古代原始人还把他们看做是与神同类。温·丹尼在提出这个论判后，又提出帕卡尔国王石棺上的图案作为佐证。他认为：

"也许一个稍有常识的孩子都会认出来那个飞行器是个火箭。它的前端是尖的，往下就变成了刻有奇怪沟槽的锯齿形状，像是一个个港湾，然后逐渐加宽，直到在喷射火焰的末尾处终止。至于中心那个蜷缩一团的人物，显然在操纵一系列叫不出名字来的控制器，他的左脚跟还踩在一个踏板上，他的衣着也恰到好处地得体：裤子很短，系着一根腰带，上边着短上衣，颇像现代的时装式样，在脖子处开了个口，他的胳膊和腿上还扎着绑带，头饰却弄得极为复杂，是常见的锯齿状物和管状物，顶部还有一个类似触角的东西。这大概算是一个宇航员了吧，至今，可姑且这么叫，或者，他就是被塑造成这个模样，身体紧张地向前靠而且他还聚精会神地盯着悬挂于他面前的一个装置，宇航员置于前端的座位与飞行器的后半部分之间还被撑杆隔离开了，在后半部分可以看到对称摆放的盒子、圆圈以及螺旋形的东西。”

“原始人的想象力真可以创造出类似现代宇航员坐在他的火箭发射器里这样奇妙的东西？下方那些奇怪的标记可否认为是表示火箭推动系统里喷出的火焰和气体呢？”

在印度靠近马拉巴海岸附近的坎赫里，有大约 87 处岩穴，在德克汉高地边的琼纳尔，也有大约 150 个洞穴，有关耆那教徒于公元前 500 年建造的这些巨大的工程，历来备受关注。有关它建成的传说是这样的：天神的儿子们，他们在与西部前印度的最古老民族库鲁斯打仗的时候失败了，于是他们非常聪明地撤回到预先准备好的洞穴？也许地面战斗的威胁不足以让人无处藏身，所以威胁是来自天上？

十六大构想

猜想总是无能为力，但我们永远都不能停止思考，瑞士作家冯·丹尼肯在《外星文明与宇宙》中一连对外星人与地球文明可能存在的联系作出了著名的十六大构想：

一、在一个为人类所不知道的时间里，在银河系深处，是否存在过一场类似地球人的智慧生灵之间发生过一场战争？

二、这场战争的失败者躲到一艘飞船中救了自己。

三、因为他们提前知道胜利者的思维方式，当他们在对其生存不是“理想”的星球上登陆时，于情急之中他们设下了一个“圈套”。

四、失败者选择的星球是地球，与他们故乡的星球相比，地球虽然稍嫌落后，但还是可以接受的，只是提供不出理想的生存环境条件。在这个新的大气层里，这些失败者们习惯性地戴上瓦斯面具，以便使自己适应地球的混合气体，所以，在那么多的洞穴画面上才见到了诸如盔甲、象鼻仪、贝壳形呼吸器等等。

五、战争的失败者们一旦决定长留地球，因此作了长远打算，在地下挖洞以便藏身，所以有了远古各地的地下隧道体系。

六、为了彻底骗过对手，他们在我们太阳系的第五个星球上建立起技术设施，以及被编成密码的发射信息。

七、胜利者们也上当了，于是他们残暴地消灭了第五星球，一次巨大的爆炸摧毁了这个星球，其部分物质飞速穿过了小行星带，在我们太阳系图片上，今天的火星和木星之间，裂开一个 4.8 亿公里宽的“非天然”缺口，但是这个缺口并不是“空的”，里边有着成千上万块小的和极小的石块，人们把这称为“小行星带”。可自有人类历史以来，天文学家一直就在猜测火星和木星之间怎么会有和为什么会有一个星球可能“被爆炸了”，会不会是“人们”设法让它爆炸，而非自行爆炸？

八、胜利者以为失败者被消灭了，他们就将其飞船撤回到故乡星球上。

九、由于第五个星球被消灭，我们太阳系中的重力关系暂时出现了混乱状况，地轴倾斜了几度，巨大的洪水于是引发。

十、失败者从建造成一流的地下墓穴中走出来并开始在地球上创造新的智慧生物，基于分子生物技术，失败者根据其长相相似者猿猴“创造”成了人。

十一、先前的外星失败者,也即是现在的地球造访者和统治者——天神们发现,地球人的开化和发展进行得太慢,天神们在其不耐烦中常常变得暴躁易怒,他们轻罚和毁掉爱发牢骚者,不按现有生物法规行事者,一切难以统治者,天神们对这种激烈的清除行动没有道义上的顾虑,因为他们感到,他们要对人类的未来负责。

十二、人类一直害怕天神和他们的惩罚行动,当天神们不再是第一代人类的天神时,情况就更是如此:他们是其儿女,人类已在同化中失去这些儿女。

十三、人类集体由于害怕来自天神的威怒开始遍地挖掘壕沟。也许这些人类群体还曾得到过天神的指导,所以发明了十分先进的工具,而这些工具至今也仍然是加工各类石头最锐利的武器!

十四、在我们的星球上,现在每年都有越来越巨大的地下住所被挖出来。墨西哥的乔卢拉、土耳其的代林库尤地区,这些卓越的作品,基本都可想像为是人类害怕"来自宇宙的毁灭"而开建的。

十五、我们的祖先以其无限的精力用于在地下修建那些藏身之所,并不是为了娱乐和要防止野兽袭击,也不是为了他们宗教理想的荣誉,以及害怕外来侵犯者,因为用简单的工具和原始的人力进行的开挖工作要持续许多年,而这些地下城市的修建者们并没有地下隧道修建者那样拥有精良的工具。外来的占领者也已轻易地做了强迫这些笨拙的自卫者去干这样的事,他们装模作样好像只是要去洞穴的入口处,然后就让那些被关进去的人挨饿投降。

十六、从各方面分析,人类修建庞大的地下城市只有一个目的,那就是对付来自空中的攻击。但是地球上谁会去攻击这些"小人"呢?只有那些传说中的外星来客,那些远古时候就曾造访过的天神,它们对人类不满意了,或是看不下去了,所以只有出此下策。

我们甚至可以作这样一个最坏的打算:地球人的性命也许一直就牢牢地掌握在外星人手里!

也许外星人早就与我们的先祖生活在一道,而倒霉的地球人仍不知道罢了,要是他们也如同今天我们这样怀着侥幸的心情孜孜不倦地寻找外星人的踪迹,也许他们是会有意识地留下一些线索的。

□ 外星人"凶手"

人类探索古代文明的脚步从来没有停止,然而让人类颇为难堪的是研究越持久,技术越先进,破译出来的秘密也就越多。

在印度德里的一所庙宇的大院里,人们发现了一根由铁件组焊而成的立柱,它经历了几乎 2000 年的风风雨雨,至今不见有任何锈蚀的痕迹。确切地说,它不含硫和磷,在这里,我们目睹了一种古代的铁合金,立柱也许由一组卓有远见的工程师铸造,他们没有资金建造巨型建筑物,却仍然要传给后世一座超越时代的纪念碑来颂扬他们的文明。

立柱实在可称得上当时文明的纪念碑,我们还不得不承认,这是一段令人难堪的历史:在古代高度发达的文明里发现的建筑,今天却不能用最现代化的技术手段加以仿造!这根铁柱依然在那里,它们并不因为遭到人们的议论和研究而消失。不允许存在的就不可能存在,所以,人们一直挖空心思地寻找"合乎理智"的解释,然而时间过去许多世纪了,"合理"的解释找到了吗?

在哥伦比亚的国家银行里,至今保持着一件金子做成的艺术品,这件古老的艺术品头部像是一条鱼或是一个甲虫,但它的尾部却有一个类似飞机尾舱的垂直平面,生物学家和航空学家异口同声地肯定这不是个什么生物的雕像或艺术品,它就是一个飞机模型。研究测试表明,和其他模型飞机一样,只要把它放入风洞里,它就能够飞起来，而且性能优良，更令人吃惊的是，模型的尾翼上雕刻着类似希伯来语的B字，众所周知，飞机的垂直尾翼上大都有航空公司的标志，而这些黄金打造品的标志则与航空公司的标志类似。假设这是初期希伯来语的B字，那这些“飞行物品”就应该是在中东制造的太古时代的飞机，居然能横越大西洋飞到中南美洲的上空，并且很可能也会着陆与古代中美洲人进行过交流。

很明显，一方面是性能优良的飞机，一方面是制造这件艺术品的年代，当时地球人的科学技术水平还很低，是根本造不出这么先进的飞机模型来的。那么，到底是谁制造了这架飞机模型？难道是外星人？既有飞机模型，那么未必就没有真正的实物飞机吧？

在英国的一家博物馆里，收藏着一具4万年前古人类的头颅骨，它是考古学家在非洲埃及发现的，在这具头颅骨上，有一个圆洞，显然这正是死者的致命伤。

在那个蛮荒的年代，只有矛和弓箭，但头颅骨圆洞的边缘没有裂纹，比较光滑，与受长矛、弓箭刺杀的裂洞明显有别，那么，4万年前的古人会是被什么武器打死的呢？凶手果真如有些人猜测的，是来自外太空的“外星人”？他们不知出于什么原因，杀死了这个倒霉的地球人吗？

□ 外星人的“殖民地”

对困扰专家学者们的“苏美尔问题”，能够提出具建设性答案的是卡鲁·赛甘博士。赛甘博士现因身为美国太空科学界的泰斗，故对太空考古学的想法，表现出否定的态度。但20年前，他却因曾陆续发表一些少壮派学者的大胆构想，而大大地刺激了科学界。

他论及“太古时代与地球外智性生物交流”的可能性，并言及苏美尔发祥传说中"苏美尔文明是因靠具有强大能力的非人类生物的援助而诞生的",但很具讽刺的是,后来他竟成了与太空科学界相对的太空考古学先驱者之一。

这个传说是巴比伦的祭司贝罗梭斯于公元前三世纪左右,运用数千年前以来的神殿古文书,以希腊语所著写的可信度极高的巴比伦史中的一节,现在有3种古文书中仍引用此传说。其要旨如下——

> "当太古的巴比伦地区的人类过着与野兽一样无秩序的生活时,从波斯湾出现了一种具有智慧的欧亚奈斯生物。体形虽像鱼,但鱼头下却有别的头,并有与人类手脚一样的东西,声音也像是人类。"

白天,这种生物会从海中出现,与人类说话,并教导人类文学、科学、艺术、建筑、法律、几何学原理、植物的区分、采集果实的方法等等,但它却不用吃东西即可生存。亦即教导人类所有有益于提升人类生活水准、文化的事项,由于其所教授的事物几乎无懈可击,因此后来根本不需再予以改良、补充。

由于这种生物是水陆两栖动物,因此,每当太阳一西沉,它就立即跃入海中潜藏起来,一到早上则又立即出现,从此以后,就不断有与欧亚奈斯同种的生物从海中现身教导人类。

因此,赛甘博士就推定说,若不折不扣地接纳欧亚奈斯的传说,那么公元前4000年左右或更早以前,非人类文明与人类在波斯湾沿岸的某处接触,恐怕应该是在苏美尔最古老的艾力多遗迹附近发生的。

艾力多遗迹现已被确认,根据用楔形文字所记载的粘土板文书中的"苏美尔王名表"所示,艾力是"大洪水以前,从天降下王权的最初之都”。这儿有祭奉和安(天神)、恩里路(暴风雨神)同属苏美尔3大神之一的安基(水和大地之神)神殿。挖掘后得知自苏美尔文明兴起之后历经数千年,已在同一场所反复修建祭奉安基神的神殿。

苏美尔人如此敬仰的安基神,果真只是个虚构的神吗?有关安基是“水和大地之神”,实在会令人不禁强烈地联想到水陆两栖动物的欧亚奈斯。

总之,若将欧亚奈斯的“如鱼般的身体”视为是在暗示太空衣或潜水衣,而“鱼头下的别的头”是太空帽或潜水帽中的脸,那么就会很清晰地浮现出,这是海中的非人类系智性生物。

事实上,有关苏美尔文明所残留下的另一则重大的谜,也已于最近因站在太空考古学的视点上,加以解析而获得解答。

古代亚述的尼奈布是美索不达米亚文明大遗产之一,从中挖掘出50000件以上的粘土板文书。其大半都是与经济、法律、行政相关既无味又枯燥的文书,只有10%左右是与英雄吉鲁加梅休的叙事诗、文学及与学问有关的文书。

其中,一张记算书所记载的应不是商业活动或日常生活之物,因为其数值异常巨大。当时虽已使用12与60进位法,但若换算成现在的10进法,则是“195兆9552亿”的天文学数值。虽然有人将它加以翻译,但其意义则历经一世纪,仍完全无法得知。

到了1975年时,法国的外太空工程学家,参加NASA(美国太空总署)研究阵容的摩利斯·夏德兰,成功地解读出了这个天文学数字之谜。他是由于得到现代人所使用的12/60进法的时、分、秒的定时法起源,也是来自苏美尔文明的暗示,因此,才查出数值诚如文字所示乃天文学上之物。

众所周知,若将一日24小时换算成秒数的话,则为86400秒。因此,若将“195兆9552亿”用一天的秒数去除的话,就正好出现

226800 万日。

这个完全整除的数字，绝非是偶然的，可是，若代换成年数的话，那么这长达 600 万年以上的时间又对苏美尔人具有何种意义呢？

正当夏德兰思考得极为厌烦时，脑中突然闪现出——中世纪的占星术师及炼金术师们所称"伟大之年"、"大的定数"且极力找寻的神圣数字。根据他们之间的传承，这是全天体的反复运行周期，一起回归同一出发点，这样的话，恐怕应是意味着数百万年单位的超大循环周期。若再将占星术的起源回溯至巴比伦，那么这问题之谜的巨数岂不正是这个神圣数字了吗？

有此构想后，夏德兰也恢复了勇气，于是就先用地球最基本的周期之一——岁差运动除 226800 万日。正当他算出答案正好是 240 回分时，他立即确信自己已解开此谜了。

接着，他又一边去运用电脑，将它与天文资料相对照，结果他查知这巨大数值，竟然是太阳系内主要诸天体，以太阳日的单位所表示之所有公转、会合周期的整数倍——亦即相当于公倍数。

而且若不使用包括小数点以下位数的精密数值的话，周期的观测值就无法成为公倍数。由于天文观测值到底是近似值，因此严格地说起来，应该是完全地接近公倍数，可是，这个巨大数值竟与太阳系主要诸天体的全运行周期一致，准确率高达百分之百。

夏德兰断言说："隶属太阳系的行星、卫星、主要长周期的彗星，其公转、会合周期至小数点后 4 位数的观测值，根本就是'尼奈布的圣数'的正确分数。"

所谓 226800 万太阳日的"尼奈布的圣数"，就是连结太阳系内全天文现象的"太阳系定数"。那么这如果不是占星术师们所寻求的"大的定数"，又是什么呢？

那么，苏美人是如何知道这高度科学的数值呢？当时的苏美尔文明水准应该是未到此境界。因此,只能将欧亚奈斯传说视为是反映某种历史事件,且是欧亚奈斯,亦即外星文明人传授高度文明给苏美尔人的说法最为合理吧!

将苏美尔人文明从太空考古学的观点来看是相同的,但仍有人尝试以更积极、大胆的主张来解说。他就是以色列血统美国籍的中东语言兼古代史研究家塞卡利亚·席金。

他的主张主要是从专家的立场来着眼,因此,具有绵密的文献学性、语言学论证性的特色,且深具说服力。根据他的假设,与其说苏美尔文明的起源,是靠外星人的援助,不如说是在以前的时代(据他所言,乃传说中的“大洪水”以前),此地因被外星人建设为殖民地,而留下了文化遗产。因此,这些外星人就是被原住民尊奉为“神”的人。

例如:透过美索不达米亚(从苏美尔至亚述)、埃及、希伯莱等等中东一带的古文献,及圣经所出现的共通语中,都有一单词“塞姆”。且不论何种文书,都经常将它用于记述神的天上之旅或人类升天的场合。

塞姆语(除苏美尔之外的美索不达米亚的诸语、希伯莱语、阿拉伯语等等)中是有 SHU - MUSAAM SHEM 来表记,但它原本是从苏美尔语的 MU 所产生的语言,故原意是“MU 这物”。在当时的绘画文字(楔形文字最初的形态)之中,是“垂直上升之物”之意。

由此可见,它应是火箭、太空舱之类的飞行物体,事实上,在呈献给巴比伦的女神伊茜达尔的赞歌中,有一首就明显地将它当做飞行物体——“天上的贵妇人乘坐 MU 飞行于人类所居住的地上”。除此之外,当时的浮雕、绘画、雕刻上也描绘着火箭型的物体,其中有的里面还端坐着神。不久,也从此处产生了我们在《圣经》与古文献中,所经常看到的“神所居住的圣屋”这种极为奇妙的想法。

随着时代的变迁,亦即随着与“神”有交流时代日益远去,塞姆的语义上也产生了些许的变化。历代向往“神”的国王们在“圣屋”中立上刻着自己形体的石碑,将自己比拟为神,以满足自己的权势欲望及名誉欲望,想借此将自己之名留于后世。

尔后,也逐渐变成在塞姆上加入“被永恒记忆之物”之意,最后仅仅被解释为“姓名”了。“神”的记忆随之抽象化且模糊不清,以致后人无法理解“飞行物体”的概念,并更进而导致语义的变化。再者,古文献中的“塞姆”原意是“空中飞行的物体”,但是,自希腊以后每译成现代语,就被误译为“姓名”,因此,就更造成了混淆。

最典型的例子,就是著名的“通天塔”的故事。这是出于《圣经》的创世纪时,但起源却可回溯至苏美尔文明。内容是说苏美尔地区的住民建设都市,并建造一座可抵达天堂的塔,以扬名世界。但神见状却极为愤怒,所以扰乱他们的语言,使他们无法沟通,并将他们追赶到地上。

后代的圣经学者,将希伯莱语圣经的原语塞姆译为“姓名”,并解释这是“人类因傲慢且想扬名,因而反抗神”。

任何人都觉得这种解释十分难以理解,而其中又以“通天塔”的故事本身最为不合逻辑。

根据席金的说法,只要忠实地依照希伯莱语原典来解释的话,故事的情节就会更为具体且明快。神(外星人)发怒的理由是“人类想用从外星人处得到的技术和知识来建造自己的高塔(发射台),并计划发射塞姆(飞行物体),以便能到达地球上的每个角落,总之,就是畏惧人类文明进展过于快速。”

他还指出有一比《圣经》更为古老的巴比伦粘土板文书,可作为新解释的佐证。以《创造的叙事诗》为题的同文书中,记述着“神在巴比利(巴比伦的首都,如文字所示乃‘神门’之意)建造第一座‘神门’。此‘神门’‘乃用砖块所建造,但是,这些奉命将塞姆建于指定场所的神,却费时 2 年,建造了一座塔顶可抵达天上之高塔状的'伟大神明之家'。"

原住民见状也想建造一座相同的高塔,却为外星人所处罚,这就是原本"通天塔"的故事内容,也是席金的主张。

在苏美尔语中仍将"神"称为 DIN.CIR。据席金所言,这原本也是 GIR(前端尖锐之物)和 DIN(公正的、纯粹的)二语的合成语。可是,此二语的象形文字实在极富趣味。它的确是会令人联想到"登月小艇与指挥舱相会之处"。

若将象形文字想作原本就是用具体的对象所绘制时,那席金所假设的这些"神"正是拜访太古时期地球的"外星人",就可充分理解了。

除此之外,他也根据中东古文献和其遗迹、遗物的深入考证,大胆地推测,这些"神"有在苏美尔地方建造一种"基地兼殖民地"的踪迹。《圣经》中也曾言及在"大洪水"发生前后建造了 2 次,第 1 次是设置在美索不达米亚,第 2 次则设置在埃及、以色列地方。可是,我们在此说的则是约 445000 年前、冰河时代初期建造于苏美尔地区的最初的"太空基地"。

这个年代的推定主要是根据苏美尔文献记载的"大洪水之前、10 位国王统治 432000 年",和"大洪水"及发生于约 13000 年前,冰河期结束时的假设说法。

冰河时期,这个地方是地球上最温暖、河水最充沛的地方,而且有随手可采的藏量充沛的石油,故而成为最适合外星人开拓之地。

席金又根据前述的欧亚奈斯传说分析如下,"神"在波斯湾着陆后,就在冰河时代,仍在沼泽地的海湾深处的岸边上岸,并建造最初的圣都艾力多。ERIDU 在苏美尔语中乃"远离家乡所建的房舍"之意,这也完全符合从遥远的外星球来此地的殖民地之意。现在的地球若用英语表示为EARTH,若用德语表示则为ERDE,故它之所以成为语源,也绝非偶然。

当然了,现在所发掘出的艾力多遗迹,并非是外星人所建设的殖民地。冰河期结束时,冰块溶解,使全世界陷于“大洪水”状态,当其痕迹消失之后,就在原住民所尊崇为圣地的场所,发展出最初的都市国家,并成为苏美尔文明的基础。

□ 我们是外星人的后裔吗?

我们一直在花心思关注着我们的“邻居”,从宇宙中与地球相似的星球上是否有宇航飞行器被发射,这种可能性有多大呢?谁知道宇宙中又有多少个小星球?

海德堡自然学博士汉斯·F·埃伯尔在《外星上可能的生命》中指出,天文学家发表这样的看法:类似地球的可以居住的星球,单单在我们银河系里估计就有好几亿个。

现在是该摒除完全以地球人的观点和思维能力来探测外星体的偏见了。好在仅仅只有地球才可承养有智慧的生命这个狭隘的论点消失了。

继续探讨一下银河系中好几亿个可能有生命存在的星体可能会引出的问题吧!

一些有关这个领域题目的最新研究表明:外星智慧生物肯定和人相似——原子结构和化学反应在宇宙中到处都是一样的。

“就如同人们以前多次想像的那样,情况肯定就是如此:生命的现象要耐心等至生命的自然在一个星球上创造出能存在生命的条件。更确切讲情况是这样:生命以其杰出的化学活性,在最大程度地创造着它自身的环境,并为改造一个能在丰富多彩之中承载生命的星球做着贡献。”

声名显赫的教授开耳芬·拉格斯勋爵是位物理学家,他不仅发现了热力学的所谓“第二定理”,还给绝对温度下了一个严格的科学定义。他是他那个专业中最伟大的开拓者之一。生命最初并不一定是出在我们的星球——我们惟一的星球,更确切地说是从宇宙深处以孢子形式飘落开来的。开耳芬教授深信:这些单细胞的植物胚体——它们对住处严酷的寒冷都是毫无知觉的,随着陨星尘埃到达地球,在光线的作用下,细胞醒过来,以至于更高级的有机物从它们之中得以生长发育。可是,随之而来的研究对勋爵提出了前所未有的挑战。看来那种天真地以为生命只能出现于我们星球上的自以为是的看法是该彻底收场了。

我们已经提出关于宇宙中存在战斗的理论,现在该是把这个理论再向前推论一步了。举例而言,如果我们试图对各种洞穴中的壁画归纳,证明画面中那些清晰可辨的宇航器具——诸如宇航服、天线、供给系统显然是外星智慧生物的,人们也许有些厌烦地说:瞧,那一套又来了!可是事情是明摆着的,如果这样一些出自久远古代的常用器具能被说明含义的话,这些外星智慧生物肯定有完全不同于我们的发展历程,虽然我们也缺少确凿的证据。而且,在一些伟大的人类学家那里,一直就有强有力的声音在支持我们的观念,那就是,外星智慧人肯定与我们人类一样,或者至少非常相近似。

罗兰·普克塞蒂教授供职于有名的《哲学》杂志,在《哲学和宗教眼中的外星智慧人》一书中,他写道:

“在我搞完了这一批科学论文,根据我所有业余的判断来看,对这一题目范围内最新的科学认识,以一个哲学家和神学家的眼光毫无保留地进行调研,现在是时候了。显而易见,整个宇宙中的智慧生物大体上肯定是相似的智人。”

1964年,著名生物学家罗伯特比里博士就在《美国科学》上发表了一篇题为“外星的人类特点”的文章,文中他表达了相同的观点。加里福尼亚大学生物化学家约瑟夫·克劳特在对酶进行了15年的研究后,也得出了相同结论。观点虽然渐趋统一,但外星智慧生命有着和人类相似的发展历程如何才能被“证实”呢?

进行证明只是各种推论的一个逻辑顺序。相同的外部条件会导致培育出在基因上有区别的生命的外形和器官,在一切与地球相似、具有生命综合体系的生存条件的星球上,都有这样的趋同现象,因此,在发展变化史上,我们的星球和其他星球上出现的生命之间的区别是微不足道的。也就是说,不论哪里的生命都是以星球表面的化学变化开始的——随着在以水为媒质的碳化合物基础,从无生命的物质中出现有机物质开始的!

人是从水中一步步走上岸来的。上岸的过程就是一个人类自我发展的过程,两栖生物有一个小脑的话,那么陆上生物就需要一个更大的思考机器,因为环境危险是以乘法积数出现的,只有较大的脑子在行走中才能更好地承载和供血。从化石的考察中我们发现,地球生物在几百万年的演变过程中,腿的数目是在连续不断缩减的,一直到最终证明两条腿特别有利为止。

支撑生物的躯体的四肢的一种新型结构很快被证明是必要的,因为随着两边对称的食肉动物积极生活方式的开始,嘴和肛门一前一后分布,这两个器官的位置固定化对于追猎动物过程中的进食和排泄是最为适宜的。最为重要的感觉器官和抓获器官,对于所有食肉动物都是位于嘴部位的前端。所以,大脑这个最大的神经束要位于头皮部位,因为只有这样,大脑发出的命令到达抓捕器官才是最短距离,因而才最有效。

众所周知,在水中运用哪怕是最简单的工具也是极其困难的,在这种条件下,能发展出在抽象思维上有相当能力的大脑显然是困难的,因为这个过程是要以一个社会环境和一个某种客观语言形式为前提条件的。这样,我们就可顺利地探究一下智能生物的样子了!

单从技术上讲,智能生命可能已在无限地向许许多多方向发展着。随着多样性和争论不休的发展可能性的论点被排除,生命肯定也在太阳系以外的星球上,在特定的与地球相似的条件下发展着智能形式的生命。在和地球相似的外界条件下,在流质媒介如水和其他诸如此类的东西中肯定出现了生命,这些生命必须依照和我们地球上差不多的模式发育着,只要他们走上陆地就有可能发展语言、运用工具,并且向共同生活的社会形式过渡。这条演变之路肯定已经把其他任何星球上的智能生命的演变勾画清楚。道理是明白的,所以人类沿着这种思路,找寻外星智能生命并与他们互相沟通的各种尝试"不会宣布失败"。

结论也是明白的,在整个宇宙中,智能生命肯定是大体相似的智人。大自然肯定用和我们相同的方式方法解决它们的问题。对此,大科学家阿尔伯特·爱因斯坦说:我问自己,是否大自然并非总是搞同一种游戏?

这种关于外星智能生命存在的假想一旦被允许,在数百万个其他星球上就都可能存在生命,也许这是一部分人不愿"看"见的。因为这种可怕的假想事实还会更进一步耸人听闻——这种生命以前和现在都比地球生命更古老,因而无论如何也更先进,虽然这只是一种推测，但却是不能排除的。

现在，完善一个我们业已“证实”的各种推理：

> 宇宙中彼此竞争的派别有着相同的数学知识，同一种经验数据和一种共同的技术发展水平。失败者的一部分乘坐一艘飞船逃离了战场，并不得不盯住一个与其故土相似的星球，在那里着陆并组织起一种文明。这些失败者知道来自宇宙的搜索危险有多大，胜利者将投入所有的技术手段来寻找他们。一场关系着一方性命的激战开场了，登陆的宇航员进入地底下，为自己掘了庞大的地下洞穴，打造了可给他们提供安全的根据地。他们从这里出发能到达新家园的各个地方，并可以把一项经过深思熟虑的基础设施工程列入计划之中。

我们对科学家马莱斯的观点并不陌生，他似乎比我们都看得远，因为他一直坚持认为，人类的始祖就是外星人。这是一个大胆的也许是人类迄今为止最伟大的假设。

我们把关注外星人的视点最后落在玛雅人的水晶头骨之上。这些传说中的13个头骨蕴含着有关人类起源、发展和灭亡的重要信息，当然，也存储了有关天神的所有信息。这些头骨里边所有的文化、数学、科学、天文、哲学知识已为人类所用，或者说正在为人类所用。它们是人类未来的希望与梦想所在：

> “外星来客带来了水晶头骨，我们称他们为天神或天人。这些天人在第三个世界结束时首次到达地球。当时的所有大陆是一整块陆地。”
>
> “天神们后来又多次来过地球，而且总是在人类出现

危机时及时赶到。他们来教育我们,治愈我们的疾病,还试图教会人类如何和睦地相处,就是这些天神帮助早期的人类建造了古代文明奇迹,但他们义不容辞的帮助远不止这些。人们通过同这些来自我们银河系其他行星的天神接触得到了改造,他们在人类文明发展史上至关重要,远比人类想像的还更重要。"

"太初时代,地球一片死寂,那时的人类并非如同现代的人,而是一种类似尼安德人的巨人。我们称其为地球人。巨人时代地球确曾有过一段黄金时代,人们可以和各种动物相互交流,和睦相处。在地球北纬30°的许多地方都有关于这个太古的黄金时代的传说,如《圣经》中的伊甸园,人类过得相当幸福,早期的人类还几乎是素食者,从不捕食动物。"

"地球人自己开始进化的时期,问题随之出现,大脑里储存的基因一代多于一代,记忆容量增加了,头颅变大了,妇女分娩因此越来越困难,难产中死亡的妇女越来越多,几乎要危及到整个人类的繁衍。"

"人类进化史上有过很重要的'缺失',也即是令人称之为突然大飞跃的时期,这一点今天无人理解。其实也恰恰是这个时期,人类生存受到了严重威胁,因为天神们来了。他们来自七星团、猎户座、天狼星,他们来到地球这颗美丽的蓝色行星上寻找新的家园。"

"天神们带来了诸如水晶头骨之类的贵重礼物,这种头骨无所不包,作用极大,本身也就是一种新的人型的模板,从此我们大脑中存储的某些记忆被移植到基因之中,大脑因为这个原因逐渐变大。"

"外星来客居留地球,却不能在我们的大气层里居住很长时间，他们像地球人一样，也会死亡。于是好心的外星人就把地球人的基因和他们自己的相交融，为的是两个种族都有希望生存下去。这样，他们也就不再是原来的样子了。”

“人类现在不仅能够把两种动物的基因结合起来创造一个新的物种，而且可以用一个细胞复制出一个完整的生物体，这样看来，人类的技术已可相当于那时的外星科技。只不过，那时外星人只把这种技术用来创造了我们地球人。”

“毫无疑问，那些水晶头骨是我们这种生命形式的最初代表，这是他们用以记载我们的祖先和命运的方式之一。这也可解释为什么不仅美洲土著人，世界各地的土著人都声称他们的祖先是外星来客。玛雅人、苏族人、切诺基人都这样声称，非洲一个叫多贡的部落还说他们的祖先来自天狼星，而且还说天狼星是双星系。谁也不相信这是事实，因为直至现代，先进的天文望远镜才观测到天狼星果然有两颗星。也许我们很快就可以发现在银河系的其他行星上有别的生命存在。”

“流传各地的头骨之所以用水晶制作，原因之一是天神曾把硅引入到我们的基因里去，我们完全是碳结构的生命，硅进入我们的血液之后，我们体内和银河系其他星体的水晶的一部分就形成了联系。土著人早就懂得地球、太阳和所有的行星都是由一张巨大的晶体状的网联系在一起的，这是一张由声音和颜色构成的网。整个宇宙的结构和秩序都与这张网相连。水晶头骨之所以能把我们唤到它们附近，因为它首先唤醒了我们内部的知识，即我们体内不仅有碳而且有硅，而这些硅很容易被激活。”

“土著人一遍又一遍地说：记住你的来源，记住你是谁，记住你从哪里来。这是带给全人类的和平的信息，水晶头骨向我们展示了共同的本源。它是全人类的共同遗产，不论白种人、黄种人、棕色人、红种人、黑种人都来自这个来源，所有的地球人都由这个天与地的姻缘结合缔造，在可见的和不可见的创世之间诞生。”

第二章

谜光幻影：坠入神秘的『超自然』现象

在印尼爪哇岛上有一个死亡之洞，位于一个山谷中，共由六个庞大的山洞组成。令人惊奇的是，据说不论是人，还是动物，只要站在距洞口6~7米远的范围之内，就会被一股无形的力量“吸”进去。一旦被吸住，使出浑身解数也无法脱身。

□ 贝尔利凶宅之谜

贝尔利教区长住宅曾位于斯图尔河北岸,英国东部萨福尔克和埃塞克斯交界之处。教区长住宅是一座红砖建筑,约有23个房间,系1863年亨利·道森·伊利斯·布尔先生所建。差不多在他和他的家庭搬进以后,就开始听说有那讨厌的怪事发生。传说的奇闻很多,要详细列出能写好几本书。文森特·奥尼尔在互联网上建了一个网站名叫"贝尔利的后代"(Son of Borley),他精心研究编纂了一个很权威的资料目录,现已有好几页的篇幅,无疑还会继续增加。

传说的怪现象包括:听到有脚步声、夜间有水龙头放水的声音、钟声像半个世纪以前在比林斯那样响起、听到有奇怪的声响等等,等等。

第一位哈里·布尔先生和他的妻子卡罗琳·萨勒(母姓福伊斯特)有一个很大的家庭,共有14个孩子。他们都说亲身体验过这些稀奇古怪无法解释的现象。例如有一个孩子曾因被打耳光而半夜惊醒,很明显凶手不是人类。另一个孩子则说他看见穿着旧式衣服的男人站在他的床上。几年之内有无数其他见证人报告说看见了无头的鬼魂、鬼怪乘用的大马车和马,还有一个修女和穿白衣服的女人。

教区长住宅的地址据说曾是某个中世纪修道院的旧址,不过能证明这个修道院存在过的历史和地理证据都不太充分。

第一位哈里·布尔先生死于1892年,由他的儿子继任。他的儿子也叫哈里,同年接管了教区长住宅。他在这里一直居住到1927年去世。在他居住期间,有关心理幻觉现象的报告依然持续不断。有人看见过一个戴高礼帽的老头儿的高大身影。布尔家的四姐妹都说看见了一个鬼一样的修女。还有好几次，一位女厨师报告说，有一扇门关得好好地，晚上却会自己打开，她已不知道有多少次清晨看到那扇门打开了。

在这儿更换房主人之后不久，又开始出现魔怪现象。

G·埃里克·史密斯先生 1928 年来到贝尔利，并向《每日镜报》写文章介绍教区长住宅内的超自然事件。该报派了 V·C·华尔前往调查，同时与哈里·普赖斯取得联系。他在 1930 年前到贝尔利看了两三次。例如 1929 年 7 月他曾和他的秘书凯小姐及查尔斯·霍普勋爵来到贝尔利，当时已有各种魔怪现象报告。

史密斯离开贝尔利到诺福克郡去过更安静、更安全的生活了。1930 年，已故哈里·布尔的妻弟莱昂内尔·阿尔杰农·福伊斯特先生和他的妻子玛丽安娜搬进来住。他们也说在这所古老的房子里碰到许多不正常的事。墙上还出现玛丽安娜去求助的信息。

哈里·普赖斯和他的调查组讲述了他们发现各种怪现象的情况：无法解释的自动起火、打火石凭空落下、温度计记录的温度突然下降 10℃。

来此参观调查过的知名人士还包括广播员、哲学家 C·E·M·乔德博士和 BBC 电台"英国真相"节目主持人 A·B·康普贝尔。

忍受了大约 5 年的这种稀奇古怪的心理幻觉现象之后，福伊斯特夫妇和他们的养女阿德累德愿意离开这所房子。此后该房子由格里格森上尉买下。1939 年此房被烧毁，据说当时在上层的窗子里看到一个年轻女孩的鬼影，而其他被掩盖着的不可解释的人物据说都逃脱了大火，像《圣经》里炉火中的夏德兰奇、梅夏奇的艾贝得尼哥一样没受伤害。当时除了房主人之外，不会有其他人类在房内。

二次世界大战期间，民防队长们常须调查有关在贝尔利教区长住宅的废墟中发现神秘亮光的报告。1943 年人们挖掘了这些废墟，并在哈里·普赖斯称做古代地窖的地板下面发现了尸骨，同时发现若干件修道人用的珠宝。降神会上得到的信息支持这样的说法：有一位名叫玛丽·莱尔利的年轻的法国修女被迫离开她在李·哈夫利附近的皈依者而嫁给沃尔德格利夫家族中的某个成员，此人在 17 世纪时是贝尔利地区的所有者。根据降神会的证据，玛丽已于 1667 年 5 月 17 日被她的未婚夫在一所房子内杀害，而那所房子所在的位置就是两个世纪后贝尔利教区长住宅所在的位置。

从历史上讲，该村取名贝尔利是源自古代英语"Borlea"，含意是"猪场"。第一座木结构的教堂大概是威廉的诺曼人到达之后建起来的，贝尔利的庄园也转给了威廉的同父异母的妹妹。12 世纪的毛石修建的诺曼人教堂遗迹在现在这所建筑的南墙上还能看得到。

从 16 ~ 19 世纪，沃尔德格利夫家族一直拥有贝尔利庄园，并是那里生活的守护神。沃尔德格利夫家族的一位成员已经在杀害玛丽·莱尔利的降神会故事中充当过主要角色。爱德华·沃尔德格利夫先生一度是埃塞克斯地区的议员，但却因为在家里聚众集会而与全家一起被关在伦敦塔内。他还拒绝接受拥戴伊丽莎白一世作为英国教会领袖的最高宣誓。爱德华先生 1561 年去世，但他的妻子在他死后又活了 38 年。她的第二个丈夫和女儿玛格德拉都在教堂内部华丽的沃尔德格利夫家坟受到纪念。研究员兼作家弗兰克·尤谢尔曾写过一篇关于贝尔利的精彩文章，收入约翰·坎宁出版社出版的《鬼的故事 50 则》。他援引一份报告称，沃尔德格利夫的家坟中的棺材就像巴巴多斯的蔡斯家坟棺材（见本书下一个故事——编注）一样都被弄得乱七八糟。

起码有 8 种不同的传说涉及贝尔利出现的奇异现象，有必要概括一下。

第一种传说,13世纪贝尔利男修道院的一个修士和白利斯女修道院的一修女出逃。大约跑到13公里远的地方,他们的马车被追上,他们俩被教会当局带回并处决:男的被绞死或被砍头,女的则被活活地用砖砌封在修道院内。必须指出的是,这一传说有几处主要的历史出入:不管抱有何种尽快逃脱追赶的希望,乘马车私奔都不是符合13世纪实际情况的选择;迪克·特平和他的马贼同伙们想抢劫的那种快速邮车是比13世纪还要晚500年才出现的;贝尔利或伯利斯是否曾有过宗教建筑也存在较大的疑点。不过,这个关于私奔的传说在解释贝尔利地区多次出现的幽灵马车和修女活动报告方面倒是作了一些尝试。

第二种传说是讲述据说是来自李·哈夫利修道院的法国大主教修女玛丽·莱尔利的故事。有关玛丽的信息看来是来自于海伦·格兰威利的硬币图案。玛丽有时和她的父亲与兄弟坐在一块儿,有时独自一人。很早以前,据说这位不幸的修女被骗出修道院嫁给了沃尔德格利夫家族的某个成员,接着又在曾建于贝尔利现址上的一所旧宅中被他杀死。他可能把她埋在了地窖里,也可能把她的尸体随便抛弃到一个弃用的井里了,后来又硬说1943年8月在毁于大火的贝尔利教区长住宅废墟下的地窖里最后找到了她的遗骨,且于1945年由A·C·享宁先生在里斯顿的教堂墓地为她举行了基督教葬礼。还有一种说法是在牛津和安罗德尔为她举行了天主教的安灵弥撒。

第三种传说把玛丽·莱尔利换成了阿拉贝拉·沃尔德格利夫。由于新教和天主教之间的斗争,沃尔德格利夫一家随詹姆斯二世及其撤退的朝臣们一起于1688年离开英国。按着传统,阿拉贝拉在法国期间作了修女,但接着又放弃了自己的誓言,作为马他·哈利的先遣人员返回英国,充当斯图亚特王朝的间谍。她显然在贝尔利被反情报机构发现,他们把她处决,尸体也处理掉了。根据有关修女鬼魂的这种说法,阿拉贝拉此后便经常出没于这个地方。

第四种传说又转到苏伯里的西蒙身上,就是1381年农民革命时期坎特布雷的那位天主教。起义的农民们完全不喜欢西蒙,他们抓住他并在一片赞成声中将其砍头。苏伯里距贝尔利很近,这样把可怜的西蒙大主教牵连进来,就为曾有人看见一个无头男鬼和那个修女一起出没的说法增加了一种新解释。

第五种传说比较含混且未经充分证实。它是讲一个既能听到其声音也能看见其形体的鬼的故事。据说有人看见一个年轻姑娘(可能就是19世纪教区长住宅内众多服务人员之一)只用手指尖挂在上层窗户框上。一种推测是她当时正站在窗外擦窗户,不小心失去了平衡造成这种危险,在失望地尖叫求救无效后掉下来砸碎下面游廊上的玻璃受伤而死。更不友好和带点儿色情味的说法则认为她是为了逃脱某个男服务人员(甚至说就是教区长本人)的纠缠才从窗户上爬出去以引起大家注意。那么她后来是不是被故意推下来摔死灭口呢?

第六种传说和玛丽安娜·福伊斯特有关。她确信她看见了修建教区长住宅的那位哈里·布尔的鬼魂绕着那所巨大的教区长住宅转悠。她还报告了好几次其他的超自然现象。认识她或在她丈夫当贝尔利教区长时和她一起工作过的人明显地认为她可能是属于那种富于想象和容易激动的性格,因此她提供的某些证据可能需要仔细考证——当然这不等于说应当抛弃不用。有一个很有趣的巧合(如果纯粹是巧合的话),在研究贝尔利现象的过程中,杰出而又完全可信的柯林·威尔森发现莱昂内尔·福伊斯特曾在加拿大的阿姆荷斯特附近居住,而阿姆荷斯特正是惊人的埃斯特·考克斯魔怪现象的发生地(见本书上一个故事——译注)。有没有可能某些超自然的东西随着福伊斯特从加拿大来到贝尔利?或者是阿姆荷斯特的那些知识和经验以某种方式为他后来在贝尔利教区长住宅的异常经历作了准备?

第七种传说讲到两个世纪以前布尔家雇用过的一位老园丁艾莫斯。布尔先生本人报告说他在教区长住宅附近看见了艾莫斯的鬼魂。但除非什么地方有一张这位老园丁的画像,否则便很难理解哈里怎么能认得出一个在他出生前已去世的老人。

最后一种传说涉及那个神秘的"戴高礼帽的男鬼",埃塞尔·布尔报告说他看见过。

这八种传说看来可以包括1863年至1945年期间报告的有关贝尔利教区长住宅或其废墟的大部分超自然事件并将其归类。1945年把不安全的残留建筑拆除了,但那老式的马车房却保留下来,并变成一座很有吸引力的现代私人住宅。现在人们都称它为"小修道院"。那广阔的教区长住宅花园里则盖起了4座战后式样的平房。

□ 地球的"禁区"

在世界上一些人迹罕至的地方,隐伏着若干让人不寒而栗的死亡之地,鸟类、爬行动物或人类都无法进去,如进去,往往立即死亡。人们把这些地方称为"死亡谷"。对这种奇特的自然现象,许多科学家曾长期进行研究和探索,有的"死亡谷"头上笼罩的面纱已被彻底揭开,如前苏联勘察加半岛克罗诺基自然保护区的"死亡谷",是由于那里积聚的足以使人窒息的毒气——与碳酸气和硫化氢同时发生作用的剧毒挥发性氰化物。我国昆仑山内的"魔鬼谷"是由于隐藏丰富的磁铁矿而造成频繁雷击所致。而埃及西部沙漠之中的"死亡之地",却是众多的蚁狮所为。但世上仍有许多"死亡谷"至今还是无法揭晓的奇谜。

在美国加利福尼亚和内华达州毗连地带，有一个“死亡谷”，它长225公里，宽6~26公里，面积1408平方公里。山谷两侧悬崖峭壁，山岭绵延。这里的气候极端炎热干燥。1848年，一队外来移民误入谷地，迷失方向，大都葬身谷底，连尸体都找不到。1949年，美国一支勘探队冒险进入“死亡谷”，几乎全部死亡，其中有几个人侥幸脱险爬出，过后不久也不明不白死去。后来，又有不少人前去探险，结果也屡屡身亡。最令人难以理解的是，这个被死神统治的地方，竟是飞禽走兽的“极乐世界”。据初步统计，这里繁衍着230多种鸟类，19种蛇类，17种蜥蜴，1500多头野驴，还有各种各样、多如牛毛的昆虫，草本植物随处可见。究竟是什么原因会威胁人的生命，却不伤害这些飞禽走兽？人们至今疑惑未解。

据美国科学家考证，“死亡谷”在非常遥远的古代经历了多次沧海桑田的变化，才演变成今天奇特的面貌。距今约3000万年前，由于这一带地壳运动频繁，埋在地下的岩层，受到两侧重压力的挤压，褶成弯曲状，有的地方隆起突出，成为高地或山岭，有的地方凹下，成为河流或盆地。“死亡谷”就是一狭长形的闭塞盆地。以后气候渐变炎热干燥。到距今约2000万年前，地壳再次发生剧烈的褶皱和断裂，沿着断裂地带形成了一条深达1200多米的大断层。很厚的沉积物把大断层覆盖了，长时期以来没有被人们发现。有些学者推测，一些人误入“死亡谷”，迷失方向，可能踏进大断层上面的沉积物而掉入大断层的深渊中，以致死亡，连尸体也不见了。

“死亡谷”里有丰富的卤素矿、硼砂矿等。有些学者认为，可能在谷底某一部位地下藏有某种至今尚未查明的剧毒矿物元素，当人们靠近这种矿物时，就会中毒死亡。这只是一种猜测，尚难定论。

“死亡谷”也不是绝对的禁区，有些人却能安然无恙地通过“死亡谷",未发生过意外。在"死亡谷"边缘一些怪石林立、峰岭险峻的地段,已辟为自然奇景区,向游人开放。

美国科学家认为,这个"死亡谷"是一个不寻常的自然之谜,要彻底查明一部分人进入谷地死亡的原因,还有待今后进一步深入探索和研究。

在印尼爪哇岛上有一个死亡之洞,位于一个山谷中,共由六个庞大的山洞组成。令人惊奇的是,据说不论是人,还是动物,只要站在距洞口 6~7 米远的范围之内,就会被一股无形的力量"吸"进去。一旦被吸住,使出浑身解数也无法脱身。因此,洞口附近已堆满了各种动物和人的尸骨残骸。死亡洞为何有生擒人兽的绝招?被它吸住的人和动物是慢慢饿死,还是中毒而死?迄今都无人能做出回答。

有趣的是,意大利那不勒斯与瓦维尔诺湖附近也有两个死亡谷。它们与上述的美国死亡谷恰好相反。它们不会危害人类的生命,但却经常威胁着飞禽走兽的生存。据科学家统计,在该两地,每年死于非命的各种动物多达 3600 多头,所以意大利人称它为"动物的墓场"。至今,人们也无法解释它的死因。

□ 魔宅揭秘

关于魔宅,我们中国人喜欢用风水来解释。但这显然是迷信。事实上,魔宅产生的原因多种多样,有的已被确知,有的仍属未解之谜。

神秘的交叉点

世界各地存在“魔宅现象”:一个身体健壮的人迁入新居后,竟莫名其妙的生起病来,四处求医问药均不见效。但当他搬出新居后,病又不治而愈。这种现象往往使人困惑不解。

国外的有些医学家认为,上述一些奇怪的病,很可能是由于地电和局部地磁扰动引起的。有些地质生物学家认为,整个地面都有密如蛛网似的地电流穿过。这些地电流交叉的地方,会形成一股能损害人体的强大力量,可能是一种电磁辐射,有人称之为“地辐射”,能使居住在该处的人生出各种奇怪的病来,比如精神恍惚、烦躁不安、头痛失眠、惊恐不安等等。

地电、局部地磁作用的突出例子,是波兰华沙附近的一个被称为“陆地百慕大三角”的公路中心。那里虽然没有“宅”,却“凶”得很。据说那里发生的车祸事件多得令人难以置信。令人迷惑不解的是,许多车祸竟发生在天气晴朗,视度良好的条件下,而且驾驶员又是经验丰富、技术娴熟的老司机。公路管理部门请来专家“会诊”,发现该处地电流纵横交错、重叠交叉,并有局部地磁扰动,形成了一股较强的力量,影响了活动于其上的人的精神状态的行为。据认为这可能是事故的原因。

据说,这种地电流交叉点的存在已经得到证明,并能用仪器测量其辐射强度。正统医学已承认有些房屋人住进去容易得癌症,这种房屋被称为“癌之家”或“癌屋”。有的地质生物学家认为,这种“癌屋”正是处在上述那种神秘的交叉点上。不少动物如狗、马等,能觉察出这种神秘地点的所在,从不在那里睡觉。但有些动物如猫、蜜蜂、蛇类,却偏爱呆在这种地方,好像这种地方对它起着某种有益的作用,其原因目前还不清楚。

这种地电流交叉目前还无法清除,但人们也不是对此束手无策。有位外国妇女乔迁新居后,遇到了上述麻烦,她就聪明地把床搬了地方,调了个头,从而摆脱了这种神秘力量的侵扰。据说在古代的西欧,人们在建造一座城市之前,先让一群羊到预选地区生活1年,然后把它们屠宰掉,如果发现其肝脏有病变迹象,这个地点就被放弃,另选新址。这可能是古人趋吉避凶、躲避那种扰人的地电流交叉点的一个原始而又有效的办法。

从地下伸出的魔掌

上面提到了有种叫做“癌屋”的“魔宅”,现代的研究证明,“癌屋”的出现还有另一个更为直接的原因,那就是住宅的地下有氡气逸出。氡是一种无色无臭、具有放射性的气体。它是名副其实的从地下伸出来的魔掌,能直接威胁人体健康。一些研究证明,氡能直接通过呼吸道进入并沉积在肺组织内,破坏肺细胞,并引起癌症。据美国环境保护局(EPA)估计,美国每年约有5000~10000人死于氡气引起的肺癌。据测定,在抽样的1.4万所房间中,有21%的房间,其氡气含量偏高,或多或少的超过了允许数值。目前,美国有关环境保护部门正在研究对策。

有些房屋之所以成为“魔宅”,则是由于所在地区土壤中有毒的重金属元素(如铊、汞等)含量过高,污染了水源所引起的。土壤中这些重金属元素的来源,则往往是由于邻近地区存在这些金属的矿脉,或与附近有从事某种有毒重金属元素的生产加工的工厂有关。

例如,某市有一人家,多年居住在自己的住宅里,一向平安无事,人丁兴旺,可是近些年他的住宅不知怎的却变成了一座“魔宅”,家人一个个得了一种怪病。开始时,病人只是口齿不清,面部发呆,走路摇摆,手脚发抖,进而双目失明,神经失常,最后全身弯曲,整天叫痛,悲惨死去。经调查,这是汞中毒所致。原因是附近新开了一家水银温度计工厂,由于操作不当,致使水银溢出,渗入地下,污染了地下水,导致上述悲剧的发生。

硅谷神秘屋

加州硅谷是连美国以外的地方都知道的著名高科技中心。但很少人知道硅谷内有一幢建筑物是美国历史最古老的鬼屋之一。

该屋杂乱无章,名叫“温切斯特神秘屋”。它是由落拉·温切斯特太太(1839~1911年)兴建。温切斯特太太是个行为古怪的女人,她是“温切斯特武器王国”(枪械制造商)的继承人。她兴建这间屋是要纵情享受她的狂想。

这间屋是由工人日以继夜不停建造而成,共花了38年,是一幢维多利亚式别墅,地点在加州圣何塞市的郊外。该屋当时建筑费是550万美元。它共有160间房、1万个窗门、2000道门、47个开放式壁炉;它还有6个厨房、两个舞厅、3部升降机、47条楼梯。

这些设施并不是要给温切斯特太太寻欢作乐,而是要给食尸鬼和幽灵(好鬼衰鬼)寻欢作乐。这幢别墅已在1924年改为博物馆。一名相信鬼魂,名叫弗罗利斯的学生探访过该屋周围环境后说:“我能够感受到超自然的力量。”

多名同好者说在晚上见到奇怪的闪烁不定的火,以及古怪的脚步声。他们也知道屋内电灯泡会毫无理由地爆破。在已经数十年未用过的煮汤厨房内,曾经一度突然出现强烈的鸡汤味。鸡汤是温切斯特太太喜爱的餐饮。

温切斯特太太1866年丧女,1891年丧夫,之后,依然年轻的她害怕自己的生命完结。有占卜者对她说,她家人去世是由于受她们家生产的枪械夺命的人前来报复,这一可怕警告令她恐惧。如果她要化解幽魂报复,她必须再建一屋宇,里面要有很多房间,以便娱乐未来遭射杀丧生的幽灵。

□"丢失"的时间

现代科学认为:在茫茫的宇宙中,存在着一个巨大的时间隧道,如果人们一旦进入时间隧道,就会丢失时间,在生命史上出现一段漫长的空白。中国有句古话叫做,"洞中方七日,世上已千年",实际上说的就是这种事情。

公元 1893 年 10 月 25 日,两个西班牙籍的士兵正在菲律宾总督府大门口站岗。突然,这两个士兵感觉到一阵迷糊,就不知不觉地睡着了。

第二天早晨,这两个士兵醒来一看,哎,这周围景物怎么全都改变了?大街上来来往往的人不是菲律宾人,而是墨西哥人了?两个再仔细一看,他们站的地方也不是菲律宾的总督府,而是墨西哥政府大厦。两个士兵正想找人问问发生了什么事情,一下被好多墨西哥人团团围住,非常好奇地看着他们,一个劲儿地向他们问这问那。两个士兵连说带比划,把事情的经过一说,墨西哥人不禁哈哈大笑起来,有个人说:"哈哈!这两个家伙不是骗子,就是从精神病医院跑出来的病人。来来来,咱们把这两个家伙拉到教会里去,好好地问一问吧!"说着,墨西哥人连拉带扯,七手八脚地把这两个士兵弄到了教会。

这两个士兵到了教会,还在向人们解释着:"我们昨天晚上真的是在菲律宾总督府门前站岗来着,不知道怎么就到了这里。我们不是骗子,也不精神病人呀!"没想到,教会里的人们听了,也不相信他们说的话。最后,两个士兵叹了口气说:“咳!不管我们说什么,你们都不相信。告诉你们吧,前天夜里,菲律宾总督被人用斧子砍杀了。你们好好地打听打听,有没有这件事情,到时候你们就知道我们说的是不是真话了!”

那时候,邮政通讯还比较落后。过了两个多月,正好有一艘轮船从菲律宾航行到这里。墨西哥人赶紧跑去询问船上的船员们:“哎,菲律宾总督是不是在两个月以前被人用斧子砍杀了?没想到,船员们奇怪地说:“是呀!两个多月以前,是发生过这件事。哎,你们是怎么知道的?”

这样,墨西哥人才相信了那两个士兵的话。不过,大家的心里感到特别纳闷:“哎呀!那两个士兵怎么在一夜之间,就从菲律宾跑到我们墨西哥来了呢?这到底是怎么回事呢?”

1955年,美国的一架飞机从美国的诺福克飞往墨西哥的坦皮科机场。飞着飞着,这架飞机就跟地面指挥部失去了联系。后来,人们经过好多次的寻找,也没有找着这架飞机。可是,35年以后,这架飞机却好好地到达了墨西哥的坦皮科机场。

机场上的人们看见这架飞机,立刻团团地把它围住了。飞机上的飞行员看了看周围的人们,感到十分奇怪:“哎,你们难道从来没看见过飞机吗?为什么用这种眼神看着我们?”人们问道:“你们是从什么地方来的呀?你们现在怎么还穿着50年代的服装呀?”飞行员们却说:“你们这些人是不是生病了吧?现在本来就是50年代嘛。”人们一听全都笑了:“什么,现在是50年代?告诉你们吧,现在已经是90年代了。”机场上的人们只好把他们送到了一个军事基地,对他们进行了严格的盘问。

这架飞机上的飞行员不管怎么盘问,一口咬定:“现在就是1955年嘛,我们只是完成了一次例行飞行罢了。”后来,人们经过调查,这架飞机就是1955年派往墨西哥坦皮科机场中途失踪的飞机。人们又找来飞行员的照片一看，这飞行员的模样跟1955年时的一样，根本没有一点儿变化。

这一件件离奇的事情，到底是怎么回事呢？现代科学认为，在宇宙当中存在着一个巨大的“时间隧道”，时间隧道里的时间运动方式，和我们人类感知的完全不一样。有时候，它是极度静止的，有时候却是高速行动的。人类一旦进入时间隧道，就会丢失了时间，在生命史上出现一段漫长的空白。

有的科学家认为，时间隧道实际上就是宇宙当中存在的“反物质世界”。现在，人们对宇宙的了解实际上还不多，只是了解正物质所处的范围，而宇宙当中还存在着反物质组成的体系。宇宙当中的正物质和反物质大部分由于引力作用彼此接近，而当接近到一定程度的时候，由于部分正物质和反物质产生“接近”作用产生巨大的能量，造成的压力又把宇宙中的正物质和反物质两个体系分开。所以，人们的这种神秘的失踪是正、反两大物质体系产生引力场局部弯曲时产生的“速灭”现象。而当“速灭”现象消失以后，引力场又恢复了原来的状态，失踪的人也就出现了。

这种说法看起来有些道理，可好多科学家不同意这种说法，他们认为“速灭”可能解释神秘失踪现象，但是“速灭”只能使万物永远失去，而不能再现。

那么，到底应该怎么解释“时间隧道”这个谜团呢？怎么才能搞清楚那些离奇的失踪后再现的事情呢？看起来，目前只能是一个不解之谜，要等待人类经过长时间的探索才能加以解释了。

□ 阿姆荷斯特之谜

1878年9月4日晚，埃斯特·考克斯从床上跳起来尖叫，说她的床垫里有一只耗子。我们这组有记录以来最不幸、最惊人的“魔怪”案就这样带点幽默地从居家琐事中开始了。埃斯特和她的姐姐珍妮共住一间卧室。珍妮22岁,埃斯特19岁。这两位姑娘正在阿姆荷斯特普林西斯大街她们已婚的姐姐奥利弗的家里借住。奥利弗的丈夫丹尼尔·提德是当地鞋厂的领工,他们有两个儿子:5岁的大儿子威廉和只有18个月的小儿子乔治。为维持收支平衡,家里还住着另外两位房客。

一个是丹尼尔的弟弟约翰·提德,另一位威廉·考克斯,是奥利弗、珍妮和埃斯特三姐妹的兄弟。在那个关键性的9月4日晚,珍妮帮着埃斯特搜寻她说的耗子。可找来找去找不到,她们只好放弃努力,重新上床睡觉。第二天晚上,埃斯特再次肯定地感觉到,是有个什么东西在她的床垫里来回爬。姐俩又搜了一次,发现床下的一只卡片箱好像在动。她们确信这回找到那只捉摸不定的耗子了,便蹲在箱子旁边准备抓住它。让她们惊疑的是,那只箱子竟然飞向空中,然后又斜着落在地上。尽管又害怕又吃惊,她们还是彻底搜查了那只箱子,结果没有耗子。这些看来琐碎但又完全不可解释的怪事令她们纳闷,她们约好对谁也不讲。

第三天即9月6日晚,问题实在严重了。埃斯特已经睡下,突然痛苦地尖叫起来。珍妮被惊醒后想帮忙但插不上手。只见埃斯特的躯体渐渐膨胀起来并变成砖红色。

听到了一声尖利的爆炸声,就像一门大炮在埃斯特卧室附近发射那样响。接着又是三声更大的轰隆声,然后埃斯特的身体便像开始膨胀时一样迅速恢复正常。她不再痛苦地喊叫,平静地睡着了。

9月10日,又出现一次身体膨胀,但没达到上一次那样严重的程度。就好像有一只看不见的强大的手一样,埃斯特的被褥被拉扯下来弄成乱糟糟的一堆,远远地扔到卧室的墙角去了。这时,被妹妹的喊声惊的醒的奥利弗·提德冲进屋子,想整理一下她们的床铺。可她刚刚铺好床单和毯子,就又被那只看不见的手扔了下来。

约翰·提德跑来帮忙。就见埃斯特头下面的枕头突然滑到一边,把她的头发弄乱,落下来散了她一脸。紧接着两三声更奇怪的爆炸声从地板上也可能是从她的床底下传出来。然后一切又都归于平静,但整个屋里的气氛好像变了:就好像刚刚有人发过一阵脾气一样。

提德兄妹几个不知道接下去该做什么,也不知向谁求助,只好通知了他们的家庭医生卡里特。医生于9月11日当晚赶到时,埃斯特已上床睡觉。当卡里特医生看她时,她的枕头又像拉开的抽屉那样滑向一边,接着又滑回原来的位置。医生完全惊呆了,可接下来还有更多的情况。枕头再次水平滑出,约翰·提德抓住了它,但有一个比约翰更有力的东西硬把枕头抽回去,放回埃斯特的头下。接着爆炸声满屋响起来,而且看起来就像要赶走卡里特医生一样。

像前几次一样,被褥又飞向空中,并听到一种不吉利的金属摩擦噪音,就像有人用刀尖在墙上刻字一样。划出声音的工具看不到,但其刻在墙上的字却看到了:“埃斯特·考克斯,你是我的消灭对象!”

在随后的受到创伤的日子里,卡里特医生继续尽其所有帮助提德一家。据他记录,一个偶然的机会,他曾看见厨房灶台上放着的一桶凉水沸腾起来,而它周围任何地方都没有热源!

此后不久,这个魔怪或附在埃斯特身上的其他什么东西开始和她说话。那家伙的语言邪恶,内容也很吓人。它最常用的一种威胁便是要烧掉这所房子,杀掉房内所有的人。它的话不是空洞的恐吓:不知从哪儿来的点着的火柴开始落在屋里。从地下室到顶楼，处处都有小火苗出现。因为人们保持警惕、行动迅速，才没有酿成灾难。

接着这个折磨人的家伙便现了形，但只有埃斯特能看见。它再次威胁说，除非埃斯特搬走，否则便会放火烧房子并烧死所有的人。为了全家的安全，埃斯特很不情愿地答应离开。

约翰·怀特是提德家的忠实朋友。他在阿姆荷斯特开了一家小饭馆，生意很不错。他愿意为埃斯特提供住处并予以保护。过了差不多一个月，事情看起来安排得差不多了。可就在这时，怀特儿子的一把小刀却从空中飞过来扎在埃斯特的背上。小怀特为此而受到责怪，可那刀的确不是他扔的。他轻轻地把刀从那受伤的女孩身上拔出，但却有一个力大无比而又看不见的什么东西从他手里把刀夺下，又扔回去插进原来的伤口。埃斯特的尖声叫疼把家里其他人都喊来了，但那把小刀却不见了。

也不知是那个魔怪虐待者的使坏，还是属于正常的感染，埃斯特接着在 12 月份得了白喉。差不多过了 3 个星期她才能下床。奇怪的是，在她遭受疾病折磨的过程中，那个魔怪没有任何表现。

恢复到能外出以后，埃斯特被送到她另一个已婚姐姐约翰·斯诺登夫人家中康复。斯诺登夫人住在新布鲁斯韦克的萨克维尔。在埃斯特住在萨克维尔的姐姐家期间，没有出现那个魔怪的活动。

回到阿姆荷斯特以后，她们把埃斯特安排到另外一个房间居住，希望这样能防止或阻止那个魔怪的活动，但这个目的没有达到。点着的火柴重又落进屋里，那不可思议的爆炸声也恢复了。这使丹尼尔·提德产生了一个想法。为了试验一下那个魔怪是不是个能听懂问题并作出反应的某种有智力的实体，他请它为屋里的人每人敲一下。屋里有 6 个人，那魔怪也很响亮地敲了 6 下。不像传统的降神会程序用敲一下表示“是”，敲两下表示“否”，或者反过来敲两下表示“是”，敲一下表示“否”，这个阿姆荷斯特魔怪敲一下表示“否”,敲两下表示不知道如何回答,而敲三下则表示“是”。丹尼特别担心房子着火。当他问那魔怪他们的房子会不会被烧掉时,得到的回答是敲两下。奥利弗的一件衣服原本挂在钩子上,却被一只看不见的手拽下来捆在床下,过了一会儿竟烧起来了。丹尼尔赶紧把它从床下抢出来,将火熄灭,才没有发生严重的危险。

当听到调查人员说“鬼已进入她的肚子并在其中游荡”这些话时,埃斯特感到身体受到伤害,精神上很苦恼、压抑。这就导致了她以前出现过的异常且很痛苦的膨胀现象的反复发作。

约翰·怀特又一次来救援,并把她带到他的饭馆去。那魔怪也跟着她来到这里,其不可解释的超自然能量也很快再现。有一天上午,一个老式维多利亚大炉子的沉重的铸铁炉门大白天从铰链上脱开满厨房飞了起来。怀特把炉门重新装好关上,并用一根斧把儿楔入将其别住。结果炉门还是飞了起来,而且带着那根斧把儿满厨房飞。怀特再试一次,炉门和斧把儿再一次从炉子上弹出。怀特跑到屋外想找一个可靠的独立见证人。他看见一位政府渔业视导员 W·H·罗吉尔正好在他的饭店门口走过。罗吉尔很关心地进来,被约翰给他讲的事吸引住了。炉门重新装上关好,再用斧把儿别住,就在罗吉尔的眼前,那炉门再一次带着那根斧把儿飞了起来。

过了些日子,埃斯特正在饭馆里坐着,忽然有一些很重的铁钉不知从哪儿出来摆在了她的膝头上。几分钟之后,这些铁钉开始变热,接着就热得不能拿了。又过了几秒钟,钉子开始灼热发红。还没等到可怜的埃斯特跳起来把这些钉子从她的热围裙上抖掉,钉子已自己飞起来落到6米以外的地方去了。当时在餐厅的证人有:罗伯特·赫特琴森、J·艾伯特·布莱克、《阿姆荷斯特新闻》的编辑、丹尼尔·莫里森和威廉·希尔森,都是些认真和可敬的阿姆荷斯特知名人士。

□ 自行移动的棺材

宇宙中绝大多数现象都可以用常识来解释,但会移动的巴巴多斯棺材是什么力量使然,却是一个不解之谜。

这个事件涉及巴巴多斯奥斯汀湾的克赖斯特彻奇教区的一个墓地。在举行葬礼时,人们总是发现上次安葬的棺材令人不可思议的被移动过。

按照当时的巴巴多斯习俗,富有的种植园主家庭通常使用笨重的铅封结构棺材,这种棺材需要6~8个壮汉才能移动。

处在神秘事件焦点的克赖斯特彻奇陵墓是由珊瑚石砌成,并由一块沉重的蓝色德文郡大理石板封口。它的一部分在地上,另一部分则埋在地下,上下用一段台阶连接。陵墓长4米,宽2米,并带有一个拱形的墓顶,墓顶从里面看是拱形,从外看却是水平的。

1807年7月,托马西娅·戈达德夫人第一个被葬在这个声名远扬的陵墓中。一年以后,一个可怜的2岁女孩玛丽·安娜·蔡斯也被葬于此。1812年7月6日,玛丽的姐姐多丽丝又随她而去。按现在的诊断,多丽丝死于厌食症,但在当时,由于医学条件的限制,人们对她的死因议论纷纷。有人说,是她父亲的暴行导致她在绝望之下故意饿死自己,以逃避父亲的魔掌。

直到这时,有关这个陵墓的葬礼看上去仍然很正常。

可是到了1812年,一切都改变了。道貌岸然的托马斯·蔡斯先生,一个被所有巴巴多斯人大厌恶的家伙躺进了这个著名的墓穴。这时人们发现,玛丽·安娜·蔡斯的小棺材原本安放在墓穴内,现在却被底儿朝上扔到了更远的一个角落里。戈达德夫人的棺材则被翻转了90°,棺盖对着墙躺在旁边。参加葬礼的白人们的第一反应是谴责看管墓地的黑人。但遭到了黑人强有力的反驳。尽管由于庄园主和工头们对黑人们的迫害,黑人们希望离开这座不平静的坟墓越远越好,但认为他们在葬礼前偷偷潜入陵墓,移动以前放入其中的棺材是无论如何不可能的。

每具棺材都又重新放回了原处。托马斯的棺材也被虔诚地放在了其他先葬者棺材的旁边。

岁月在慢慢地流逝。过了大约4年以后,1816年9月25日,只有11个月大的萨缪尔·阿莫斯又被抬进了这个恐怖的陵墓。在小萨缪尔死前五个月,曾经爆发了一起短暂的奴隶起义运动。这在19世纪早期的巴巴多斯并不罕见,但随即被野蛮的种植园主们残酷地镇压了。

在这个恶名远扬的陵墓中的几个棺材又一次被弄的乱七八糟。这次对亡灵的亵渎同样被不公正地安在了黑人头上。白人种植园主们相信这是黑人为那些在最近的奴隶起义中被杀死和伤害的奴隶们进行的复仇行动。

然而,调查者们并不赞成这种解释。因为很明显,陵墓只有一个出口,而挡住出口的那块沉重的蓝色德文郡大理石板依然纹丝不动地放在原处,丝毫没有受到破坏的迹象。

接着,人们对棺材本身的结实程度提出了疑问。戈达德夫人的棺材是木制的,相对轻一些,比别的棺材更容易损坏,更容易被移动。而名声不好的托马斯·蔡斯生前则是一个大块头,至少有100公斤。他被葬在一个硬木做的铅封棺材里,需要十多个小伙子才能搬动它。在1816年9月25日的葬礼上,当小萨缪尔的棺材被抬进陵墓时,人们发现,那个笨重的铅封的棺材已经离开它原来的位置两三米远,并且翻转了90°。

6个星期以后,陵墓再次被打开。小萨缪尔的父亲萨缪尔·布鲁斯特,在4月那次奴隶起义中被自己的奴隶杀死。当时匆忙之中,临时葬在别的地方;10月,其灵柩被移葬到他最后的安息地——家族陵墓。

仔细检查了那块沉重的石板,看上去它仍在原位。一群好奇的围观者盯着萨缪尔的棺材。石板缓慢地移开,一缕阳光直射下去:棺材又一次动了!陵墓里一片狼藉。戈达德夫人的木制棺材已经变成了碎木条。人们把它捆成一捆,放在墙边。

克赖斯特彻奇教区的托马斯·奥德森教区长和另外三个人将陵墓彻底搜查了一遍。人们认为洪水是导致这种现象的可能原因,于是他们检测了陵墓的湿度。但每一处看起来都相当干燥,所有的墙和地面也都没有裂缝的迹象,一切都那么正常。

在当时的巴巴多斯,人们多少有点相信巫术,不过远没有海地人那么虔诚。庄园里的工人认为蔡斯陵墓被某种超自然的咒语所控制,都尽可能远离陵墓。而那些庄园主、经理和路过来看热闹的水手们则对此表现的浓厚的兴趣和好奇心,他们甚至带些病态地希望下次的葬礼能早点儿举行。

1819年7月17日,特马西亚·克拉克夫人去世,陵墓将为她再次打开。不可理解的是,这次葬礼聚集了大批兴奋而好奇的看客。康拜默尔勋爵、巴巴多斯地方长官、前半岛战争的骑兵司令——曾经是惠灵顿最勇敢、最可靠的军官之一。除了可怜的戈达德夫人的棺材在上一次已成为一堆木条,此次仍像三年前那样斜靠在墙边外,其余的棺材又一次被弄得乱七八糟。如果是由于自然力的震动、扰动或洪水引起棺材的移动,那么戈德夫人的棺材木条不稳定地倚在墙边,应该首先移位。但恰恰相反,惟有这些木条像庞贝(意大利的古城,因附近的火山爆发而湮没——译注)的罗马哨兵一样纹丝未动。所有的棺材和整个陵墓又一次被彻底地检查,然而仍然一点线索也没找到。那些棺材又被重新放回原位:三个大一些的铅封棺材放在底层,孩子们的棺材被放在上层,戈达德夫人支离破碎的棺材仍然像以前一样捆在一起。根据勋爵的命令,对陵墓采取加倍的防范措施。人们在地面上洒上一层厚厚的白色沙子,以便能留下什么东西的脚印或拖痕。沉重的石板又被用水泥封在了原处。勋爵和他的随行人员在水泥没干之前,盖上了他们的封印。

岛上的人们变得越来越兴奋和好奇,他们等待下次葬礼,甚至都有些急不可耐了。1820 年 4 月 18 日,岛上的居民代表经过讨论后决定,为了解开棺材移动之谜,他们不再等待下一家族成员的去世,立刻再次打开陵墓,对里面进行检查。消息很快在巴巴多斯周围传开。庄园里的工人不情愿地被组织到了一起——严酷的工作开始了。蓝色的德文郡大理石板是一个首要的难题。水泥面上所有的封印没有被动过,依然清晰可辨。水泥被敲开之后,大门仍然很难移开。原因很快找到了:托马斯·蔡斯沉重的超过半吨重的铅封棺材以一个很陡的角度楔在了门上。这是根本无法解释的。然而更奇怪的是,除了戈达德夫人木制棺材的碎片没有被移动外,其他的棺材再次被野蛮地移动了。可是沙子没有丝毫被动过的迹象,上面没有入侵者的脚印、拖痕,也没有洪水的痕迹。陵墓的每个部分都像当初建造时一样坚固,没有松动的石头,也没有密道。

勋爵和他那些尊贵的客人们完全迷惑了,看热闹的人也都不知所措。那个倔强的从来天不怕地不怕的退伍老骑兵认为一切应该到此为止了。他命令将所有的灵柩厚葬在其他地方。蔡斯陵墓被腾空了——直到今天,它仍然是一座空墓。

第四章

四维探奇：诡秘异常的失踪事件

果然，伊尔哈特小姐求救信号于7月10日再次出现，三个地方的无线电测向器同时抓住目标，结果发现，交汇点就在豪兰岛以北约500公里的海面。事实上，这个海区已经被搜寻了好几遍，而且在接到电信的当时，他们既没有发现这个海区的任何漂浮物，也没有监听到所发出的求救信号。营救人员被坠入云里雾里，整个搜索舰队全部陷入茫然不知所措中。

□ 神秘消失的使节

年轻的本杰明·巴瑟斯特,生于1784年,是当时诺里奇地区主教的第三个儿子。他是英国外交事务部一位很有前途的成员,这时一次神秘的不幸于1809年11月25日突然降落在他的头上。他突然莫明其妙地失踪了,好像他被天外来客绑架了,或像诗中的中世纪骑士一样被带进有魔法的美丽仙境。

还在二十多岁的时候,巴瑟斯特被英国政府任命为特派使节,带着特殊使命去维也纳法院。他此行的主要目的是努力劝说奥地利人从他们那边进攻拿破仑,而英国则通过西班牙半岛发动一场进攻。这将使拿破仑在两条战场同时卷入一场不利的战争,所以,如果法国间谍已发现巴瑟斯特是谁和他的使命是什么,他们会尽可能地使用一切手段来阻止他,包括把他绑架走。

在1809年的欧洲,交通系统是缓慢、混乱和危险的。道路遭透了,土匪和间谍多如牛毛。驮马和笨拙的马车隆隆地蹒跚而行,朝着难以预料的目的地驶去。

尽管有这些问题,巴瑟斯特还是安全地到达了维也纳,传达了他的信息,开始返回。实际上,奥地利人在他们的前线上所完成的全部东西就是,与法国人毫无效果的一两次小规模的战斗,而紧接着的就是在威格罗姆战役中的一次惨败,从这之后,他们对巴瑟斯特带给他们的英国建议不再有太多的兴趣了。

本杰明的下一个问题是选择避免与法国人直接接触的一条安全的回家路线。他决定选择柏林—汉堡路线,并把他自己化装成一名旅行商人,使用化名科茨。他兜里揣着两把手枪,马车后面藏着一枚微型炸弹,就这样他和他的贴身男仆和秘书出发了。

他们后来报告说,在行程当中,他好像是情绪不定,很紧张而又消沉。他明显地对什么东西感到害怕和焦虑,他的行为异常小心,就像一个落入陷阱的动物察觉到一个危险的捕食者的到来。

1809 年 11 月 25 日,巴瑟斯特和他的同伴们来到了小城波利伯格,它位于他们从柏林到汉堡的直线上。他们在驿站前停下换马,然后察看了这一地区,想找个能吃饭的地方。从驿站沿着他们去汉堡的路,往前走两分钟,在接近城门的地方,有一个"白天鹅客栈"。附近还有几座沿街小房屋。这个地区有个不好的名声。这地方有许多亡命徒,他们会为了过路人的外套而杀死他。

巴瑟斯特决定在"白天鹅客栈"吃饭,他自己和随从点了一顿餐。随从们后来证明,他当时似乎很抑郁并且不说话。当他吃完饭时,他问主人,在波利伯格的当地警察或军队司令是谁,他能住在哪儿?主人把他送到在镇政厅附近的克利庆上尉的家。

当巴瑟斯特来到克利庆的家中时,他告诉克利庆,他曾决定在波利伯格"白天鹅客栈"过夜,但是,他觉得自己正处在极度危险之中,他要求两名军人为他保镖,尽管克利庆相当怀疑,但他还是同意提供了。最近的法国士兵是在马格德堡,克利庆觉得真的没必要安排一名警卫。巴瑟斯特非常不安,而上尉觉得最好迁就他。

回到客栈后,巴瑟斯特到了他的房间,把自己关在屋里。他好像在那儿呆了很长时间,写了几封信,并在炉中焚烧了文件。他的贴身男仆和秘书觉得,他正在发疯。这时他们明白了,他是害怕什么,但是他们搞不清是什么。

巴瑟斯特突然改变了主意,傍晚决定,不管怎样,最好当夜再次出发到汉堡去,在相对来说朦胧莫测的黑暗行走。这是一个问题的两个方面:黑夜既为猎人也为他们的猎物提供了便利,但巴瑟斯特觉得,黑暗对猎物有利。他立即下了命令,辞退了他的两名警卫。新的马匹来了,巴瑟斯特的行李被从屋中拿出来放到了马车上。当装行李和备马车的时候,他自己在焦急地等待着,并且坐立不安。马夫提着盏角灯,几束灯光从客栈的窗户中照射出来。在路的对面,有一盏暗淡的油路灯。即使眼睛对此渐渐适应时,整个效果也是昏暗模糊的。每样事情做好后,贴身男仆站到了车门边,等着帮助巴瑟斯特进去。秘书恰好在开着的客栈门内,绘声绘色地与店主聊天,店主刚好算完他的账。每个人都在等着巴瑟斯特进入马车,但是他永远没有进去。就目击者所能告诉的,巴瑟斯特只是绕着那些马匹转一转,从此就再也没人看见他了。

他们等了好一会儿,然后去看他是否回到了他的房间。他没有。他们接下来想到的是,他去了克利庆上尉那里,去请求武装护送他们一直去汉堡。或者甚至他再次改变了主意,想要警卫回来。可是在上尉家中没有他的影子。

克利庆本人带着大批士兵行动起来。为了安全,他扣押了马车和行李,直到事情能有个结果为止,然后,他把贴身男仆和秘书转移到另外一所名为"金冠"的客栈,这个客栈在城的另一边。他在他们的门边安置了一名卫兵,一方面是为保护他们,一方面是为了确保在没有他亲自许可的情况下,他们不会离开城里。克利庆还在"白天鹅客栈"安置了一名卫兵。

拂晓时,他下令进行了一次非常彻底的搜索,他自己积极参加了这次搜索。在漠不关心、懒惰、行贿、贪污、自由放任在当权者中普遍流行的年代,克利庆上尉却是一位勇于承担义务、有能力和极有效率的模范,他和他的士兵们搜遍了波利伯格,就像养兔场里的饥饿雪貂一样。他们搜寻了他们能想到的所有地方,甚至打捞了河底。

由于当地的民警司令和市长对政治的某种厌恶,因此,克利庆直接到柏林上司那里要求允许他全权负责此案件。他的旺盛的精力使他有时间去调查那个警察司令和市长的事情,以及搜寻那名失踪的英国外交官。按照预期的进程他的两名对手都丢了乌纱帽:克利庆是一位像有军刀锋芒的人物。

与巴瑟斯特失踪有关的说法之一是,他已被拿破仑的间谍康德恩垂格斯盯上了。如果曾有一种阴谋的话,那么,阴谋者们试图干掉克利庆就好像是合情合理了,因为他的详细调查最终会把他们挖出来的。然而,重要的是,没有任何记录表明有人企图要上尉的命。企图攻击克利庆绝不是一个好主意,这种话无疑是出自一帮犯罪哥的口中。

对"白天鹅客栈"店主的审问表明,那天夜里,有疑问的其他几位客人是两名犹太商人。克利庆下命令拘留并审问他们。审问结束了。不久询问表明,他们完全是正派的公民,不应受到责备。他们与这案子没有牵连。

有一点是,除了反复地打捞斯台波尼茨河外,克利庆还先于夏洛克·福尔摩斯,带上了大警犬,但它们未能追踪到失踪的英国人。然而,通过严格的逐房搜查,在一个可疑的名叫奥古斯特斯·斯密特的人的家中,发现了巴瑟斯特的贵重的皮外衣。他的母亲是"白天鹅客栈"的一名服务员,而奥古斯特斯本人被称做当地强硬人物和小罪犯。

斯密特夫人解释道,她发现了那件外衣,并且以为它大概属于其中的一位犹太商人。她说,她一直把它留着,希望在物归原主时,他们会给她报酬。然而,根据贴身男仆和秘书的证实,巴瑟斯特既没有无意中把外套丢在驿站,也没有在他失踪之前他们最后一次看见他时,一直穿着它。克利庆办理了此案,斯密特母子因为他们卷入了隐匿的外套案子,在监狱里服了几个月的刑,但是,尽管奥古斯特斯对于巴瑟斯特失踪时他在什么地方,不能给出满意的答复,可是,也没有足够的证据,给他定谋杀巴瑟斯特的罪,尤其是没有尸体。

服装在调查中继续起着突出的重要作用:本的裤子被两位在树林中拾柴的妇女发现。裤子上有子弹孔,但却没有血渍。从枪眼的位置看,裤子好像曾被挂在一条绳或树枝上,并且被有意地用来作为靶子。那么,这个使人迷惑的问题是“为什么”?有人把裤子吊起来就是为转移视线吗?那时,波利伯格一些社区遭受的贫穷,会使巴瑟斯特高质量的服装,无论是穿上或卖掉,相对来说都很值钱。在衣服兜里还有巴瑟斯特写的一封信。信中说,如果他发生了什么事情,那么责任者就是康德恩垂格斯,他被认为是一名法国秘密特务。康德恩垂格斯不久之后被暗杀了,但是在此之前他矢口否认知道任何有关巴瑟斯特的事情。

来自德国官方的消息认为,法国人几乎无疑对此负有责任。在波利伯格或其附近的几乎所有的亲法分子被及时地采访到了,但是这些调查没有重要进展。在维也纳,通常被接受的说法是,拿破仑的特务是主谋,可是由于巴瑟斯特是在外交计划或多或少地失败之后,才踏上其回家的路,所以,他们除了仇恨和报复以外,没有任何动机。

英国和法国之间的舆论大战开始了,双方的仇恨发泄在滑铁卢的骑兵交战上。英国舆论指责法国为了最卑鄙的理由而谋害了巴瑟斯特。法国舆论针对流入英国外交事物部的年轻纨绔子弟缺乏智慧,进行了刻薄的评论。他们说,巴瑟斯特对于他自己在当前欧洲冲突中的重要性有着错误的观念,可能愚蠢得在自杀时,都不知道他在做什么。按照他们的观点,他的强烈恐惧是精神病的一种征兆。这种尖酸的舆论之战进行了好一段时间。

英国政府悬赏1000英镑,这在当时是一个颇大的数额,它会吸引几乎任何罪犯或间谍前来提供消息。巴瑟斯特的家庭又加了1000英镑,然而,仍没有消息出现。普鲁士王子弗里德里克对巴瑟斯特案件非常感兴趣,他又另加了报酬:可是,如果任何人知道巴瑟斯特发生了什么事及谁是主谋,那么他们或者是太害怕了,或者是绝非金钱所能诱惑,而不能对现在提供的巨大数额做出反应。

在巨额赏金和所有愤怒的英法舆论宣传所引起的兴奋当中,克利庆坚决坚持他的看法,即当地某个罪犯或某些罪犯对此负有责任。也许上尉对他自己的办事效率和彻底性是如此自豪,以至于他不能使自己相信,是法国人打算在他的辖区内使这种绑架或暗杀成功。克利庆继续不停深思着斯密特,克利庆有着可怕的调查铁钳。上尉怀疑,因为斯密特知道巴瑟斯特带着两支手枪。奥古斯特斯是这样解释与此案有关的情况的,他说,巴瑟斯特和他的随从在"白天鹅客栈"的时候,他的母亲曾被吩咐到外面为他们买弹药。

更有甚者,某位目击者证实,他曾看见巴瑟斯特走进斯密特家所在的胡同。这是一种奇怪的证明。巴瑟斯特绝无有理由会去那种危险的地方,在他神经紧张和焦急的状态中,他可能想要的最后一件东西都会是额外的风险。当然,除非像斯密特的母亲在白天鹅客栈曾经说过的,她的儿子是一个特别强壮的人,在去汉堡的途中他可能被人雇佣,作为一名盗贼的助手。

克利庆努力跟踪的另一条调查线索涉及到一名当地补鞋匠,名叫海克,此人被认为是斯密特家的同案犯。几乎就在巴瑟斯特消失后,这个海克迅速离开了波利伯格,不久之后出现在阿尔托纳,而他的花销能力比平常大多了。这看来非常可疑——但巴瑟斯特没有带钱的习惯:他的秘书照看着所有这样的工作。

克利庆认真掂量着手头上的证据及其不足之处,并勉强决定,不管他怎么觉得奥古斯特斯·斯密特暗杀了巴瑟斯特,可是仍不足以定罪。有太多的问题,一名好的辩护律师会代表斯密特把这些问题提交给法庭。首先,斯密特——或任何其他绑架者或暗杀者——在马车周围地方满是目击者的情况下,怎么能如此悄然地把巴瑟斯特带走,而且完全没被注意到?第二,罪犯会怎样对待巴瑟斯特,作为一名活囚犯,或作为一具尸体?克利庆和他的同僚所能想到的每个可能的隐藏地点都被彻底地搜查了,而且搜查了不止一次。河流被反复地打捞过。如果像巴瑟斯特的外套和裤子那样较小的物品已被发现了,那么,罪犯究竟是怎样如此成功地藏匿这名英国人的尸体?

当海克被审讯的时候,他的妻子做了一个陈述,声称一名叫戈德伯格的男人是那个杀人犯,但是那个"证据"没有根据。

拿破仑皇帝本人曾同巴瑟斯特的家人接触过但是他以名誉作担保,否认了他知道有关失踪的外交官的任何事情,除了他在报上读到的以外。

时间过去了。

1852 年 4 月 15 日,距"白天鹅客栈"仅仅 30 米远的汉堡路上的一所房子被拆除了。在废墟中发现了一具尸骸。男性,年龄与身高和巴瑟斯特相似。不管这尸骸是谁,他是死于头盖骨骨折。巴瑟斯特的姐姐,塞守斯维特夫人,勇敢地访问了波利伯格,试图辨认尸体,但是,尸首躺在房子里藏匿了四十多年,它已完全无法辨认了。

这座建筑物被拆毁的时候,属于一位名叫基维特的石匠,此人在 1834 年从小克里斯蒂安·莫坦斯手中买下它。小克里斯蒂安是从其父亲老克里斯蒂安·莫坦斯手里把它继承下来的,老克里斯蒂安曾经是"白天鹅客栈"的一名服务员。

克利庆没有派遣搜索组到这个特别的房子,因为莫坦斯的名声无可指责,所以未受到丝毫怀疑。

然而,当他给他的两个女儿做嫁装时,他的朋友和邻居们认为,他花的钱比他在"白天鹅客栈"赚的一般工资来要多得多,这在波利伯格是令人震惊的意想不到的事。

当塞守斯维特夫人开始写她的书《回忆主教巴瑟斯特》时,她提到,莫坦斯在她弟弟失踪后不久就辞退了他在客栈的工作。她认为他在那儿曾是一名马夫,但是其他证据显示,他曾经是“杂役”。这样,由于需要接触客人和进入他们的房间,所以他犯罪的机会就会比他当照管马匹和客栈外职员大得多。

实际上,如果巴瑟斯特被偷去的外套是因粗心大意而留在“白天鹅客栈”他的房间里,而不是驿站里的话,那么就会出现一种全新的假设。在英国诺福克郡谊尔特礼堂举行的“未解之谜”周末研讨会上,作为研讨会的一部分,我们正在做关于巴瑟斯特失踪的报告,这时,参加研讨会的我们的好友彼得·格雷汉,提出了我们曾听到的有关波利伯格悲剧的最巧妙的说法之一。彼得特别对巴瑟斯特的意义重大的外套之细节感兴趣。他认为,巴瑟斯特能够如此突然、静静地、莫明其妙地失踪,因为穿着这件外套“绕着马匹走”的人不是巴瑟斯特。如果可以这样假定,即当年轻的本杰明还在他的房间时,不论是什么样的悲剧降临在他的身上,它都发生了,他被莫坦斯、斯密特和海克一起杀掉或制服了,然后,两个杀人犯把他从后面的通路中带出,未被发觉,而这时第三个人——最可能是莫坦斯,在昏暗中若无其事地绕着马匹漫步——走进黑夜之中。几小时之后,外套给了斯密特夫人去藏匿,并且,在愤怒平息下来的时候把它卖掉了。这位死者的裤子被带进树林,他的两把手枪在裤子挂在树枝上时被取出。杀人犯们看了裤兜里揣着的指责康德恩垂格斯的信——如果巴瑟斯特带弹孔之谜的服装是与那封信一起被发现的话,他们希望,它会转移对他们自己的波利伯格犯罪同伙儿的搜查。

关于巴瑟斯特的失踪,我们有了四种基本的说法。他精神上极为不正常,以至于他在什么地方自杀,而他的尸体从未被发现。他被斯密特、海克或莫坦斯,一个三人团伙抢劫并且杀害。康德恩垂格斯或其他什么法国特务杀害或绑架了他。英国秘密特工组织由于只有他们自己知道的原因,而给予他一种新的身份及一项在其他地点的新任务。

如果要合理地看待巴瑟斯特悲剧,那么它需同其他未解的失踪事件联系起来考虑。每年有数千起失踪事件。今天,有一个得到频繁使用的国际互联网地址:http:/www.unsolved.com/oconnell.html.它有助于寻找失踪的人们。它有相当程度的寻找成功率,但是即使今天,在一个像克利庆的波利伯格搜查队从未梦想到的高速电子通讯世界里,还是有许多人像本杰明·巴瑟斯特一样神秘地完全失踪了。

□ 化成空气的人

"兰克事件"之后的第十年,刚好是1890年的圣诞节傍晚,美国又发生第二桩人类消失事件。那就是"奥立佛·李奇事件"。

同样的,这在美国又再次引起震撼。

地点是在田纳西州的北部,即伊利诺州的南贝特市附近。

这次消失的是李奇家中的次子——当时年方20的奥立佛。而且,奥立佛消失的情况相当富戏剧性,连局外人都会不寒而栗。

当天,李奇家邀请了20余名亲友,享用一顿丰盛而热闹的圣诞大餐。

话说当时,即使在美国,像这样的乡下人家尚没有装设自来水,家庭用水都是取自于庭院的水井。

晚餐过后,客人都回到客厅闲话家常。

正在厨房忙着清理膳后的李奇太太,发现储水槽里没水了,便唤来次子奥立佛,告诉他说:

“你去提一些水回来。”

奥立佛拎起水桶便往外走。

然后，大约过了两、三分钟，外面突然传来一阵刺耳的哀叫声。

“救救我！救救我！快抓住！救我！”

宾客们都被这突如其来的呼救声震慑住，大伙儿纷纷朝传来声音的院子奔去，可是，那里已经没有奥立佛的影子了。

从厨房的门到水井之间，可以清楚看到雪上的脚印只到了庭院中间就嘎然停止。当然，这证明奥立佛尚未走到水井，也不可能跌落水井而死。

然而，就在人们的上方，依然传来“救命！救命！”的呼救声。

大家把头往上仰，可是在微暗的空中，却是什么也没看见。

偌大的院里，就只剩下一个滚落在地的水桶。

叫声忽远忽近，有一段时间似乎是从空中传来，不过不久之后，又归于寂静。

年轻男孩奥立佛·李奇就这样消失于世界上。

至于在场的20余名人所听到来自空中的奥立佛叫声，到底又代表什么意思呢？

奥立佛清楚地叫着：

“抓住。救救我！”

这正是问题所在。

在科幻小说里，有所谓的透明人。即是吃了某种特别的药物后，人体就会变为透明，使得一般人无法用肉眼看见。

这是欧洲人的想法。

而在中国古代，也同样有隐身术这种想法。

不过，隐身术并不是使身体消失，而是利用烟雾等障眼法，趁他人疏于注意之际躲到暗处，以达到隐身的效果。

总归一句话，透明人毕竟只是幻想，在现实生活中是不可能存在的。

假定真的有透明人,他可能在一瞬间将所抓住的人弄消失,再把他拉到空中去吗?

“奥立佛·李奇事件”之后,民间传出各种论点,其中有一项似乎言之有理。

“奥立佛有可能是被栖息在美国森林里的大鹫掳走了!?”

在鹫类当中,有些展开翅膀,可以达 2 米以上,并且经常会掳掠小狗或羊等动物,有时,甚至也会掳走小婴儿。

关于这一点,日本就有一则相当著名的“鹫抓人”的传说。

传说在奈良东大寺苍郁茂密的杉树林里,栖息着许多大鹫。有一次,一只大鹫不知从哪抓回一个襁褓中的婴儿,并把他置放在东大寺的杉树枝上。

大寺里,可以听到从高高的杉树枝上传来婴儿哭声。这件事引起一名樵夫的注意,于是他便攀上树顶,救回了小婴儿,并将他抚育成人。

或许,大鹫也被婴儿过大的哭声吓到,于是只知用尖锐的嘴巴衔住不放而不知如何是好。这实在是千钧一发的事情。

后来,这名婴儿平安无事的长大成人,并成为一位了不起的和尚,他就是一手建立奈良大佛的良弁僧正。

直到现在,奈良的东大寺里,尚残留着当年大鹫留置婴儿的“良弁杉”,这则传说也成了参拜者所津津乐道之事。

另外,还有一则关于“良弁杉”的传说是这样的。僧正原本出生于近江琵琶湖畔的农家。当他还是个小婴儿的时候,母亲把他放在田埂上睡觉,然后下田工作,就在此时,来了一只大鹫,把他掳走了。

僧正的母亲发现后,一边大声叫喊一边从后面追赶,但是怎么追也追不上飞去的大鹫,最后就眼睁睁的看爱子被抓走了。

良弁僧正生于689年,卒于774年,是个确实存在过的人物。不过,在正式的传记里,对于其出生地却是不详。或许正因僧正的出生地无人知晓,因此才有琵琶湖之类的传说吧!

1200年前是个非常久远的年代,即使想探求真相也无从查起。不过,可以确定的是,大鹫的确有力气可以掳走一名婴儿。

言归正传,再把话题重回到奥立佛·李奇事件上。如果是婴儿或小狗之类,对大鹫来说应该不成问题,然而若是个大人,不是太过勉强吗?

而且,即使是大鹫所为,在场的20余人应该会看到奥立佛与大鹫才对啊!

问题就在不仅什么都没看见,年轻人求救的声音在空中忽远忽近,而且清楚的听到好几次,这的确是不可思议。

这桩人类消失事件,同样的也石沉大海、永无音讯了。

□ 令人颤栗的"费城实验"

历史上最离奇的一次人类无故失踪事件,就发生在第一次世界大战期间,即1915年8月21日。

事发的那一日,属于英国陆军的诺福连队,正在向战败的土耳其军追击。

这一个连队有341名军官和士兵,他们追击至一片名叫圣贝尔的山丘。当日天色昏暗,而且云层很低,山丘的顶部,被黑云遮蔽。

这一个连队,秩序井然地向山上进发,而且,在山丘之上的黑云之中,逐渐消失。

协约国方面的22名纽西兰士兵站在圣贝尔附近的一个高山

之上，观看着那一队士兵登山，但始终都未见那一队士兵出现，不觉十分奇怪。

就在这时，圣贝尔山峰上的云，已经全部消散，而且，晴天无云。

这一队纽西兰士兵，可以见到几十公里的地面，但是，却依然不见有哪一队属于诺福连队的士兵。

最初，纽西兰的士兵还以为这个连队中了敌人的埋伏，但是，在附近堡垒未见有土耳其军队。

这一批纽西兰士兵马上向英军司令部报告，而大批的英军亦都赶到现场，并且在附近一带进行了搜索。

但是，在这里完全没有办法找到一个属于诺福连士兵，包括尸体在内。

当时，英军惟一的想法，就是这一连的英军可能是被土耳其军俘虏。

不过，即使被俘，最少也应有作战的痕迹，或者最少有土耳其兵出现的痕迹。不过，现场却完全没有一点痕迹。

直至第一次世界大战结束以后，英军向战败国土耳其进行了详细调查，但是，土耳其却表示，从未在圣贝尔附近俘虏过英国士兵，而事实亦证明，的确没有此事。

结果，英军最后只能留下了以下的记录："诺福连队的 341 名士兵，全体生死下落不明，踪迹不明。"

在这一份记录之下，并且有 22 名纽西兰士兵签名，证明的的确确曾见诺福连队的士兵登上山丘，而在最后，却下落不明。

这一份记录目前仍然保存在英国军队的档案中。

这一类神秘失踪事件，并不止一次地发生过，事实上，很多这类的事件，都在历史上记录下来。

很多心灵学家认为，其中一个原因，可能是和第四度空间有关。

也就是说,这一群失踪的人,在无意中走入了能往第四度空间的入口,结果,就在人们的眼前消失了。

1949年10月第二次世界大战结束前,美国海军悄悄地在做一项奇怪而令人颤栗的实验,称为“费城实验”。事后由一位机密人士透露出来,令人震惊不已。

实验是在费城海军基地的海面上进行,实验的对象是驱逐舰“爱德里其号”,舰上官兵很多,驱逐舰两边设置两种强力的磁场发生机,能放出磁力源。军舰在实验中被强力的磁场包围。这时发生了无法置信的可怕事件,眼看军舰被绿色发亮的雾团笼罩,而甲板上的人员也逐渐消失,不但如此,驱逐舰本身也开始消失,最后眼前空无一切。海军当局马上终止实验。令人惊讶的是:船上人员和驱逐舰却徐徐重现,又回到原来的位置,但此后接二连三地发生令人难以置信的事。当时在船上接受实验的人员到餐厅吃饭时,竟在众多客人面前忽而消失,忽而出现。奇怪的事源源不断地发生。其中多数人突然发狂,或是患了原因不明热病而死亡。海军当局对这件悲惨的事大感惊讶,不但终止实验,并且对外封消息,绝对禁止有关人员泄秘。

后来,有两位科学家对这项实验异常感兴趣,花了许多心血调查船上生存的人员,并且根据爱因斯坦的磁场理论着手研究,探查谜底。好不容易在解开秘密的前一天,却在一私家公园发现了他们自杀的尸体。

这些神秘的集体失踪案听起来犹如神话。那么,谁是真正的劫持者？劫持的手段和工具又是什么？近年来有人认为是被外星人虏获而去,但并无确实证明。所以这些无法解释的超自然现象,至今仍然是个谜。

在美国的殖民史上也发生过一件类似的事件。

那是1587年，由100多位英国男女建立起来的罗阿诺克殖民地位于弗吉尼亚海岸的一个岛屿。他们以耕耘为业，并靠出售野黄樟的钱从国内购买给养和日用品。野黄樟是一种药材，价格昂贵，英国需从国外进口。当时罗阿诺克殖民地的总督约翰·怀特乘船回英国筹办过冬用品，由于英国同西班牙开战，怀特的返程被耽搁了。当他最终于1591年回到罗阿诺克时，发现殖民地的人都不见了，其中包括他的女儿和小外孙弗吉尼亚·戴尔——美洲出生的第一个白人孩子。事后，人们在被遗弃的栅栏柱子上发现刻着一个名字“克罗坦”，这是附近一座岛屿和当地一个印第安部落的名字。由于气候恶劣，人们无法进一步的寻找，这样这个殖民地消失的人的命运也没有人知道。惟一的一点线索就是大约一个世纪后，有人报告说他们看见了长着灰眼睛金色头发的印第安人。

□ 被外星人劫持的“飞行女神”

“飞行女神”阿米尼亚·伊尔哈特的神秘失踪，曾造成巨大的轰动，但是至今人们也不知道，她到底是死了，还是被外星人劫持了？

“魔之区”

豪兰岛是太平洋波利尼亚群岛中的一个小珊瑚岛，长约4000米，宽约3000米。这儿是热带海洋性气候，岛上长满了槟榔树，显出一种神秘的氛围。然而，从1925年开始，豪兰岛似乎已变成一个神秘莫测的世界，离奇古怪的海难事故接踵而来，令人感到惊恐不安。为了弄清原因，美国政府曾于1936年12月作出决定，准备派一艘设备齐全的海洋调查船到豪兰岛海域进行科学考察。但在备航期间,却又发生了一件令人惊讶的事件:1937 年 3 月,巴西籍的一艘大型货轮在豪兰岛海域莫名其妙地失踪了。后经巴西、美国、英国、法国的多方调查,仍杳无音讯。为了慎重起见,美国有关当局又决定推迟海洋调查船的起航时间。

1937 年 6 月,赫赫有名的“空中神行太保”、世界航空界红极一时的阿米尼亚·伊尔哈特小姐宣布,她决定驾驶“艾里克特”号飞机做一次惊人的横渡太平洋的试验飞行。飞行路线是:从新几内亚伊里安岛的莱城经豪兰岛到夏威夷。这在当时,连男性飞行员都不敢尝试,何况豪兰岛海域是海难频繁的“魔之区”。因而,伊尔哈特小姐的这次横渡太平洋的飞行计划,引起了社会各界的极大关注,并纷纷通过新闻界表示他们对她的崇敬、鼓舞与支持。美国有关当局得知这一消息后,决定将在豪兰岛上空的部分测航任务委托她去完成,伊尔哈特小姐非常愉快地应诺了这一外加任务。

阿米尼娅·伊尔哈特的飞行计划在开始阶段进行得非常顺利。至 6 月下旬,她已完成了大部分试验飞行课目。在进入太平洋之后,伊尔哈特小姐决定在新几内亚的莱城休整几天,为最后横渡太平洋这段最艰难的航程养精蓄锐,并对应急物资作些必要的补充。

经过数日的休养,阿米尼娅·伊尔哈特已恢复精神,决定于 7 月 1 日从莱城起飞,进行中途不着陆的 4200 公里续飞航程抵达豪兰岛、刷新她于 1935 年创造的 3700 公里的纪录。但此次出师不利,正当她准备驾机起飞时,天气突然变坏,不得不推迟起飞时间。

意外降临

7 月 2 日,天气晴朗,空中万里无云,是飞行员们所盼望的大好日子。9 时正,伊尔哈特小姐从莱城机场起飞,在空中绕了一圈后就朝豪兰岛方向飞去。飞到离豪兰岛不到 1000 公里时,豪兰岛上的美军机场已与伊尔哈特小姐联系上:“我是 K·H·A·Q”(“艾里克特”号飞机的发报呼叫代号),我在离豪兰岛以西 500 海里的上空。现在风速是每小时 20 至 30 海里。”美军机场已清晰地听到她的报告。当阿米尼娅·伊尔哈特的飞离豪兰岛只有一个小的航程时,突然传来了伊尔哈特小姐惊恐不安的呼叫声:“我的飞机飞进了一种类似海绵体‘湿海风肺腔’里,这既不是天空、也不是海水,而是一种莫名其妙的混合物,有一股强大的磁场……我的飞机遇到了浓雾,又像是急剧向上升腾的蒸气。我仍然看不见陆地……我的位置在豪兰岛以西约 160 海里……机上的汽油只够飞行半小时……”后来干扰越来越大,豪兰机场上的报务员愈来愈听不清了。当地时间 19 点 20 分时,伊尔哈特与豪兰岛之间的电讯完全中断。

意外来得如此突然,使豪兰岛机场上的人们一片焦虑不安。塔台上的报务员张大嗓门一遍又一遍地呼叫着:“K·H·A·Q……”,可就是收不到伊尔哈特小姐的回音。这时,豪兰岛机场上的指挥官命令一群士兵把几个汽油筒点燃,以便让伊尔哈特小姐能够看见这片陆地。烈焰顿时将豪兰岛的天空映得通红,人们仰望天空,一片空空如也,连一只小鸟也没有看到。时间流逝表明,伊尔哈特的飞机油量已耗尽,她应该在豪兰岛降落了。人们的情绪也紧张到了极点,盼望她能奇迹般地从空中出现,然而,火染的夜空依然万籁俱寂,看不到一丝飘物。豪兰岛机场上的一架军用飞机向伊尔哈特最后发出信号的那个海域上空飞去,也一无所获地返回了机场。这时,大家都已意识到,可悲的事情已经发生,阿米尼娅·伊尔哈特小姐真的出事了。

豪兰岛上的美军机场立即向夏威夷报警,并向在豪兰岛海域航行的所有船只发出了求救信号。

7 月 2 日深夜 23 时许,一艘英国巡洋舰“埃齐勒斯”号突然收到一微弱的呼救信号,尽管报务员已竭尽全力,企图与这个信号取得联系,但呼救信号很快消失了。然而,这突如其来的信号,无疑为搭救阿米尼娅·伊尔哈特提供了一线希望。

为此,美国政府决定不惜一切代价,全力营救他们的“飞行女神”。7月4日早晨,太平洋舰队首先从珍珠港抽调出15艘驱逐舰和轻巡洋舰,随后又调动了巨大的航空母舰“列克星敦”号、战列舰“科罗拉多”号和“亚利桑那”号,组成了一支庞大的搜索舰队。美国政府这时还向这一地区的国家发出帮助寻找女飞行员的请求。虽然其营救对象只有一名女飞行员,但所组织的搜索阵容之庞大,却是史无前例的。

神秘的求救信号

7月6日傍晚20时许,法国的海洋调查船“联盟”号抵达豪兰岛海域女飞行员失踪的海区,参加海上援救,并立即发出了呼叫联络信号。至夜间23点时,“联盟”号突然收到干扰很强的呼救信号,他们只能听清“我是K·H·A·Q”。与此同时,豪兰岛机场也收到了这个信号。报务员立即呼叫:“伊尔哈特小姐:请告诉你现在的位置……”、“我在……”,“我在一个岛上”,“我的飞机在海上漂浮”。当人们隐隐约约地听完这些回音之后,强大的干扰波再次淹没了“艾里克特”号的信号。

同一天,辛辛那提和洛杉矶两地的几个业余无线电爱好者也曾隐约地听到了伊尔哈特小姐求救的电讯,其中有两组数字:179和16。经飞行专家们分析,这两组数字应该是经度与纬度。但一经组合起来就有四种可能。但豪兰岛的赤道以北,为西经178度15分,北纬14度20分。考虑到伊尔合特7月2日晚上电讯中断的最后位置,营救者决定把搜索目标集中到西经179度、北纬16

度和东经 179 度、北纬 16 度附近。

搜索舰队在几十架飞机的配合下，夜以继日地在这两个区域搜索着。虽然天气晴朗，大海一片微波荡漾，非常有利于海上搜索营救行动，但他们没有发现任何目标。极为令人费解的是，求救信号依然时有时无。7 月 9 日，“联盟”号又给“艾里克特”号发出呼叫信号：“如果你身体健康，并且在陆上，请发出 4 长声。”在“联盟”号一遍又一遍的重复呼叫中，终于得到了响应。下午 15 时 35 分，“联盟”号收到了 3 长 1 短的回音信号。

这究竟是什么意思？是否说，伊尔哈特小姐的身体良好，但不在陆上？营救者仍不解这 3 长 1 短回音的含意。“联盟”号继续发出呼叫信号，收到的仍旧是相同的回答，夏威夷电台和旧金山的贝壳电台也都收到了同样的电讯。据此，营救人员便想出了一个确定伊尔哈特所在位置的方法，即在豪兰岛、旧金山和夏威夷同时用无线电测向器测定伊尔哈特小姐发电讯的神秘位置，然后通过几何作图法在地图上标出这三条直线，这三条直线的交点就是她所在的位置。

果然，伊尔哈特小姐求救信号于 7 月 10 日再次出现，三个地方的无线电测向器同时抓住目标，结果发现，交汇点就在豪兰岛以北约 500 公里的海面。事实上，这个海区已经被搜寻了好几遍，而且在接到电讯的当时，他们既没有发现这个海区的任何漂浮物，也没有监听到所发出的求救信号。营救人员被坠入云里雾里，整个搜索舰队全部陷入茫然不知所措中。

被外星人劫持？

7 月 10 日下午，已经过了一个星期，远征的“列克星敦”号航空母舰也赶到了伊尔哈特小姐出事的海域，由美国海军准将墨芬坐镇指挥,他立即下令再次投入大规模的搜索救助行动。数十架飞机在海上轮番不停地巡逻了两天两夜,这位女飞行员的行踪仍杳无音讯。

伊尔哈特小姐到底在什么地方?那些使人发疯的呼救信号到底意味着什么?这使墨芬海军准将烦恼不已。可在7月12日早晨,副官托马斯·门罗突然闯进了墨芬将军的办公室。他报告了一个激动人心的消息,法国人发现了伊尔哈特发出的烟火。

事情的经过是这样的,这天早上7时35分,“联盟”号的瞭望哨突然看到了右舷10公里海面有一团桔黄色的烟火升起,瞭望哨立即把这个新发现报告给船长苏纳斯。苏纳斯船长闻讯后,立即朝那个方向观察,果然有一团烟火漂浮于海面,他立即向“列克星敦”号发出了电报。墨芬将军听完这个报告之后,立即指挥“联盟”号前去救援。

苏纳斯船长接到命令后立即指挥“联盟”号全速向目标驶去,并不间断地发出呼叫信号。墨芬准将焦急不安地等待着来自“联盟”号的消息。然而,“联盟”号最后还是送来了令人沮丧的消息。桔黄色的烟火不但对他们的呼叫置之不理,而且总是距离“联盟”号10公里左右,逃避营救者的追踪。在跟踪近2小时后,这团烟火升空而起,在30多米高的空中,像幽灵般地旋转了几下,一声巨响,一道“海天大闪电”后,它就在众目睽睽之下消失了。船上的法国人全懵了,难道这是天外来客飞碟所为?

几十年过去了,由于不断发现伊尔哈特的遗物以及崇拜者的集会活动,特别是小维基在1994年重现了他当年的横渡大西洋的航线,又引起人们对这位30年代的“飞行女神”深深的怀念,以及对这神秘的世纪之谜的重新猜测。

□ 凭空消失的船员

1872年12月5日，英籍帆船德艾·格拉西亚号正朝着英属直布罗陀航行。

这里是位于葡萄牙外海1000公里的大西洋，离直布罗陀大约还有一周的航程。天气晴朗，阳光明媚，是航海的大好时光。船长莫亚·豪斯和水手奥立佛在甲板上闲聊起来。突然值班水手的声音从瞭望台传来："船长，有船影！"莫亚·豪斯与奥立佛停止谈话，一齐朝值班水手指的方向望去。只见远处隐隐约约有一艘双桅帆船正朝"格拉西亚"号驶来。但是，这艘船行驶得有点奇怪，船身向一边斜，风帆七零八落，速度极慢，简直就是漂浮。

奥立佛举起单目望远镜，仔细观察船只。突然，他尖声叫道："玛丽亚·赛莉斯特号！"

"什么？"豪斯船长一把抓过望远镜，也朝那船望去。

玛丽亚·赛莉斯特号原是一艘英籍木帆船，1860年建造，重282吨，长31米，宽7.6米。最初，船名叫亚马逊号，船建成第二年，正值美国南北战争爆发，亚马逊号便在炮火中完成了第一次航行。但是，亚马逊号一直不顺。第一任船长是罗德·麦克雷戈，但这位先任船长不到48小时即因病去世。第二任船长上任后，把撞入渔网导致裂痕的亚马逊号开回船坞修理，然而修复后，途中在多佛尔海峡与它船相撞。第三任船长只好又把亚马逊号送去修理。然而修好不久的亚马逊号又在凯普布雷顿岛外海触礁。后来，重新修好后，亚玛逊号改名叫玛丽亚·塞莉斯特号。

1872年11月，玛丽亚·赛莉斯特号在布里格斯船长的指挥下，在纽约装上满满一船工业用酒精，准备运往意大利热那亚。船长的妻子莎拉·伊丽莎白和幼女也随船航行。

当玛丽亚·赛莉斯特号船在纽约伊斯特·里巴码头上装酒精时,旁边一艘船也在紧张地装载货物,这艘船正是格拉西亚号。而且,豪斯船长与布里格斯船长还是一对好友。

11月7日,玛丽亚·赛莉斯特号扬帆出海,格拉西亚号驶向大西洋。

豪斯命令格拉西亚号调整方向,迎着玛丽亚号驶去。

渐渐地,两船的距离已能互相喊话了,玛丽亚号的甲板上仍不见半个人影。

豪斯船长拿起话筒喊道:"玛丽亚·赛莉斯特号,我是德艾·格拉西亚号船长莫亚·豪斯,听到我的呼叫请回答。"连喊五六遍,无丝毫反应。

豪斯船长决定派人上去看看。于是,奥立佛与另两名水手乘小船登上了玛丽亚号。

三人在甲板上喊叫一阵,无人回答。便决定到船舱、厨房的仓库去分头看看。来到水手卧室,只见衣物、靴子到处扔着,一片凌乱。枕头边上的一个烟斗、一把烟草吸引住他们。这两样东西是水手的命根子,如果不是非常紧急的情况,是不会丢弃的。一等水手的舱房餐桌上杯盘狼藉,盘子里还有喝得剩一半的汤,但瓢却掉在地上。

奥立佛来到船长室,也是一片混乱。桌上的一罐药,瓶盖还打开着,旁边扔着一把汤匙。地上有散落的珠宝和航海地图。这些景象也说明主人是匆匆而去。奥立佛又找到了船长的航海日记,最后一篇日记写的日期是11月24日,记载了当天的位置:亚速尔群岛,圣玛丽亚岛西约110海里。

奥立佛和两个水手又检查了仓库,发现1700桶酒精原封不动地整齐堆放着,只有一桶的盖子微微打开。船上的舵轮和抽水系统也很正常。但是,救生艇不见了。

豪斯船长对这一切无论如何也想不出原因。他决定先把玛丽亚号带回港口再说,便命令奥立佛和两个水手留在玛丽亚号船上,跟随“格拉西亚”号驶向直布罗陀。

12 月 11 日,格拉西亚号抵达目的地。第二天,玛丽亚号也平安抵达。

豪斯船长下岸后便首先到海事裁判所报告情况。然而,海事裁判所却对豪斯起了疑心。按照当时国际海洋法,凡将漂流中的无主船只带回港口,便可获得海难救助金。玛丽亚号船一切正常,船上又有价值超过 3 万美元的工业酒精,不能不令人怀疑。于是,海事裁判所以“有大屠杀嫌疑”把莫亚·豪斯船长及格拉西亚号船上的全体船员逮捕候审。

但是,海事裁判所的陪审团认为,豪斯与布里格斯特船长是多年的好朋友,不可能为奖金而屠杀朋友及船员。最后,陪审团依据事实作出结论:解除格拉西亚号全体船员参与大屠杀的嫌疑。于是:海事裁判所下令释放豪斯及全体船员。

但是,事实真相究竟如何呢?海事裁判所组织人员进行了多方面调查。但无论如何推测论证,都没有说服力。

1873 年 3 月,海事裁判所奖给德艾·格拉西亚号船一笔 8300 美元的海难救助奖。但颁奖裁判书对颁奖原因和玛丽亚号只字不提,这是海事裁判所历史上从未有过的。

这一事件后 12 年——1884 年。英国《柯伦希尔》杂志一月号发表了一篇署名约翰·哈巴克·杰弗逊医生的文章。作者自称当年曾搭乘玛丽亚号船,目睹了船上发生的一切。11 年前,他就打算公开,但利物浦的警察及亲友都认为他有精神病。现在,他自己感到不久于人世,想在临终前把秘密公诸于世。

杰弗逊自称是医生,曾在美国南北战争中为争取黑人解放而战斗。在作战中负了伤，幸得一位黑人老太太护理，方得保住性命。在他伤愈离别时，黑人老太太送给他一块黑玉护身符。伤愈7年后，他又得重症，而医生说只有海上空气能救他的命。于是，他决定到欧洲旅行，上了玛丽亚号船。

船上人不多，船长、夫人及女儿，10个水手，其中3个是黑人。旅客除了杰弗逊外，还有轮船公司代理人哈同及一个混血儿谢伯基穆斯·戈林。

戈林很聪明，见多识广。但他的右手少了4个指头，仿佛被刀子切断似的。

戈林住在他的隔壁。一天早晨，杰弗逊刚起床，一声枪响，一颗子弹穿过板壁，射进他一分钟以前还站着的地方。戈林忽然跑过来道歉，说擦枪走了火。晚上，布里格斯船长来找杰弗逊，他神情悲痛地诉说爱妻、幼女失踪了。有人推测，女儿失足落水，妈妈心里一急，也跳下水去。过了几天，布里格斯船长自杀了。

帆船在大副指挥下继续航行。一天，杰弗逊拿出黑玉护身符让人欣赏，戈林拿过来，不以为然地笑笑，打算顺手扔到海里。不料，旁边的黑人水手马上跳到戈林面前，对他说了几句什么，然后就拿过护身符，万分虔诚地奉还杰弗逊。

过了一段时间，气候变得燥热起来。当地平线上出现非洲大陆时，人们才醒悟。但大副说，这不是他的错，有人把航海仪器弄坏了。这天傍晚，杰弗逊正在甲板上散步，戈林同另3个黑人走来。忽然把他推倒在甲板上，捆绑起来。白人水手和旅客哈同则被捆绑起来推入海中。戈林也要把杰弗逊推入海中，但黑人们一致反对，他们认为佩着黑玉护身符的人是不可伤害的。

于是，杰弗逊被带下救生艇上了岸，被软禁在一个小屋里。他虽是俘虏，但吃得不错，当地黑人对他崇敬。一天晚上，戈林将自己的身世告诉了杰弗逊。他的父亲是白人，母亲却是黑奴。父亲去世后,母亲被种植场主打死。他们还把戈林的4个指头切掉。戈林满怀仇恨,发誓要向所有的白人讨还血债,在非洲建立一个黑人国家。相传黑人有一个迷信,给他们送"黑玉耳"来的人就是天堂使者,而杰弗逊的黑玉佩正像一只耳朵。这样,杰弗逊就成了戈林当酋长的障碍。戈林把杰弗逊带到海边,让他坐一条小船出海,听天由命。几天后,杰弗逊终于遇上一艘英国轮船,到达利物浦。

当人们兴奋地读了"杰弗逊"这篇文章,心满意足的时候,有人透露,"杰弗逊医生"的故事纯系虚构,它不过是福尔摩斯探案故事的作者柯南·道尔写的一篇小说。

尽管如此,人们仍然感激柯南道尔,他也算是为玛丽亚号船失踪之谜提供了一个说法,而且是引人入胜的说法。

玛丽亚·赛莉斯特号船自1873年3月被解除扣押后,船主几易。最后,在一次诈骗保险金的行动中被故意撞在珊瑚礁上,并一把火烧毁。案犯相继死亡。

但是,玛丽亚号仍是一个谜。进入20世纪后,研究玛丽亚号之谜者仍大有人在。代表性的说法有以下几种:

"四度空间"说。认为这艘船的全体人员遁入我们尚不知晓的第四空间中去。

"非物质化"说。认为船上的人都遭受了"非物质化作用",毫无痕迹地消失了。

"UFO(飞碟)"说。认为他们被UFO带走了。

这些说法都无法实证,又有人提出一个猜想:航行中有人突然发现船上工业酒精有一桶微微有些开裂,由于受太阳曝晒,工业酒精的热膨胀极可能引起致命的爆炸。于是,人们急忙搭上救生艇离开大船。突然,天上骤然降下暴风雨,爆炸自然未发生,而小艇却不幸翻沉,无一人幸免。

□ 集体“蒸发”的部落

事件是发生在 1939 年的 8 月。也就是二次世界大战正将爆发之前。地点是在阿拉伯半岛西南端、红海入口的英国保护地——亚丁港。

亚丁港在战后便独立成为“也门人民民主共和国”。

事件发生之时还是由英国统治,因此有英军驻守在当地。而发生问题的,是四周环绕着沙漠的部落——拉达。

这里的夏天,平均温度高达 45°C(相当于华氏 115°C),其酷热程度可见一斑。

尽管在这种酷热天气下,拉达部落的四周仍然长有枣树,驻守在附近的英国航部队的士兵们,也经常来到这里购买枣子等物。

虽然土地炽热,但是有些地方还会涌出泉水,形成草木丛生的绿洲,因此绿洲的四周才会形成部落。

话说,拉达部落北方约 3.2 公里的地方也有水源,这里便形成另一个叫巴尔的部落。

另外,其南方约 16 公里处,还有一个叫库阿鲁孙·伊文阿德宛的大型部落。

而在这些部落间,往来必须穿过岩石,经由惟一的一条通道联络。不过,只要一个失足,就会跌到路旁滚烫的沙漠里,因此,这里几乎是人烟罕至。

俗语说:“天有不测风云”,果真,拉达部落就发生了变故。因为在一瞬间,整个部落的居民全部消失,无一幸免。

依据发现离奇事件的英国士兵报告,最不可思议的是该部落的人家里,每户家中的家具都维持原样。此外,有些家里的餐桌上,还留有刚准备好而未动用的饭菜。

由此看来,拉达的居民也不像是移往南、北两个部落去。即使他们真的是穿越沙漠,应该也会被不断在空中巡逻飞行的英国军机发现才对。

为什么整个拉达部落的人会毫无理由的消失,难道是蒸发了吗?

就跟住在炎热沙漠中的族群一样,相反的,住在寒带地方的爱斯基摩人部落也发生“消失事件”。

这个离奇事件被发现于1930年的12月初。

地点是距离加拿大北方蒙第联络基地约有800公里的安吉克尼湖附近,出事者为住在这里的30余名爱斯基摩人。

这一带均为酷寒的冻土地带,和阿拉伯半岛的拉达部落之酷热相较下,简直有天壤之别。

发现安吉克尼出事的,是之前就与这里的爱斯基摩人熟悉的猎人——约翰·拉斐尔。

那一天,他又如往常一样站在部落的入口大声喊叫,可是却没有人回应。约翰倍感纳闷,便走近最前面的小屋,打开海豹皮做的大门,又再叫了几声。

然而同样没有人回答。

约翰仔细查看了小屋,发现空无一人。接着,他又挨家挨户的敲门、打开小屋,依然不见半个人影。

令他觉得不可思议的是,其中一间小屋的炉子上还摆着锅子。掀开锅子一看,里面一些已煮熟的食物已经结冻而无法取出。

而在另一间小屋则放着一件正在缝制的海豹皮上衣,不过似乎只缝到一半,因为以动物牙做成的针依然刺在衣服上面。

由此看来,一定是在相当慌张的情况下,急忙夺门而出的。

加拿大西北部的派出所在接到约翰·拉斐尔的报案后,立即出动一队人马前往查看。并且在约翰·拉斐尔的指引下，巨细靡遗的清查了每一间小屋的里里外外，可是却有如陷入五里雾中，毫无头绪。

尤其是每一间小屋的步枪都原封不动摆在原处，这才是问题所在。因为对爱斯基摩人来说，步枪有如第二生命。他们应该不可能不带步枪就去长途旅行的。

“说不定整个部落的人，是因为某种理由而集体发疯了!?”

不过各个小屋的内外都井然有序、毫无乱象。

而对爱斯基摩人来说，仅次于步枪之重要性的，要算是狗了。然而，有七头狗却被发现集体死在距离部落约 100 米左右的灌木林中，依据兽医的鉴定，这些狗都是饿死的。

另外还有一点也令人深思不解。

就是墓碑被铲除、埋葬的遗体也遭到移动。据说爱斯基摩人对死者非常尊重，像揭开墓碑之类的事是绝不会发生的。而且，那些墓碑还被堆积成两个石冢。

至于在这附近，除了人类之外，应该没有其他动物足以移开墓碑又把它们堆积起来。

由于单靠警方的力量无法做充分的调查，因此也请来专家协助。经过两周的详细调查，结果推定：

“安吉克尼湖畔的爱斯基摩人，是早在猎人约翰·拉斐尔发现前的两个月就已消失了。”

不过，这个“推定”也是个问题。因为“推定”并不代表决定，只是依据想像来做决定的。

那些专家是凭着锅中残存的树果之状态而作判断的。

总之，那些爱斯基摩人是基于什么样的理由而消失的，并没有人知道。不过可以确定的是，在这个离奇事件发生之前，他们仍照着日常的作息过活。

搜索队为了慎重起见，调查的足迹更遍于广大的冻土地带，不过，30多名爱斯基摩人，还是没有一个人有下落。

□ 失而复现的“泰坦尼克”号船长

“泰坦尼克”号是世界上最大的客轮，上下共六层，拥有760间舱室，7公里长的走廊和游步甲板，俨然一座巍峨的“浮动宫殿”。为了保障乘客和船员的饮食之需，食品舱内贮备了44吨肉、禽，27000瓶啤酒和矿泉水，35000个鸡蛋，40吨马铃薯，5吨糖。在它的保险库中，存放着价值1～20亿美元的装饰品和贵重品。

“泰坦尼克”号于1912年4月2日投入运营，4月10日13时启锚离港，开始了它的首次、也是最后一次的航行。4月15日2时20分，在与冰山相撞之后，这艘“不沉”的巨轮沉没了。船上的2201人中，获救的仅有711人。

这场旷世罕见的劫难就像偷袭一样悄悄地降临的：1912年4月14日23时40分遇险时，海面平静得跟镜子一样。一切是在一片恐怖的混乱中结束的。上千人撕心裂肺的惨叫声中，混杂着在刺骨的海水中挣扎的人发出的呻吟和哀号，而海神则把一些箱子、板子、散架的家具、软木塞、破碎的门窗，吐到水面上……

人们一定还记得《冰海沉船》这部影片中的故事——“泰坦尼克”号沉没事件。“泰坦尼克”号是英国于本世纪初制造的，当时堪称世界上最大、最豪华的超级远洋游轮，排水量6.6万吨。但这艘超级游轮却“红颜薄命”。1912年4月15日，它在首航北美的途中，因船角撞上一座漂流的冰山而不幸沉没，在航海史上酿成一起死亡、失踪达1500多人的特大悲剧。80余年过去了，正当人们对它已经淡忘时却又连连爆出了惊煞世人的新闻。首先是美国的

《太阳报》于 1993 年 8 月上旬公开刊出一则“史密斯船长再现 2 周年秘闻”的消息,接着,大报小报争相对失踪者神秘出现的异象奇闻作了大量报道。

报道说,1990 年和 1991 年,分别在大西洋的冰岛附近发现并救起了“泰坦尼克”号沉船时失踪的两名幸存者。其中一名名叫文妮·考特的女乘客,另一名则是“泰坦尼克”号游轮上的船长史密斯先生。虽然那次曾轰动世界的海难事件距今已有 80 年,但这两位百岁以上的老人没有衰老的迹象,健康状况良好。两名幸存者在被救的当日,均认为是 1912 年 4 月 15 日,即“泰坦尼克”号刚沉没不久,并认为他们暂时栖身其上的冰山就是撞沉“泰坦尼克”号的那个该死的冰山。这确实是惊煞世人的离奇怪事。

这两名失踪者神秘再现的经过是这样的:1990 年 9 月 24 日,“福斯哈根”号拖网船正在北大西洋上航行,在离冰岛西南约 360 公里时,船长卡乐·乔根哈斯突然发现附近一座反射着阳光的冰山上有一个人影,他立即举起望远镜对准人影,发现冰山上有一位妇女用手势向“福斯哈根”号发出求救信号。当乔根哈斯和水手们将这位穿着本世纪初期的英式服装、全身湿透的妇女救上船,并问她因何落海漂泊到冰山上等问题时,她竟然回答是:“我是‘泰坦尼克’号上的一名乘客,叫文妮·考特,今年 29 岁。刚才船沉没时,被一阵巨浪推到了冰山上。幸亏你们的船赶到救了我。”“福斯哈根”号上的所有船员都被她的回答弄糊涂了,这究竟是怎么一回事,难道她是发高烧说胡话?

考特太太被送往医院检查时,发现她除了在精神上因落难而痛苦外,其它方面的健康状况均良好,丝毫没有神经错乱的迹象。血液和头发化验也表明她确系 30 岁左右的年轻人。这就出现了一个惊人的疑问,难道她从 1912 年失踪到现在,已经有 78 年时间过去,竟会没有一点衰老的迹象?

1991年8月9日，欧洲的一个海洋科学考察小组租用一艘海军搜索船正在冰岛西南387公里处考察时，意外地发现并救起了一名60岁的男子，他自我介绍是“泰坦尼克”号的船长。令人惊奇的是，许多年来的海上漂流生涯，并未使他看上去衰老。史密斯船长虽已是140岁的高龄老人，但仍然像位60岁的人，而且在他获救时，一口咬定是1912年4月15日，即“泰坦尼克”号沉没之日。他还几次劝阻救助人员不要救他，既然船已被冰山撞沉了，他理应与船同葬，当巨轮在最后沉没时的一股气浪把他抛到了冰山上，他这个船长也只有与冰山共存了。

数年来，热衷于“神秘再现”探索的学者们，对凡涉及失踪后又再现的事件进行了深程度的挖掘，目前已搜集到几十个案例，并对此进行了分析，企图从物理性质、光学现象、时序体系和空间原理对此作出解释，但没有一位学者能跳出“时空隧道”的困惑。

第五章

幽灵之宝：无迹可寻的神秘藏金

基德虽然死了，但有关他藏宝的传闻不胫而走，探索他藏宝的活动近300年来始终没有中断过。狡兔三窟，基德藏匿的财宝到底有几处？总计有多少？这些都只有他自己才能知晓。但随着他命归黄泉，基德财宝成了一笔真伪难辨的幽灵之宝。

□ 羊皮纸上的诡秘宝藏

1730年7月7日下午5时,在法国某地断头台前,一个人正拼命推开行刑队员套向他脖子的绞索,向蜂拥围观的人群扔出一卷羊皮纸,并大声吼道:"我的财宝属于能读懂它的人!"

这个人就是18世纪上半叶的法国大海盗,世界珍宝谜案史上的著名人物——拉比斯。拉比斯真名叫奥里维尔·勒·瓦瑟,是最显赫的一个人物。1716~1730年,他在印度洋和东北海上横行了14年,共劫夺了5吨黄金,600吨白银,还有几颗钻石及各类珍稀宝贝。其间,在1721年4月,他与英国海盗沆瀣一气,劫夺了在印度洋波旁岛圣坦尼港湾躲避风雨的葡萄牙船只"卡普圣母"号,抢走了船上价值300亿旧法郎的金银珠宝,并把这艘船装饰一番,改名为"胜利号"。1722年,当法国海军将领居埃·特鲁安在波旁岛附近打败了英国海军,控制了印度洋海域时,法国国王发布了大赦令。大多数海盗借此机会洗手不干,改过自新了,惟独拉比斯等少数海盗稳藏起来窥测时机。拉比斯劫来的财宝,也就在这时被他藏匿于从塞舌尔群岛到马达加斯加海角的印度洋海区。至于那些藏宝人,则被拉比斯以各种手段灭口了。然而,拉比斯劫来的财宝并不能使他不被绞死,只是给后人留下了难解的珍宝之谜,让人去破解。

拉比斯被行刑时留下的那卷羊皮纸,上面是一封密码信,画有17排古怪稀奇的图样,每个图样代表一个密码,看上去像天书一样晦涩难解,谁能把它破译出来,就能得到那笔巨大的财富。写在羊皮纸上的拉比斯密码如今珍藏在法国国家图书馆里,它的一份影印件在1949年落到英国探险家瑞吉纳·克鲁瑟韦金斯的手中。

这位英国探险家认为拉比斯财宝可能藏在印度洋上的塞舌尔岛，于是他带上毕生积蓄在塞舌尔岛上呆了整整 28 年,对 17 排图样做孜孜不倦的探索,终于破译了 16 排密码,只是对其中第 12 排图样却寻求不到答案,直至他因病去世,拉比斯密码仍是一团未解之谜。

当然,这并不是说拉比斯珍宝只是如海市蜃楼般只见影不见真物。法国“寻找藏宝国际俱乐部”掌握另一份与拉比斯宝藏有关的材料,包括一份遗嘱、三封信件及两份说明书,它属于掌握拉比斯藏宝秘密的另一个海盗贝·德莱斯坦。探宝专家们认为,德莱斯坦熟知的财宝中有一些便是拉比斯藏宝。德莱斯坦在给他兄弟埃蒂安的信件中讲:“在印度洋最近的一次战斗中,我们跟一艘英国大型驱逐舰较量时,船长受了伤,临终前他向我透露了秘密,并交给了我找到埋藏在印度洋上巨额财宝的文件,要我使用这些财宝来武装我们的海盗船只,以对付英国人。但是,我对这种漂泊不定的生活已经感到害怕,我宁愿参加正规部队,期望安宁,以便取出这些财宝,并返回法国……有三笔财宝,其中埋藏在我亲爱的法兰西岛(即毛里斯岛)上的一笔尤为可观。按照将转交你的这些文件的指示,你将会找到装满着多布朗(西班牙古金币)和 3000 万根金条的三只大铁桶和坛子,以及一个装满着(印度)维萨布尔和戈尔康达出产的钻石铜箱。”

德莱斯坦在给他侄儿的信中也说:“你来法兰西岛……有一条河流就在这块地方中心不到几法尺远处。财宝就藏在那里。你将会看到,有一个密码图案,它通过奇特的组合会显示出两个缩写字母名字,B.N.……由于我在海上遇过难,丧失了许多文件。我已经取出了许多藏宝,仍有四笔财宝以同样的方式被同样的海盗埋藏着。你将通过同时送给你的密码手册解开这些奇特的画谜,找到这批财宝。”20 世纪初,有人在法兰西岛发现一块署名卡·布拉吉尔、有奇特指示的大理石石块,寻宝者依据指示又发现一块写有密码的铜板。遗憾的是没人识别出铜板上的密码,铜板在运输途中又被丢失了!

从1730年绞死拉比斯到现在,已过去260年,探寻拉比斯密码和藏宝的活动始终不断。最近,一个创办不久的中欧"俄丝乌德旅行社"开辟了在塞舌尔岛寻宝的旅游线路,旅费虽贵,但参加者期期爆满。他们不但可以游览风景名胜,而且可以凭借旅行社发给的一份神秘图案的影印件到岛上寻找拉比斯藏宝,创造顷刻间变成百万富翁、甚至亿万富翁的机会,因而这旅游生意怎能不红火呢?所有这一切颇具诱惑力,但要识破第12排拉比斯密码并非易事,还得凭知识,靠勇气和运气。

□ 一笔真伪难辨的幽灵之宝

威廉·基德(1645~1701年)又名"船长基德",是17世纪英国劫掠船船长,半神话式的海盗,是《简明不列颠百科全书》上记载的屈指可数的海盗之一。在英国各个时期的文学作品中,他以最富有传奇色彩的海盗之一著称。有关他藏宝的若干小说中,有一本是著名作家埃德加·爱伦·坡的《金臭虫》。

基德1645年生于英国格里诺克,年轻时便航行在海上,1689年后成为英国合法的劫掠船长和纽约州的船主。在大英殖民地纽约州和马萨诸塞州之间,他多次受命驱逐沿海法国人的私掠船。1695年英国国王吉尔劳斯三世委派他前往红海和印度洋搜捕骚扰东印度公司船只的私掠船,尽力逮住当时声名狼藉的海盗托马斯·韦克、约翰·艾尔兰等。翌年2月27日,基德驾驶一艘大型三桅战舰"艾迪文特·加利号"(意即"冒险战舰"号)从美洲德特福德出航驶往南非好望角,在海盗频繁出没的东非海岸游弋了数月,始终没有碰上一艘海盗船,据说,海盗早已通过内线闻风而逃了。基德光荣凯旋的梦幻破灭了,他和那些醉心冒险的船员逐渐丧失了道德观。基德变得暴戾恣睢,转而进行劫掠活动,并在一次发怒争吵中将炮手长威廉·穆尔打成重伤致死。

1697 年 9 月,基德强行抢走摩尔人的船货,满足他们强烈而潜在的海盗欲望,开始走向深渊。同年 11 月,基德又抢走“拉梅坦”号船上的珍宝。随后,又霸占了一艘载有价值 400 万英镑珠宝的大船“凯达格·梅尔尚”号,凿沉了已不能远航的“冒险”号。1698 年 10 月,他驾驶“凯达格·梅尔尚”号返回美洲途中,在大西洋一小岛安提瓜岛停留,船员们都上岸寻欢作乐去了,惟有基德留在小岛上。据说为防止他的赃物被盗,他来到附近一个荒无人烟的小岛,将财宝埋进很深的洞穴,然后又把洞口封得严严实实,清扫了一切痕迹。

这时,基德已经 50 余岁了,他得悉自己已被海军法庭指控为海盗,犯有“武装越货”罪,这在当时是要处死的。他决心结束海盗生涯,依靠美国的一帮船东为他开脱,交出一笔巨款,或许就可以免遭惩罚。于是,他依然驾驶“凯达格·梅尔尚”号继续朝美洲行驶。在伊斯帕尼奥拉岛,他抛下“凯达格·梅尔尚”号,新买了一条船“安东尼奥”号驶往纽约城。来到美国后,他同波士顿一位富有的孀妇结了婚,并安居纽约城。他用重金买了一个爵位,从此化名叫史蒂文森伯爵。这位伯爵的财产对外界来说始终是个谜,因为他是纽约市惟一可以在银行中无限透支的存户。他的舞厅是纽约城最典雅华丽的交际场所。当时,谁能收到他们夫妇的一张舞会请柬,就标志着这个人在社交界的成功。谁知,好景不长,基德原来的船东后台再也不愿冒险为他开脱,转而反戈一击,指责他犯下弥天大罪,给基德当头一棒。更使他目瞪口呆的是,在他企图劝说当时纽约殖民地总督贝洛蒙伯爵为他辩解时,不但遭到拒绝,而且被贝洛蒙逮捕后押送英国受审,在牢里关了两年多。1701 年 5 月 8—9 日,基德被指控杀害穆尔和进行过 5 次劫掠,宣告有罪。在审判中有关两起劫掠案的重要证据被隐瞒了,后来基德和另外 9 名船员被伦敦奥德贝莱法庭判处绞刑。尽管基德三番五次提出抗议,甚至开出这样的价码:“我知道在什么地方有一笔巨宝。给我一条生路,我就讲出藏财宝的地方。”但这一切早已无济于事了。5 月 23 日,一辆黑色的囚车驶入伦敦中心广场中央的刑台前,里面走出伯爵和两名刽子手。伯爵的胸前挂着一块牌子,上面写着:“海盗基德。”在众目睽睽之下,刽子手将绞索套上了他的头颈。随着执行官一摆手,这个臭名远扬的海盗船长被绞死了。

基德虽然死了,但有关他藏宝的传闻不胫而走,探索他藏宝的活动近 300 年来始终没有中断过。狡兔三窟,基德藏匿的财宝到底有几处?总计有多少?这些都只有他自己才能知晓。但随着他命归黄泉,基德财宝成了一笔真伪难辨的幽灵之宝。

基德的藏宝之地众说纷纭。有人说科科洛莫洞穴里藏有基德的一批黄金箱子,它位于尼加拉瓜和哥斯达黎加边境太平洋海岸的圣埃伦娜港湾。此外,有两个地方更有可能:一处是加拿大的奥克岛(又称橡树岛),位于新苏格兰南部。1795 年夏,一个叫丹尼尔·麦克金尼斯的少年到该岛探险,他发现有一棵古橡树被锯掉了树枝并有起吊滑车绳索绕过的痕迹,树下方有一个类似矿井的洞穴,他判断下面可能埋有海盗宝藏。于是,他叫来两个伙伴挖掘洞穴,发现这是一个深约 30 米的古井,每隔 3 米便有一堆腐烂的树段。1803 年,西蒙·林德斯率领包括这三个男孩在内的工人继续深挖,在 27 米深处发现一块刻有神秘符号的石块,意思被译出来是:“在此下面 12 米埋藏了 2000 万英镑。”后来,古井中积满 18 米深的盐水,挖掘被迫中断。1850 年,又一批探宝者发现距古井 152

米的东面海滩退潮时不断冒出水泡,他们在水泡处发现一套复杂的引水系统通向古井,推测古井只是海盗骗人的藏宝地,真正的藏宝处可能就在连通向古井而斜向地面的侧井里,可能只有 10 米深,便于海盗取宝。1897 年,人们又在距地面 47 米深处挖出一卷羊皮纸,上面有用鹅毛笔写的两封信。他们断定,可能是 17 世纪常出没此地区的基德在此埋有一笔上亿美元的财富,同时也摆下了迷魂阵。

到 20 世纪 80 年代末期,探索奥克岛宝藏的历史已达 190 余年,无数的钱财及 6 条性命搭在这个岛上,真可谓劳"命"伤财。岛上的财宝仿佛同人们捉迷藏,至今仍未露面。但寻宝者仍旧一茬接一茬。拥有声纳、红外线电视、金属探测仪、水下闭路电视监视系统及其他各种最现代化仪器的美国特立通股份公司,计划耗资 200 万美元在岛上搞探宝工程。公司董事长戴维德满怀信心地说:"我们一定能揭开这个近 300 年最激动人心的秘密。估计利润将达 5000 万美元。"截至 1987 年,特立通股份公司探宝还没有结果。这使许多人产生了动摇,怀疑该公司的判断是否准确,他们认为财宝可能并不在奥克岛上,而是在附近的什么岛上。但不管怎样,一旦发现基德的珍宝,相信一定能轰动全世界,这不仅因为基德的藏宝数目惊人,而且因为基德所掠夺的珍宝中有一些是著名历史文物,真正的无价之宝。现在,搜寻基德藏宝的活动正在走向高潮。奥克岛四周可见挖宝的景象:巨型英格索尔·南德空气压缩机,硕大的水泵头,五花八门的机器以及盘缠在地上的铝槽。

另一处最具浪漫色彩的基德藏宝地位于远东的一座孤岛——"骨架岛"上。据传 17 世纪末叶基德从一个印度君主奥兰格兹伯亲王那里抢来价值 3 亿法郎的财福。他把财宝运到东经 125 度附近的小孤岛上。在助手的协助下,他干掉所有帮他藏宝的人,后来他对助手也下了毒手。他把这些人的尸体钉在树上,让每具尸体的右手指向藏宝地，指向“死亡谷”，财宝就藏在谷底下9.15米深处。对这笔不义之财，后世有歌谣为证：“财宝就埋在一座岛上的湖底，要到那里，就要知道通往死亡谷的路基，无眼无发的骷髅就是要遵循的标记。”那么骨架岛的传说又是依据什么呢？1953年，英国律师休伯特·帕尔默在据说是基德的保险箱的夹层里发现一幅残缺的18世纪航海图，经过加工粘贴，发现海图上对一座神秘的“骨架岛”上藏匿的财宝有说明。据此资料，后来一支由13人组成的寻宝队乘坐“拉莫尔纳”号双桅帆船驶向远东，但很快在怀特岛附近遭遇风暴，帆船搁浅后便杳无音信了。

有人推测，“骨架岛”位于菲律宾北部、“台风之源”的死亡群岛里。1956年，日本一个海岛上的珊瑚洞穴里发现一批黄金保险箱及银条，又有人推断这是基德的藏宝。看来，基德藏宝的传说真假掺半，在未来的一段时间里仍像“幽灵”那样飘忽不定，成为藏宝史上一大悬案。

□ 牧羊人的“奇遇”

雷恩堡是法国南部科尔比埃山中的一座小城镇，坐落在奥德省首府卡尔卡松市南边约60公里处。雷恩堡的教堂耸立在山顶上，只有一条长5公里的崎岖不平、峰回路转的上城道可以通到那里。雷恩堡虽然地处偏僻，但奇闻迭生，至今仍充满着神秘的色彩，远的故事还得从一个牧羊人讲起。

早在17世纪，雷恩堡附近有一位牧羊人伊卡斯·帕里斯，因为牧羊时丢失了一头母羊，在寻找母羊途中，偶然发现地下有条大裂缝。他走下裂缝，看到有条幽深不见底的地道。沿着地道一直往前走，最后走进一座尸骨横陈，箱子满地的地下“墓穴”。帕里斯先是惊恐万分,不停地祷告,生怕地下会有人突然爬起来将他弄死,大概是好奇心的驱使,他大胆地打开了箱子,原来里面全是金币!帕里斯将金币装满了自己的口袋,匆匆跑回家中。然而,帕里斯的暴富还是很快就传遍了整个雷恩堡。有的人嫉妒,有的人羡慕。由于帕里斯始终不愿透露自己金币的真正来历,结果被指控犯了偷窃罪,最后冤死于狱中。但是,他至死也没有讲出地下墓穴的秘密。直到200年以后人们才知道了真相。

1892年,沧桑的200年历史使雷恩堡的居民似乎早已忘却了帕里斯的冤案,他们更不晓得地下墓穴的秘密。但正是在这一年,一个极偶然的机会,又使雷恩堡教堂神甫贝朗热·索尼埃跨入了神秘的地下古墓,从而出现了法国近代轰动一时的奇闻。贝朗热·索尼埃是1885年被任命为雷恩堡教堂神甫的。他到任不久就赢得了当时刚满18岁的漂亮少女玛丽·德纳多的好感。索尼埃神甫不仅有如此好的艳遇,交了桃花运,而且他好运有加,一笔巨额财富也在冥冥之中向他招手。也许这是索尼埃神甫虔诚侍奉上帝的结果,上帝向他“显灵”了。1892年,由于索尼埃神甫待人热心和脾气好,从而受到了教区的尊敬,得到了一笔2400法郎的市政贷款以修缮他的教堂和正祭台。一天上午9点多钟,从邻镇库伊萨来的泥瓦匠巴邦在修缮教堂屋顶时,叫神甫帮他在几根打过蜡的空心圆木柱中挑一根作为正祭台的住子。神甫随手拿起一根圆木,发现里有一卷陈旧的植物羊皮纸,纸上写着一些带拉丁文的古法文。乍一看,这无非是《新约全书》里的一些片段。但索尼埃凭直觉猜想,这里边肯定有文章。于是这位神甫对巴邦轻描淡写的说:“这是大革命时期的一堆废纸,没有什么价值。”巴邦中午在客栈吃饭时对周围的人讲起了此事。镇长闻讯后也来问及此事。索尼埃神甫把植物羊皮纸拿给镇长看了看,但老实巴交的镇长本来识不了几个字,这羊皮纸的字是一个也看不懂,事情就这样平静了下来。

当然,事情不会就此了结。索尼神甫很快就中断了教堂的工作。他竭力想弄懂这卷羊皮纸上的字。他认出了上面写着的一段《新约全书》中的内容,还发现了上面有法国摄政王后布朗施·德·卡斯蒂耶的亲笔签字以及她的玉玺印章。除此之外,仍是一团疑谜。于是他在1892年冬天动身去了巴黎,求教不少语言学家。当然,出于谨慎,他给语言学家们看的仅是一些残片断简、只言片语。最后,他终于领悟到,羊皮纸上写的是有关法国女王隐藏的一笔1850万金币(1914年值185亿法郎)巨宝的秘密。索尼埃神甫在返回雷恩堡时仍然还没搞清楚这笔巨宝究竟藏在何处,但已掌握了足够可靠的资料。索尼埃神甫首先在教堂中寻找,没有发现任何痕迹。一天,漂亮、丰满的玛丽在公墓中看到从奥特布尔·白朗施福尔伯爵夫人墓上掉下的一块墓志上刻着一些奇特的铭文。这些铭文与羊皮纸上的文字是一致的。财宝会不会就藏在那座古墓底下?神甫在玛丽的协助下,在公墓中悄悄地寻找了好几天,但并无多大进展。一天晚上,他们终于从伯爵夫人的墓志铭中得到启示,在一个早已空空旷旷的被称之为“城堡”的墓地底下发现了一条地道。他们顺着弯弯曲曲的地道向前行进,像牧羊人帕里斯一样,他们也终于走进了一座神秘的地下墓穴,里面堆满着金币、首饰以及其他贵重物品!仿佛法国古代的财富全集中在此。索尼埃神甫虽然有点飘飘然,但他并没有忘记存在着的危险:是不是还有其他人也知道这笔财富?也许藏宝人的后裔也知道这笔财富?索尼埃神甫于是悄悄刮掉公墓中伯爵夫人墓石上的铭文。他精心地消除了所有能使他人发现地下墓室的蛛丝马迹,并且把那卷神秘的羊皮纸也一并藏进了只有他和玛丽知情的地下墓室。

神甫和玛丽从地下墓室中弄出了不少金币和首饰,这一切都干得天衣无缝,无人知晓。之后,他们俩封闭了墓穴。神甫和玛丽还拟定了一个掩人耳目的方案:由索尼埃神甫先去西班牙、比利时、瑞士、德国,把金币兑换成现钞,随后用玛丽·德纳多的名义通过邮局寄到库伊萨镇。不久,到 1893 年时,索尼埃神甫已经成了腰缠数十万贯的大富翁了。他重新翻修了整个教堂,将教堂装饰得富丽堂皇,显得十分肃穆。他翻建了住宅,在带喷泉和假山的花园里盖上了凉亭。他置田买房,还为公墓筑起了围墙。这一切都是以玛丽·德纳多的名义进行的。索尼埃神甫娶玛丽为妻,迷人的玛丽一下子成了真正的城堡第一夫人。这一切突如其来的变化必须会引起各界的关注。暴富的结果带来一系列麻烦。先是镇长,后是主教、大主教、教皇都过问此事。雷恩堡镇镇长专门找过神甫,询问过他的经费来源,还指责过他贪污、浪费公款、糟蹋公墓。花言巧语的索尼埃神甫对镇长宣称,他继承了在美洲的一位叔父的遗产,并给了镇长 5000 金币(1914 年相当于 500 万法郎),镇长再也没有过问此事。负责管辖雷恩堡镇教堂的卡尔卡松市大主教比拉尔阁下对自己辖下的神甫索尼埃的所作所为也深感不安。他派人进行调查。但索尼埃神甫的金币、美酒和佳肴使这次调查不了了之,连比拉尔大主教也收到了一笔金币,从此他也沉默不言了。一切都很顺利。1897 年,索尼埃神甫开始兴建贝达尼亚别墅。这座带围墙和塔楼的别墅的费用相当于 100 万金币。为了四季能观赏鲜花,神甫还盖了一座暖房,还有供他洗澡用的豪华浴室。

比拉尔主教的继承人德·博塞儒尔主教阁下新上任后的第一件事就是再次要求索尼埃神甫对他的一切行为作必要的解释。但索尼埃没有理会这一切。继续干他自己的事。后来,教皇闻及此事,要求罗马法庭过问一下。索尼埃神甫被传到罗马出庭。最后,法庭宣布停止索尼埃的神职。但是,索尼埃并不在意,他继续在自己别墅里的小教堂做弥撒、祈祷。有意思的是,几乎所有教区教民也都来他家中做祈祷、弥撒。结果使得新上任的神甫非常尴尬,不得不发誓再也不去雷恩堡了。索尼埃还热心于公益事业,作为一名神甫,他很关心雷恩堡的发展。他拟定了一个美化雷恩堡的新方案。他要修筑一条通往库里伊萨的公路,在雷恩堡兴建引水工程、水利设施,以及再盖一座塔楼供居民使用,购买一辆车来运送镇民等。他的预算开支达800万金币,这在1914年相当于80亿法郎。由些可见,雷恩堡的这笔财宝数额有多大。

1917年1月5日,索尼埃刚在几笔订货单上签完字后就病倒了。肝硬化在索尼埃还没有得及实施自己的新方案时便夺走他的生命。痛不欲生的玛丽把神甫的遗体盖上一屋带红色绒球的遮布,摆放在阳台上。全雷恩堡的居民都自动来为神甫做了祈祷,每个人都从神甫的遗体的遮布上拿走了一只红绒球,就像是从圣徒那里拿走一件圣物一样。玛丽不久也过起了深居简出的生活,再也不接见任何来客。看来她也再没有去过神秘的藏宝古墓。这笔财宝的秘密就只有玛丽一个人知晓了。后来,出现了一个名叫科比的人,秘密藏宝地之谜被揭,现出了一丝希望。但科比先生的运气太差,事情是这样的:

1946年到1953年,诺尔·科比先生在玛丽晚年时认识了玛丽。当时,科比夫妇寄住在玛丽家中,整天陪玛丽玩乐,这赢得了玛丽的信任和友情。玛丽看到科比十分可靠,遂决定将宝藏的隐匿地告诉科比。一天,一向守口如瓶的玛丽对科比说:“您无需担忧,科比先生。您将会得到您花不完的钱!”

“您从哪儿去搞钱呢?”科比问道。

“这个嘛,你放心,我临终前会把一切都告诉您的。”

1953年1月18日,玛丽突然病倒后再也不省人事,带着她心中的藏宝秘密永远离开了尘世。可怜的科比先生没有能获知藏宝的秘密。从这以后,科比先生就像一只无头苍蝇一样在雷恩堡到处乱碰，企图找到这笔价值在185亿法郎左右的财宝。但是，直到1965年，科比先生经过12年苦心却徒劳无获的寻找后，终于认为想再找到那座神秘的地下墓室实在犹如大海捞针。事实上，也的确如此。如果说当年索尼埃和玛丽所以能找到那座墓室，是有能指点迷津的植物羊皮纸和白朗施福尔伯爵夫人墓上的墓石上刻的铭文的话，那么现在的寻宝人则没有这一条件。要想找到墓穴，就必须先找到羊皮纸和墓石，但找到后者就像找到前者一样艰难。

尽管墓穴尚未找到，但有关这笔财宝的最初所有者是谁争论却很激烈。据卡尔卡松市的历史学家们认为，这笔巨宝是1250年法国摄政王后布朗施·德·卡斯蒂耶藏在那里作应急用的。这笔财富至今已有700多年的历史了。可是摄政王后为什么把这笔巨宝藏在雷恩堡这一十分荒凉偏远的地区呢？事情是这样的：1250年2月，由于不堪贵族主的压榨和国王赋税的负担，由牧羊人、农奴和城市贫民为主的一场武装暴动曾一度席卷了法国的北部和中部。为了躲避暴动的冲击，卡斯蒂耶摄政王后带人来到了雷恩堡。那时雷恩堡叫雷达，有近3000名居民，四周筑有坚固的城墙，易守难攻，被认为是一座攻不破的城堡。而且此城堡背靠大山、密林，退也容易。再说雷恩堡又位于西班牙的大道上。必要时，还可以往西班牙躲避一时。所以，摄政王后决定把雷恩堡作为临时的“道府”，把一笔国库巨宝隐藏在当年称之为“城堡主塔”底下的一个秘密处，以作为她需要时的储备金。这笔财宝足以供养一支数量可观的军队，它对于重建霸业具有重要意义。摄政王后死于1252年，临终前她把这桩秘密告诉了自己的儿子圣路易国王。圣路易国王十分警惕地守卫着这笔巨宝。并把一些知情者秘密加以逮捕、杀死。圣路易国王临终前把这个秘密告诉了他的继承人勇敢者菲利普国王。他也同其前任一样监视着这笔财宝，把知内情者都通通处死，只保留着那卷植物羊皮纸。但是，勇敢者菲利普还没有来得及把这个秘密告诉美男子菲利普国王就命归黄泉了。1654年,人们重建雷达镇,并改称为雷恩堡。从此,这笔巨宝的真正下落就成了历史迷案。

不过,有一些历史学家认为,索尼埃神甫发现的这笔巨宝不一定就是圣路易国王的母亲隐藏的财宝,而可能是法国古代一个叫阿拉里克国王的财宝。阿拉里克国王的首都当年也设在雷恩堡,据说这个国王骁勇善战,从征战中夺取了不少财宝。但这一说法不一定可靠,因为索尼埃所找到的墓穴是按照卡斯蒂耶的羊皮纸上的铭文找着的,而且金币铸造的时间是1250年前,不是古代的货币。还有一些人认为,这也许是中世纪法国的异端教派纯洁派的财宝,因为雷恩堡曾经是纯洁派的主要据点之一,而纯洁派据历史记载,积累了不少财宝,而其生活却很俭朴,他们常常把财宝埋藏起来以做应急之用。尽管这笔财宝来源尚不清楚,但有一点是肯定的,那就是雷恩堡确实隐藏着神秘的财宝。也许财宝不止一笔,而是有好几笔,说不定它们彼此之间还有某种联系呢。

一位可能有些知情的雷恩堡人对法国"寻宝俱乐部"成员讲:"神甫发现的几十亿财宝的秘密还在一座古墓底下,问题就在于如何能找到它。"现在,有许多人正在聚精会神地寻找这一诱人的宝藏,谁都希望自己成为这幸运之人。因此,被索尼埃神甫发现后又失踪的几十亿巨宝有可能在某一天被一个掘墓人再次找到。这对坐落在岩石坡上的雷恩堡来讲也许并不是一件值得庆幸的事情。因为,那样一来,雷恩堡也许就可能永远失去自己最令人遐想的魅力,也将失去一笔重要的旅游收入。

□ 圣殿骑士藏金之谜

1119年法国几个破落骑士,为保护朝圣者和保卫第一次十字军东侵中建立的耶路撒冷拉丁王国,发起成立了一个宗教军事修会。由于该修会总部设在耶路撒冷犹太教圣殿,所以叫做“圣殿骑士团”。圣殿骑士团成立后,由于对伊斯兰教徒,同时也对基督教徒的敲诈勒索,加上朝圣者们的不断捐赠,以及教皇给予的种种特权,从而积聚了相当可观的财富。他们拥有封地和城堡,为朝圣者和国王们开办银行,是欧洲早期的银行家。由于他们生活奢侈,贪得无厌,热衷秘术,密谋参与政治活动,终于引起欧洲各国国王和其他修会的不满,被斥为异端,从1307年开始被欧洲各国陆续取缔。1321年,罗马教皇克雷芒五世不得不正式宣布解散圣殿骑士团。1307年10月5日,法国国王想通过打击圣殿骑士团,没收其财富,以接济日趋窘困的财政开支。但是,圣殿骑士团却巧妙地把大量财富隐藏了起来。

据几位历史学家的记载和民间的传说,当圣殿骑士团大祭司雅克·德·莫莱在狱中获悉,法国国王是要彻底摧毁该修会时,他采取了断然措施,以便保存圣殿骑士团“传统的和高尚的基本教义”。他把自己的侄儿,年轻的伯爵基谢·德·博热叫到狱中,让伯爵秘密继承了大祭司,要伯爵发誓拯救圣殿骑士团,并把其财宝一直存到“世界末日”。随后他告诉伯爵说:“我的前任大祭司的遗体已经不在他的墓穴,在他墓穴里珍藏着圣殿骑士团的档案。通过这些档案,就可以找到许多圣物和珍宝。有了这笔财宝就可以摆脱非基督教徒的影响。这笔财宝是从圣地带出来的,它包括耶路撒冷国王们的王冠、索罗门的七支烛台和四部有圣·塞皮尔克勒插图的金福音。但是,圣殿骑士团的主要钱财还是在其他地方,在大祭司们墓穴入口处祭坛的两根大柱子里。这些柱子的柱顶能自己转动,在空心的柱身里藏着圣殿骑士团积蓄的巨额财宝。”

1314年,雅克·德·莫莱大祭司被法国国王处死后,基谢·德·博热伯爵成立了一个“纯建筑师”组织,并请求法国国王准许把莫莱的尸体埋葬到另外的地方,国王同意了。于是,博热乘机从圣殿骑士团教堂的大柱子里取走了黄金、白银和宝石。他把这些财宝藏在棺材里,也许还藏进了几只箱子,并转移到了只有几个心腹知道的安全地方。由于圣殿骑士团长期热衷秘术,有自己独特的一套神秘符号体系。据说,他们就是用这种符号体系和秘密宗教仪式来隐藏和重新取出他们的珍宝。正因为这样,对于圣殿骑士团巨额财宝的下落至今仍然众说纷纭,成了一个难解的历史之谜。

有人根据当地的传说和发现的圣殿骑士团的神秘符号,认为藏进棺材和箱子里的财宝现仍在法国罗纳省博热伯爵封地附近的阿尔日尼城堡里。据称,那里除秘藏着圣殿骑士团的金银珠宝外,还有大量的圣物和极其罕见的档案。

阿尔日尼古城堡现在法国罗纳省夏朗泰市管辖区里,属于一位对圣殿骑士团颇有了解的伯爵雅克·德·罗斯蒙先生所有。1950年,罗斯蒙先生接待了一位英国上校的拜访。此人据称是英国一个教会的代表,是专程来找罗斯蒙先生洽谈购买阿尔日尼城堡的。他告诉伯爵,愿出一亿法郎高价买下这座古城堡。然而,罗斯蒙伯爵的回答却是:“不卖!”

1952年,对圣殿骑士团神秘符号体系颇有研究的考古学家和密码学家克拉齐阿夫人在阿尔日尼城堡进行实地考察后声称:“我深信圣殿骑士团的财宝就在阿尔日尼。我在那里找到了可以发现一个藏宝处的关键符号。这些符号从入口大门雕花板上开始出现起,一直延续到阿尔锡米塔楼,那里有最后一些符号。我认出了一个埃及古文字符号,它表明,除有宗教圣物外,还有一笔世俗财宝。”据克拉齐阿夫人说:“阿尔锡米塔楼上有八扇又小又高的三叶形窗户,只有一扇窗户是用水泥粘合的石头堵塞的。必须开通这扇窗户,并在6月24日这一天观察射进这扇窗户的光线束。二至三点的阳光可能起着决定作用,它可能将照射在一块会显示出具有决定性符号的石头上。但是,我想只有一个人,一个熟悉内情的人,才会声称发现了秘密的钥匙。”

一位对寻找圣殿骑士团财宝感兴趣的巴黎工业家尚皮翁先生,曾经在秘术大师、占星家阿芒·巴波尔和对圣殿骑士团秘术有专门研究的作家雅克·布勒伊埃的指导下,对阿尔日尼城堡进行过发掘。由于对刻在建筑物正面的神秘符号的内涵始终束手无策,结果一无所得。雅克·布勒伊埃在阿尔日尼城堡考察几年以后还写了一本书,叫做《阳光的奥秘》,他在书中也表露了跟克拉齐阿夫人类似的看法。

对于圣殿骑士团的财宝是否藏在阿尔日尼城堡,城堡现主人雅克·德·罗斯蒙先生是这样认为的:“在圣殿骑士团秘密口授圈子里的阿尔日尼城堡原属于雅克·德·博热所有。古城堡当年有幸逃脱了菲利普的破坏,因此,圣殿骑士团的财宝可能埋藏在那里。但是,我们既无手段,又无任何理由去拆毁我的这座建筑物里那些令人肃然起敬的墙。只有科学探测手段,才可能给予确切的指示。”

法国“寻宝俱乐部”根据最新发现的资料认为,圣殿骑士团的财宝可能不在阿尔日尼,因为迄今并没有找到任何有价值的材料可以确定它们的存在。“寻宝俱乐部”倾向于认为,圣殿骑士团的财宝可能隐藏在法国夏朗德省的巴伯齐埃尔城堡,因为那里也发现了许许多多令人晕头转向的圣殿骑士团的符号。巴伯齐埃尔城堡四周曾有三大块圣殿骑士团的封地,人们在其中的利涅封地刚刚发掘出一座墓穴,从其中掉下来的一些石头上刻着的符号中可以看出,在圣殿骑士团完蛋以后,有一个卫队曾在那里呆过多年,它的神秘使命似乎跟监视埋藏的财宝有关。

据说,圣殿骑士团还有另外一些财宝可能隐藏在法国的巴扎斯、阿让,以及安德尔——卢瓦尔的拉科尔小村庄附近。在法国瓦尔的瓦尔克奥兹城堡的墙上也刻着圣殿骑士团的神秘符号,而且也有关于圣殿骑士团把财宝隐藏在那里的传说。据法国历史学家让·马塞洛认为,在法国都兰的马尔什也可能会找到圣殿骑士团的藏宝,那里以前曾是圣殿骑士团的"金缸窖和银缸窖"的所在地。圣殿骑士团的心腹成员知道在需要时如何从中取出必要的钱财,并会按接到的命令把新的钱财又重新隐藏起来。总之,人们认为,圣殿骑士团确实把一大笔财宝隐藏了起来,但是,究竟藏在什么地方,其谜底也许就像刻在石头上的神秘符号一样令人难以捉摸!

□ 不翼而飞的巨额军费

在日本,赤城山不以高大或雄秀出名,而是以传说中天文数字般的藏金量出名。据说,赤城山的黄金埋藏量高达400万两,相当于现在的100兆日元(兆在古代指1万亿),而1987年日本的国家预算不过才54兆日元。

赤城山珍藏黄金,是上个世纪万延元年(1860年)的事。当时正值日本德川幕府统治末期,世界的金银兑换率为1:3,国内存在黄金大量外流的现象,为了阻止这种消极现象,也为了贮备财产以利于军备,"大老"(是"老中"的首席代表,是非常设的幕府最高执政官)井伊直弼便以贮存军费为名,高度秘密地制定了埋藏黄金计划。赤城山被选为藏金之地:因为赤城山是德川幕府为数不多的直辖领地之一;它属德川家族世代聚居地,易于保守机密;而且地处利根川与片品川两河之间,有连绵起伏的高山作屏障,是易守难攻的军事安全地带;它也是德川幕府不得已全线溃退后的最后防御之地。当时强藩的中下级武士出身的改革派立意打倒幕府实行革新。正当井伊秘密藏金之时,1860 年 3 月 3 日,他被倒幕派武士刺死在江户(今东京)的樱田门外。他死后,属下林大学头和小栗上野介继续执行埋金计划。19 世纪 60 年代末,德川幕府终于被倒幕派推翻,江户时代结束。1868 年 7 月新政府改江户为东京,明治政府上台,赤城山藏金也就成了一个世纪之谜了。

这批作为军费而埋藏的黄金总数到底有多少?据埋金计划执行人之一总兵卫在其所著《上野国埋藏理由略述书》记载,当时从江户运出了 360 万两黄金。小栗上野介的仆人中岛藏人在遗言中又说从甲府的御金藏中还运出 24 万两黄金,加之其他金制品,估计埋藏总数达 400 万两。

一个多世纪以来,有不少想一夜之间成为富翁的人纷纷来到赤城山探宝。明治 37 年,即 1905 年,岛追老夫妇曾在此寻到几个装有黄金的木樽;昭和 37 年在修路过程中也曾被人寻到过日本古时纯金薄片椭圆形的金币 57 枚。对发掘赤城山藏金最热衷的,莫过于水野一家祖宗三代了。第一代水野智义是中岛藏人的义子,中岛藏人临终前曾告诉他,赤城山藏有德川幕府的黄金,藏宝点与古水井有关。于是水野智义便萌发了寻找赤城山黄金的信念。他变卖家产筹款 16 万日元,开始调查藏宝内幕,得知 1866 年 1 月 14 日,有 30 名武士雇了几十人在津久田原突然出现。运来极其沉重的油樽 22 个,重物 30 捆,在此处逗留近一年。他们秘密地分工行动,不少当事人是幕府的死囚,完工后即以灭口被杀。后来,水野智义在 1890 年 5 月从一口水井北面 30 米的地下挖出了德川家族康的纯金像,推测金像是作为 400 万两黄金的守护神下葬的。不久,又在一座寺庙地基下挖出了水野智义认为是埋宝地指示图的

3枚铜板,但它们所指之谜却无人读懂。昭和8年4月,水野智义又发现一只巨型人造龟。这就是第一代水野为之奋斗一生的收获。

第二代水野爱三郎子继父业,在人造龟龟头下发现一空洞,洞内有五色岩层,不知是自然还是人为造成。第三代水野智子进一步在全国了解有关赤城山黄金的传说,他与人合作利用所谓特异功能来寻宝,但收获甚微。水野家三代在赤城山的发掘坑道总计长22公里,却仍没有寻到藏金点。向水野三代这种半盲目的脑力与体力提出挑战的是高技术的运用。有人用最新金属探测机在水野家挖的坑道内发现有金属反应,经分析此处地层内又极难存在天然金属。虽有可能是德川的藏金所在,但由于其地质松软,要挖掘需要有强大的支撑物,只能暂时作罢。

由于迄今未挖掘出黄金,有人便断言藏金之事未必可靠。事实上藏金是有可能,德川幕府时期的江户南北两町奉行所这种小单位都存有1万两黄金,更不用说幕府了。幕府与萨、长联军对抗时有1.5万军队,若无雄厚财力哪能维持庞大的军费开支?这些资产哪里去了呢?总不能不翼而飞了吧?藏起来的可能性还是比较大的,另外,水野一家的发掘收获也是一种证明。

□ 沉入海底的黄金船队

1702年,由于西班牙财政开支日渐窘困,国王菲利普五世命令南美洲西班牙殖民当局把上缴和进贡的金银财宝用船火速送到西班牙塞维利亚。这样做是要冒很大风险的,因为横渡大西洋运送这批价值几百亿法郎的财宝必然要有一支引人注目的船队,而当时西班牙和英国正处于交战之中。尽管如此,17艘满载着从秘鲁和墨西哥掠夺来的金银珠宝的大帆船还是在 1702 年 6 月 12 日离开了哈瓦那,朝西班牙领海进发了,这就是西班牙历史上著名的“黄金船队”。

就在“黄金船队”即将驶过最后也是最危险的海域时,在亚逮尔群岛的海面上,突然出现了一支庞大的英荷联合舰队。面对由 150 艘战舰组成的 10 支英荷舰队,“黄金船队”决定驶向维哥湾暂时躲避一下。

当时最简单的办法是立即把金银财宝从黄金船队上卸下来,改由陆路运往马德里。这样就不会出现多大问题了。可是当时西班牙当局规定,凡从南美运来的东西必须先到塞维利亚接受验收。因此不能从“黄金船队”上卸下物品。不过在玛丽·德萨瓦皇后的特别命令下,国王和皇后的那部分金银珠宝还是卸下来。从陆路运往马德里。

“黄金船队”在维哥湾平静地呆了一个多月。10 月 21 日 150 艘英荷联合舰队的战舰在鲁克海军上将的指挥下,对维哥湾突然发起了攻击。3 万名英荷大兵,在 3115 门大炮掩护下,很快就消灭了港湾沿岸的守军,摧毁了炮台和障碍栅。据说,面对眼前的金银珠宝,英荷联军的战斗力骤然增加了 10 倍。不到几小时,西班牙军队就全线崩溃。“黄金船队”总司令贝拉斯科作出了一个绝望的决定,下令烧毁运载金银珠宝的大帆船,被焚烧的大帆船和其他被击中的战舰把维哥湾烧成一片火海。很快就控制了战场的英荷联军尽力想扑灭大火,他们救出并拖走了几艘大帆船,但是绝大部分都已葬身火海。

第三天早上,英国潜水员就开始冒着风险潜入海底,捞回了一批战利品。但是,在西班牙地面突击队的炮火下,英荷联军不得不放弃打捞工作,据成了英军俘虏的海军上将恰孔认为,有 4000 到 5000 辆马车的黄金沉入海底,这就是“黄金船队”留下的沉宝。

近三个世纪以来,一批又一批藏宝寻找者都在搜索这笔沉宝。有人打捞上来一些已空空如也的大帆船,还有人捞到了一些装着纯绿宝石、紫水晶、珍珠、黑琥珀和龙涎香等珠宝的箱子。时至今日,仍有人使用现代化的技术与器材继续寻找这批惊人的沉宝。据传,这笔4000—5000辆马车的黄金至少仍有一半沉没在维哥湾海域的泥沙底下,不过随着岁月的推移,不仅风浪和海潮早已使这些金银珠宝裹上了层层泥沙,而且种种传闻也渗进了历史的记载以至现在要在这片近1000海里的海底捞到这些沉宝再也不是一件轻而易举的事了。

另据历史记载,当年按照玛丽·路易斯皇后命令,从“黄金船队”上卸下估计有近1500辆两轮运货马车的黄金,这笔财宝在按计划运往西班牙的途中也有一部分因遭遇强盗而流失。据说,这笔西班牙的皇家珍宝仍被埋藏在西班牙庞特维德拉山区,至今仍躺在一个世人不知之地。

□ 橡树岛“大钱坑”之谜

被称作“世界八大宝藏”之一的橡树岛位于加拿大东南部的新斯科省东南海面上,是一个面积仅为0.5平方公里的小岛。从18世纪末起,由于在该岛发现了一些神秘莫测、复杂多变的竖井和地道,很多人都对它进行了探索和挖掘,这个以往默默无闻的小岛近100多年来变成了热闹非凡之地。

1795年,三个年轻人在这个荒芜人烟的小岛上发现了一个临时填上的竖井。向下挖掘9米后,由于当时缺少合适的工具,他们在1804年放弃3次的挖掘,空手而归。消息传出后,很多人推测竖井里可能藏着海盗隐埋的大宗财宝,于是不少雄心勃勃的人又接着挖掘。他们发现每向下挖掘 3 米,就会遇到一层铺好的又粗又圆的橡树。12 米和 27 米处的橡树上还涂着厚厚的油灰。30 米处不是橡树,而是一层云杉木。人们在 27 米的地方发现 3 块平滑的石板,上面刻画着一些暗号,它们至今还未被人破译出来。30 米以下的竖井中充盈着海水。后来人们发现,竖井中有海水是因为有两条地道与 1676 米外的海滩相通的缘故。

人们认为修竖井的目的是为了埋藏财宝。

这个岛被海盗们当做“银行”,这些海盗大的还包括自愿中立的盖特船长。有人却认为宝藏的主人是美国独立战争时的英军总司令亨利·克宁顿爵士,1778 年对纽约威胁进军时,他可能把橡树岛作自己的军火仓库和临时银行;还有人认为财宝的主人是加拿大的法国总督,他可能在 1758 年把他们的黄金储备从路易堡要塞辗转运到了岛上——然而,不管这些猜测多么富有传奇色彩,事实上,100 多年来人们为找到这些“财宝”已有 6 人丧命,花费了近 300 万美元的金钱,那想象中的“宝藏”仍毫无踪迹,人们在竖井中发现的人工制品不过是几个金链圈、铁的碎块、两片羊皮纸碎屑以及固定船只的环形栓而已。

1949 年,有人在拉丁美洲也发现了一个据推测建于 18 世纪早期、与橡树岛极为相似的竖井和地道,一群群各不相干的海盗从竖井开始,在不同的深度挖掘出一条条水平的地道,把劫掠来的财宝埋藏在地道中。据报道,已有价值 5 万美元的西班牙金币在海地的寻宝现场找到。这个发现极大地鼓舞了橡树岛的寻宝者。最近,一个对大半个橡树岛拥有所有权的辛迪加和对岛的其它地方拥有所有权的人准备再次对之进行全面的探索。探索将从被人们称为“宝蟛”的原竖井处和岛的其它地方同时开始。

对橡树岛的探索已有 100 多年的历史,不仅财宝没有找到,就连地道有多少也没弄清。而在岛上修建竖井的目的是什么,谁修的这个竖井，为什么修好后又填上，每隔10米为什么要铺放一层橡树，到今天仍像竖井第一天被发现时一样，人们对之一无所知。最近开始的一次大规模探索，究竟能否解开橡树岛之谜，还不得而知。

□ 若隐若现的巨大财宝

菲律宾首都马尼拉西北，有一座17世纪西班牙人修建的圣地亚哥要塞。1988年2月12日，总部设在美国内华达州拉斯维加斯的国际贵金属公司，获准在要塞地底下秘密破土掘宝。菲方政府为此派出数十名军人日夜把守掘宝现场。2月22日，挖好的巷道突然塌顶，两名菲籍工人当场毙命。公司不得不在事故发生后举行记者招待会，这才使挖掘工程的真相公之于世。原来，他们是在寻找传闻已久的所谓"山下奉文宝藏"。

山下奉文是第二次世界大战期间的日本陆军大将，曾任侵略东南亚的日本第14方面军司令官，号称"马来之虎"。据说他和他的部下在东南亚掠夺、搜刮了巨量的金银宝石和各国货币，埋在菲律宾的地下某处。有人说价值1000亿美元，有人说比这多得还要翻一番，但也有说至多1亿美元。山下奉文战后作为战俘已被绞死在马尼拉。那座圣地亚哥要塞战时是日本宪兵宿舍，它被认为是最有可能埋藏着山下将军巨额财宝的地方。

战后40多年来，有关这笔财宝的传说扑朔迷离，时而活灵活现；时而又销声匿迹，若无其事。早在1975年，菲律宾前总统马科斯就委托国际贵金属公司派人来菲律宾寻宝。这家公司在从事寻找黄金和贵重金属方面颇有经验。当事情略有进展时，公司方面听说马科斯要杀人灭口，于是烧掉标明可能隐藏财宝的172个地点的地图,逃回了美国。1983年马科斯宣称,已经在圣地亚哥要塞挖出了价值60亿美元的财宝,不久将公布证据。但马科斯此举只是想让美国人死心,实际上直到他下台,也未见着任何财宝。

这次国际贵金属公司同菲当局商定好,挖出的财宝按3:1分成,菲方得大头,兼任联合挖金委员会主席菲律宾总统国家安全顾问苏里亚诺先生,在当年8月27日举行的记者招待会上说,已经在圣地亚哥要塞地下钻探到黄金细粒。他透露在这座古老建筑地下四五米的地方,可能埋藏着27桶金币和首饰,以及2700根金条,总价值不下17亿美元,并称几个月内就可找到。

挖宝消息传出后,不少菲律宾人和外国人纷纷合作成立了探宝公司,在菲全国到处寻宝,因为据说山下奉文的财宝肯定不止埋藏于一处,据报道,菲律宾政府已批准了1987年要求挖宝的申请,挖宝许可证延长了一次又一次。一些被认为是藏宝地点的古墓、城堡、历史古迹、教堂、校园等,都被挖掘得面目全非。可是包括圣地亚哥要塞在内,至今一无所获,挖掘还将继续下去。

□ 沉入贝加尔湖中的500吨黄金

1921年5月,沙俄海军上将阿历克赛·瓦西里维奇·哥萨克率领的白俄部队残部,从鄂木斯克西伯利亚大铁路向中国东北边境撤退。在贝加尔湖上,可能是由于天气变暖的缘故,也可能由于部队携带的500吨沙皇黄金太重的缘故,贝加尔湖冰面上突然出现了巨大的裂缝。据说,哥萨克的部队及其护送的500吨黄金随着一块大浮冰的沉没,统统沉在100米深的湖底。

但据有关历史记载讲,当年并不是所有人都在贝加尔湖上遇难。至少哥萨克海军上将本人在当时并没有遇难,他是在1921年被布尔什维克逮捕后枪毙的。哥萨克海军上将护送的黄金是否真的被冰冷的贝加尔湖吞没了呢？这都已成了重大的历史迷案。有的人否认贝加尔湖中有沙皇的黄金，他们认为当时沉入湖底的不是黄金。据一个1938年仍活在沙俄的军官斯拉夫·贝克达诺夫讲："沙皇的财宝并没有沉进贝加尔湖。早在大部队抵达伊尔库茨克之前，沙皇的金宝就已经被转移出来埋藏地下了。当时的形势已很明朗，大部队已不可能撤退到满洲。不论从哪方面考虑，最好的做法就是把这笔黄金埋在一个秘密的地方。我跟另一名叫德兰柯维奇的军官奉命负责领导这次埋藏黄金的行动。我们带着45名士兵，把黄金转移起来后，把它们埋在一座已倒塌的教堂的地下室里。随后，我们把这45名士兵带到一个采石场，我和德兰柯维奇用机枪把他们统统枪决了。人们决不会容许留下45条舌头去走漏这么一大笔财宝的秘密。在返回的路上，我发觉德兰柯维奇想暗算我。于是，我抢先一步拔出了枪，把他毙了。在当时，多46人和少46人都一样，根本不会引起注意的，当时每天都要失踪100多人。就这样，我成了惟一掌握沙皇金宝秘密的知情人。"1959年，贝克达诺夫曾利用一次大赦机会返回了苏联。他在马格尼托哥尔碰上了曾在美国加利福尼亚时认识的美国工程师。此人的真名实姓始终没有透露，只知道他用过的假名约翰·史密斯。史密斯建议贝克达诺夫一起去1920年埋藏沙皇金宝的地方，以便从中拿走他们能带走的黄金。他们开着吉普车，在一名叫达妮亚的年轻姑娘陪伴下，在托木斯克和伊埃尼塞伊斯克之间的离西伯利亚大铁路3公里处的原教堂地下室里，找到了仍然完整无损的沙皇金宝。他们取走了部分黄金。随后，他们开着吉普车，从鲁吉亚闯过边境。但是，在一阵密集的弹雨声中，贝克达诺夫被当场击毙，史密斯和达妮亚扔下车子和黄金，赤手空拳逃出了苏联……看来，如果沙皇的500吨黄金确实没有沉进贝加尔湖，那就需要找到已经销声匿迹的史密斯或达妮亚才能揭开沙皇金宝的谜底了。但令人怀疑的是知情的史密斯或达妮亚是否已经死去,留下的也许是一个永恒的谜。

第六章

千古谜案：名人身上的浓浓迷雾

如果关于阿里玛西的约瑟夫的故事确有历史事实作依据的话，那么耶稣在拿撒勒自己制作并在最后的晚餐上用过的那只圣杯很可能就是南特奥斯杯那只古老又能治病的木杯，它仍在英国西部的一个秘密地点由其可靠而又富于奉献精神的守护人保存着。

□ 耶稣复活之谜

如果真有耶稣其人,那么关于他的死,又是一个引起争论的问题。据《圣经》、《新约》中的"四福音书"(即《马太福音》、《马可福音》、《路加福音》和《约翰福音》)记载,耶稣被钉死在十字架上后3天,重新复活,并一再在门徒面前显现,因此使四散的门徒重新鼓起勇气,聚集起来,获得了耶稣之死不是终结而是死而复活的信念。不过这样说法自近代以来一再引起人们的疑惑,早在1835年,德国青年黑格尔派学者大卫·F·施特劳斯就在《耶稣传》中指出"耶稣之死的真实性,不可能从他被钉十字架这一方面得到充分证明,而只能从他之复活缺乏证明予以说明。说耶稣还继续活着是没有历史资料可资证明的,但如果认为他真的死了,那也只好把十字架之死认为是真的死了。"英国学者卡本特认为:"有关耶稣处死的情形,福音书的记述大都是为了显示其如何在细节上都实现了《旧约》的预言。"美国《圣经》文学专家莱肯指出:"耶稣被钉死在十字架上,完成了替人类赎罪的使命,是《新约》中福音故事的基础,也是整部《新约》神学思想的基础。"也有不少神学家和科学家用各种方法对意大利都灵大教堂的一块坟布进行测试与检验考证(据说这块坟布曾包过耶稣的尸体)是真是假,众说纷纭。

不过,在本世纪出版的两本书却引起了人们极大的兴趣,他们都另辟蹊径,对耶稣的身世作出了标新立异的解释。1982年英国德拉科特出版社出版的《圣族与圣杯》一书,由英国人H·林肯、美国人R·利以及新西兰人M·贝京三人合作撰写。作者历经数年的实地考察及查阅了大批文献资料后认为:耶稣并不是一个被钉死在十字架上的救世主,而是一个觊觎以色列王位的犹太贵族,其娶了一个名叫玛丽·玛格达琳的女子为妻,并生有子女数人。因为参与贵族争权斗争遭到失败后,被迫流亡到高卢(法国古称)。为了防备政敌的谋害,他将妻子儿女留在高卢,并捏造自己被判刑钉死在十字架上的故事,自己只身潜返祖国。他的后代在高卢生活繁衍,并在公元5世纪时成为法兰克人墨洛温王朝的统治者。至公元11世纪末,耶稣的后裔参加了十字军东征,创建耶路撒冷拉丁王国的戈德费鲁瓦·布隆即为耶稣后裔,关于耶稣家族的血统就被称为圣杯——血统,它的秘密一直由秘密教会锡安山隐修会所保存。中世纪乃至近现代的一些文化界名人如达·芬奇、波义耳、牛顿、诺迪埃、雨果、德彪西、科克托等人都曾是该地首领,甚至戴高乐也是该会成员。锡安山隐修会禁止普通教徒了解耶稣家族的秘密。作者甚至声称悬挂于天主教堂的圣母像,并非耶稣母亲之像,而是其妻玛丽·玛格达琳的画像。此书所披露的耶稣身世轰动了欧美,被西方书评界称之为"20世纪最有争议的著作"。该书至1986年便已连续印行了6版,仍畅销不衰。

与前书天方夜谭式的奇论不同的是,一位年轻的德国学者H·凯斯顿在1983年写出了《耶稣印度》(Jesus Lebre in Indien)一书,提出了一种值得重视的说法。该书是作者自1973~1983年间数度在东方(土耳其、伊朗、阿富汗、印度)游历、考察和研究的结果。作者认为,耶稣在幼时为躲避罗马行省希律王的迫害,逃到了埃及的亚历山大城,并在那里学习佛教教义,12岁以后又到印度继续深造,10年以后(约公元6年)才重返故乡以色列,自称拿撒勒人耶稣,并从事创立基督教及传教活动,引起了罗马统治者的恐慌,后被总督彼拉多逮捕,判处受钉死在十字架上的刑罚。当耶稣被钉上十字架之后,受尽了折磨,为了营救他,有人暗中在送给他喝的酸酒中投放了麻醉药物,造成了耶稣假死(如同莎翁剧作《罗密欧与朱丽叶》中,朱丽叶假死的情节一般。而耶稣时代的犹太人深谙此道)。后由富商约塞夫买通了当局和行刑者,得到了耶稣"尸体",并用解毒药拯救了他的生命,使其得以"复活"。耶稣治好伤病之后,曾多次在其门徒面前“显现”。此后便在叙利亚、波斯、土耳其一带秘密传教,直到 16 年之后,偕其母亲一起到印度克什米尔定居,以“约兹·亚萨夫”(Yuz Asaf)之名著称。据说曾到北印度、中国新疆等地讲道授经。以年逾八旬的高龄在克什米尔的斯利那加善终。至今斯利那加旧城中央仍保存耶稣的陵墓,名为“先知约兹·亚萨夫之墓”。每年还迎来成百上千的香客朝圣。

争论了 2000 年,仍是耶稣的同时代人所提出的一问题:耶稣是否真的死后又复活过来?

□“裹尸布”是真是假

公元 1898 年,意大利报纸向天主教徒们宣布亨伯特国王的一项决定:5 月 1 日在都灵开幕的神圣艺术博览会上,他将批准把人们习惯称为“耶稣裹尸布”的那块布料公开展出。

要说这一消息轰动了许多人,那肯定是言过其辞了。当时,人们对“耶稣裹尸布”的重视程度十分有限。人们把它看成是散布于基督教民族各地的众多圣物之一,其价值主要决定于各代信徒对它们的崇拜程度,因为信徒们比较注重朴素的信仰,而不大关心真实性。

由萨瓦家族自 15 世纪中叶以来所保存的耶稣裹尸布到底是件什么物品?那是一块布料,宽 1.10 米,长 4.36 米。它放在一个金属箱子里,箱子有几道锁,只有同时得到都灵大主教和萨瓦家族族长的批准,才能打开箱子。而在 1898 年,萨瓦家族的族长就是意大利国王亨伯特本人。

如果相信传说的话,这块料子就是耶稣的门徒将他从十字架上解下来时,作为裹尸布来包基督的那块料子。使那些极少有机会观赏这块布料的人感到惊愕的是,布上有一些棕色斑点,其分布

“显示出目光可见的两个人体,一个是正面的,一个是反面的,两个人的头是面对面的。”

自这块裹尸布从中世纪在法国出现以来,出现了两个敌对的、有时是激烈对峙的阵营。一些人认为那块裹尸布是原件。他们解释说,那些比较粗大的斑点是血流在布上或汗弄在布上造成的,因为在裹尸时使用了香料,结果对化学反应起了催化作用。

其他人则表示极大的怀疑。他们断言,那些斑点是13世纪的一个画家所为。在中世纪,一位主教不是宣称,他听到过假造者的证词吗?另一位主教不也宣布禁止对这个所谓的圣物进行朝拜吗?一位教皇不是也颁布了一道谕旨,将那块裹尸布降为基督裹尸布的普通复制品吗?

当裹尸布从香槟运到萨瓦时,它有了强有力的保护者。正如人们所写的那样,它又“变成了或又一次变成了真品”。在整个文艺复兴时期和17世纪,成千上万的人长途跋涉前来观赏这块取稣基督的裹尸布。

人们在尚贝里城为裹尸布专门修建一座教堂,以供展出,而且越来越隆重。编年史学家安托万·拉兰曾断言:“为了证明圣物是真品,人们让它经受了非同一般的检验。”人们甚至将裹尸布放在油里和灰汁里煮了好几回,也未能够把布上的斑迹洗掉!我们能相信他的话吗?

公元1532年,裹尸布所在教堂发生火灾,裹尸布差一点被全部烧掉。一滴溶化了的银子将叠起来的布料的一角烧坏,结果烧了两串距离相等的洞,这些洞从照片上看得很清楚。为了灭火而浇在布上的水,在圣物上留下了对称的水渍印。由于巧合,正要烧在钉死在十字架上的人的痕迹时,火就停止了。有人称这是奇迹般的巧合,尚贝里的修女虔诚地对裹尸布进行了修补。

经过多次迁徙之后,裹尸布于1558年到达都灵。查理·博罗梅奥来都灵朝拜过它。之后,它被放在圣·让大教堂附属的圣人教堂里。它一直放在那里,但很少展出。最后几次展出是在 1814 年,1815 年,1822 年,1842 年,1868 年,1898 年,1931 年和 1933 年。

由于社会上对耶稣裹尸布的真伪众说纷纭,1898 年,都灵大主教终于同意一批科学家对裹尸布进行考察研究。人们发现这块亚麻裹尸布上留有一个明显的影像——一个裸体、有胡子、留长头发的男人的图像。其大小同实际人体相等,死者的面容安详,其身体上留有鞭痕和钉痕,布上相当于死者的头、手、腰、足部位都有斑斑“血”迹。有人认为,裹尸布上的影像很像《福音》书上所描述的耶稣受难时的形象,并断定这就是大约 2000 年前约翰用来包裹耶稣尸体的那块圣布。同时,有历史学家试图通过历史文献证明耶稣裹尸布的存在及其真实性。例如,经英国历史学家威尔逊考证认为,耶稣当年受难时,耶稣的门徒确实曾用细亚麻布包过耶稣的遗体,这块裹尸布曾长期保存在耶路撒冷,后来它又传到了东罗马帝国的首都君士坦丁堡。而且据记载,13 世纪初一个叫克劳里的编年史家声称他本人于 1203 年在君士坦丁堡目睹过耶稣的裹尸布。第四次十字军东征时(1202 - 1204),君士坦丁堡被十字军所占领,当时一些十字军骑士也曾见过耶稣裹尸布,然而事后这块裹尸布就失踪了。有人猜测,1357 年在法国夏尔尼伯爵领地利莱教堂展出的耶稣裹尸布,就是十字军东侵时从君士坦丁堡窃运而来的。同时,这些相信者们还发现:裹尸布图像上的脸型、披肩的发式及胡子都属于公元初的犹太人型,并且,裹尸布上的形象与圣西娜山上叶卡捷娜教堂中的圣像有 45 处相似,而与查士丁尼二世时货币上的圣像有 65 处相似。在图像的眼部发现有公元 1 世纪铸造的钱币痕迹,这证明死者的时间是公元 1 世纪,与耶稣遇难的时间相吻合。然而,不信者们也有自己的理由。他们认为,裹尸布的人形属裸体形象,这与当时的习俗相违背,因为通行的耶稣受难形象是穿着希腊长衣,或者腰间束有大腿绷带。同时,他们还发现,裹尸布上的耶稣形象留有发辫痕迹,而中世纪的几乎所有圣像都没有发辫。由此,他们认为裹尸布是伪作。双方的争执持续了几百年。

1978年,为纪念裹尸布迁移都灵400周年,再次举行了公开展出。各国科学家云集都灵,用各种现代科学方法对尸布作了实验检验研究。纺织学家发现,在古代中东地区常以亚麻布作尸衣、尸布,而这块亚麻裹尸布明显具有古代耶路撒冷地区的特征。同时,有科学家还发现在裹尸布上含有一些花粉,这些花粉大部分是属于生长在耶路撒冷的植物花粉。因此他们断定:裹尸布肯定有一段时期是在耶路撒冷保存过的。但是马上有人提出反驳,他们指出,花粉是可以随风飘荡或被鸟类带到很远的地方的,而裹尸布恰恰在几个世纪中被放在露天场上展出过,因此用花粉来证实裹尸布真实性的论点就有些靠不住了。于是,有人提出用放射性炭断代法来测出裹尸布的确切年代,以此来证明裹尸布确系公元1世纪的产物,但未能得到允许,因为用这种方法会破坏掉一部分原物。

正当欧洲的科学家们争执不下的时候,从大洋彼岸的美国却传来了不同的研究结果。

首先,科学家们提出了一个一致结论,认为这块裹尸布不是一幅画,因为裹尸布上没有发现颜料的成分,至于裹尸布图像的形成,他们通过1532年的那场火灾所提供的线索得到了启发,断定这是由别人巧妙地用轻微的焦痕构成的。其次,通过对尸布上的“血”迹的研究表明,裹尸布上留下的“血”迹确系人血。但经分析发现,“血”迹部分拍摄的底片上呈白色,证明尸布上的血迹是阳性的,而人体影像却是阴性的,这说明尸布上的血不是来源于尸体,而是后来加上去的。由此,有些科学家断言,裹尸布上的耶稣图像是伪造的,这块亚麻布根本不是传说中的耶稣裹尸布。

然而,这是否就能用来完全解释裹尸布的奥秘呢?科学家们对有些问题至今不解:裹尸布上的图像是立体形的,但古代人是否能掌握立体成形技术？如果裹尸布上的图像是由焦痕形成的，那么要有怎样的烧烫技术才能绘制出这样的一幅图像呢？还有，历史上真的有过耶稣其人和耶稣裹尸布吗？

□ 被神秘守护着的圣杯

研究关于耶稣在最后的晚餐时所用的圣杯的各种传说遇到的最大问题是这些传说互相交叉且在许多方面互相矛盾。贯穿于这些传说之中的都是具有相当重要意义的分支线索，沿着这些线索研究就像顺着“米诺斯”迷宫的救命索走路一样，离开它们就会迷失方向，陷入历史和文字的迷宫之中而无法解脱。

如同幸存几个世纪，经过大修的宫殿一样，有关圣杯的传说也经过数次修改、重建和扩充发展，直到几乎不能分清其原有的基础。但这些古老的基础仍然存在，有迹可循。为了真正理解圣杯的奥秘，了解一下这些古老的根基是多么深深地贯穿于当代圣杯工程借以立足的基石之中，是非常重要的。

要了解这个传说，需要涉及联合王国萨默塞特的格拉斯通伯里。故事主要是讲阿里玛西的圣·约瑟夫（可能是耶稣的叔叔）大约在公元40年到65年间的某个时期带着圣杯去英格兰的过程。据说约瑟夫是按着圣·菲力普的指示行事，而他所带的圣杯则是耶稣本人在最后的晚餐时用过的餐具中的一件。在这个版本的故事中，皮莱特允许约瑟夫保存这个圣杯，他还用这只杯在耶稣遇难现场收集过一些基督的血。在约瑟夫历时多年的传教旅行过程中，这些圣血一直保持新鲜，没有混浊。

经过许多艰难危险，约瑟夫和他的忠实信徒于一世纪中期到达不列颠西南部的萨默塞特海岸并在那里登陆。他们向东朝格拉斯通伯里山地前进，并在随后被称做威里厄尔山的地方休息。这个传说接着说,当圣·约瑟夫在山脚下小憩作祷告时,他把他的手杖插进地里,手杖立即生根发芽。约瑟夫和他的信徒们将此视为主发出的特别信号,表明他们已到达目的地。这里就是他们要建立不列颠第一座教堂并设立他们永久性总部的地方。

另一种关于约瑟夫的传说则说,当约瑟夫和他的信徒们精疲力尽地到达格拉斯通伯里时,发现第一座小教堂已经为他们建好了。这个传说还说这座用篱笆糊泥的结构建成的小教堂是复活后的基督耶稣自己造的——看来他在一定程度上还是个木匠。这座小教堂名叫"佛彻斯达·伊克莱西亚",意思是古教堂。

为了对有关圣杯的传说和圣杯本身的秘藏之地追根溯源,值得注意一下有关圣·约瑟夫把圣杯埋在现称做查理斯·威尔的小山脚下的说法。还说约瑟夫把耶稣被钉死时插在他身旁的长矛也带到英格兰来了。就像人们相信那只杯有着巨大的魔力一样,这支长矛也有巨大魔力。这里有一点很重要,需要注意:在许多古代异教传说中都出现过有无比神秘魔力的长矛、杯和剑,当它们联合在一起时其魔力也达到顶点。这些古老的异教传说和比它们晚很多的涉及阿里玛西的耶稣和约瑟夫的基督教传说是完全无关的。它们几乎可以肯定比基督教时代要早许多世纪。

大约 1180 年,克里蒂恩·特洛伊写了《圣杯的故事》。但他只完成了 9234 行,至少是现存仅有 9234 行。学者们无法肯定是他这部伟大著作未完成,还是完成后有一部分因年代久远丢失了。有没有可能这部书的结尾部分也像圣杯本身一样被精心地收藏在什么地方呢? 如果是这样,那么在克里蒂恩著作遗失部分内会包含着关于圣杯秘藏处的什么密码线索吗?

作者在完成自己的著作之后,通常都认为需要把自己写作过程中曾作为参考依据的那些著作列出来,以增加自己著作的分量和可靠性。这种通用的文字手段并不总意味着那些参考过的原著不复存在,也不能保证有些中世纪作者实际上并没有参阅过真正的古代资料。例如克里蒂恩就曾声称他参考过佛兰德伯爵菲利普给他的一部古书,这很可能是真的。

克里蒂恩时代的中世纪行吟诗人在从欧洲到中东一个城堡一个城堡云游的过程中竟能得到如此丰富的资料来源,这有点令人怀疑。特别是其中有的资料无疑是古代秘传本,而在那个时期还发生过十字军战争,这就更难令人深信。

阿奎坦的艾黎诺尔(1122～1204年)提供了克里蒂恩和知识丰富的行吟诗人之间的重要联系。她是阿奎坦的圭尔海姆九世的孙女,是至今有著作传世的第一位行吟诗人。当她15岁时,法国的路易七世为了她的继承权而和她结婚,婚后他们有两个女儿。后来她的不可调和的敌人,克莱尔沃克斯的伯纳德说服路易和她离了婚。伯纳德是一个虔诚的禁欲主义者和清教徒,又是一个狂热的独身主义者,他害怕艾黎诺尔的巨大能量和坚强性格(这些都超过他)再加上其自由主义的南方世俗(他诅咒这种世俗)会对路易和他的巴黎朝廷带来坏影响。

年轻活泼又有吸引力的艾黎诺尔很快又和安朱的亨利·普兰塔吉特结了婚。亨利即后来英格兰的亨利二世,即英王查理一世的父亲。亨利死后,艾黎诺尔在她那著名的儿子参加十字军东征期间成为有实权的摄政女王。

但是,帮助克里蒂恩接触到行吟诗人文化的却是艾黎诺尔和路易七世的女儿,香槟的玛丽。1164年和亨利伯爵结婚后,玛丽便成了香槟的伯爵夫人。她仿照艾黎诺尔在波伊提尔办的文化中心,在特洛伊建立了一个繁荣的行吟诗人文化中心。正是在玛丽的文化中心工作和写作期间,克里蒂恩和许多主要的行吟诗人如焦弗里·鲁德尔、文塔登的波尔那特和雷姆鲍特·奥伦加等有了密切接触。同样非常引人注目的是,这种行吟诗人文化在被称为米蒂的法国西南部地区也有很深的影响,而该地区就是神秘的伦纳斯村的所在地,那里有许多圣殿骑士的要塞,还是称作"卡萨尔"或

“阿尔比珍西亚”的奇特的异教教派曾经盛行的地区。

1244 年他们那几乎是不可攻破的蒙特西哥要塞陷落后,4 个卡萨尔教派的山地人携带重要财宝逃跑,并用拉丁文留下记录,意思是“无价之宝”。卡萨尔人带走的所谓无价之宝会不会是作为圣物的长矛或圣杯,或二者都在其中呢?这些宝物离开蒙特西哥之后又会有什么变化?在伦纳斯村安全地珍藏过一段时间后,是不是由辛克莱和逃难的圣殿骑士带着越过大西洋到加拿大的新斯克舍栎树岛下那神秘的迷宫中去寻找新的隐藏之处了呢?

有一个最引人注目也是流传最久的关于圣杯的传说和南特奥斯杯有关。16 世纪亨利八世把贪婪的目光投向修道院的土地和财产时,格拉斯通伯里勇敢的老阿伯特·怀亭成为若干牺牲者之一,实际上被判了死刑。怀亭在临死前派了他最勇敢的 7 位年轻修士去往威尔士距阿伯里斯维斯不远的斯特拉达。据说这 7 位修士携带着一只奇怪的木杯,许多人都认为那就是圣杯。

如果关于阿里玛西的约瑟夫的故事确有历史事实作依据的话,那么耶稣在拿撒勒自己制作并在最后的晚餐上用过的那只圣杯很可能就是南特奥斯杯那只古老又能治病的木杯,它仍在英国西部的一个秘密地点由其可靠而又富于奉献精神的守护人保存着。

□ 杀害拿破仑的神秘凶手

皎洁的月光下,利活里山谷里处处营盘。一名睡着的法国哨兵突然一激灵醒来,朦胧中看到有个人正拿着他的枪替他站岗。这人有点儿熟,哨兵揉揉眼睛,“上帝啊,”哨兵认出了这张轮廓分明的脸,他“扑通”一声跪倒在地,惊恐和绝望使他不敢抬头。

“朋友,”拿破仑说,“这是你的枪。你们辛苦了。我正好不困,就替你站一会儿，下次可要小心。”

后来，哨兵所在的这支部队，4 天内跑了 100 多公里路，赶着参加 3 次战斗，没有人抱怨一句。

这是 27 岁的拿破仑作为法国意大利军团总司令第一次率兵出征的一幕。他在 1 年时间里，带领 4 万 3 千名士兵，打了 65 次胜仗，俘敌 16 万，迫使奥地利在“坎波福来奥和约”上签字。从此，全欧洲怀着前所未有的震惊，认识了拿破仑。

1798 年 5 月 19 日，拿破仑作为远征军总司令出征埃及，要实现他儿时的东方梦想。在这场与英国争霸的殖民战争中，他占领了马耳他岛，征服了上、下埃及，进军叙利亚，消灭了两支土耳其军队，洗劫了巴勒斯坦和加里列。就在这时，法国政局动荡不安。在国内，西部和南部发生了封建复辟势力的叛乱，人民的反抗运动日益高涨；在国外，俄、奥、英等 6 国又组成了“反法同盟”，从三面向法国发动进攻。在这种形势下，督政府的统治显得苍白无力，大资产阶级渴望着“铁腕人物和利剑”，来保障其政治上的特权和经济上的利益。

此时，在拿破仑的脑海里也正酝酿着一个巨大的计划：“回巴黎去，夺取政权，挽救法兰西。”

为此，他毅然地丢下了在埃及的 2 万法军，只率领 500 名亲信随从，巧妙地绕过英国海军的严密封锁，经历了 40 个昼夜的艰苦航行，突然出现在巴黎街头。巴黎沸腾了一连三昼夜，市民在酒店痛饮，在街上唱歌，首都卫戍部队高奏军乐，走遍市区。所有的阶层都在欢迎他。1799 年 11 月 9 日（雾月 18 日），拿破仑在大资产阶级的支持下发动了“雾月政变”。

他派兵包围了圣克卢议会，自己闯进正在开会的大厅。在这场针锋相对的斗争中，拿破仑尽管一度惊惧失色，但当他在恢复状态后，立即调动军队，不到 4 分钟，议员们夺窗而逃。

1804 年，当了 5 年第一执政的拿破仑，通过各种手段，被参议院加冕为法兰西皇帝,建立了法兰西第一帝国。

从1799年执政到1815年止,法国经历了6次反法联盟战争。其中有许多战役足以显示拿破仑卓越的军事才能,奥斯特里茨战役就是突出的一例。这一战,摧垮了第3次反法联盟;也是这一战,使英国首相皮特心力交瘁,一病不起,几个星期后就逝世了。临终前,他要人摘下挂在墙上的欧洲地图,悲伤地说:

“卷起来吧!今后十年不需要它了。”

1815年6月18日,滑铁卢大战打响了,拿破仑的作战计划,被后世认为天才杰作。英军在威灵顿公爵的指挥下,勉强顶住法军排山倒海的进攻,直至最后极限。就在这千钧一发之际,布吕歇尔将军率领3万普军赶到,而拿破仑格鲁军却毫无踪影。联军发起全线反攻,拿破仑只有向法国败退。

一切都宣告结束了。1815年6月22日,在议会的逼迫下,他签署退位诏书,结束了法国历史上的“百日王朝”的第二次统治,被囚禁在遥远的圣赫勒拿岛。

在圣赫勒拿岛上,拿破仑度过了6年严加看管的囚徒生涯,终于在1821年5月5日下午4时45分去世。

死于胃癌,是一种最早最为普遍的说法。理由有三:其一,从遗传学的角度考察,癌症是他的家族的遗传症。其二,拿破仑本人也一直认为自己得的是癌症。其三,据传在尸体解剖时,发现其胃已溃烂,肝部微肿,其它内脏完好,身体肥胖。这一结论性的病情报告,在相当长的一段时期内,在史学界享有绝对的权威。

50年代初期,法国和德国的几家医学杂志多次发表文章否定拿破仑死于胃癌,文章认为,拿破仑得的是一种热带病。当他在进攻埃及和利比亚时就染上了这种疾病,圣赫勒拿岛为热带气候,因而他在流放其间旧病复发。然而,随拿破仑在圣赫勒拿岛生活了6年的蒙托隆将军,在回欧洲后,否认了这种可能性。他一口咬定拿破仑是死于岛上流行的肝病。

1982年初,《谁是杀害拿破仑的凶手》一书在法国问世,此书以大量的“史料”、“科学的凭证”,推翻了一个多世纪来的“权威”结论,“证实”了拿破仑是被砒霜毒死的。

这本书作者是瑞典医生、毒物学家斯坦·福舒夫伍德。他认真研究了拿破仑病症的记载,发现他在生命垂危之际有慢性砷中毒的各种症状:心悸,身体两侧、双肩和腰部剧痛,肝脏肿大,四肢无力,除头发外全身汗毛脱落……

为了从科学上找到凭证,他四处奔波,几经周折,终于弄到了几绺拿破仑的头发。在化学分析中,测定出受害人体内砷的含量是正常人的13倍。多次化验的结果都证明:拿破仑是被小剂量的砒霜慢慢毒死的。

为了证实这一结论的可靠性,这位瑞典医生还对曾生活在拿破仑身边的人进行了逐一分析,找到实施这一计划的重大嫌疑人犯,那就是他过去的部下,一位在战场上毫无建树的蒙托隆将军。蒙托隆利用负责拿破仑生活日用品供应的便利条件,在他专用的淡葡萄酒中施放砒霜,使之日积月累,逐渐中毒死亡。

福舒夫伍德从大量的历史事件中证明他完全有作案动机,一方面是与拿破仑的私怨,另一方面则是受阿图瓦伯爵之命,充当了拿破仑身边的一名奸细,伺机进行谋杀,以消除波旁王朝因拿破仑的存在而导致的心理上的恐怖与不安。

拿破仑的死因,在有关学术界引起了广泛的兴趣,结论仍各有所好。迄今为止,哪一个结论更符合历史事实,还是让有识之士自行鉴别为是。

□ 埃及艳后死因之谜

伊丽莎白·泰勒在《埃及艳后》中饰演的埃及女王的原型为托

勒密王朝的最后一位女王——克里奥帕特拉。她令人倾倒的姿色,狡黠的手腕,传奇风流的一生,统统让人难忘。

克里奥帕特拉七世是埃及国王托勒密十二世和克里奥帕特拉五世的女儿,生于公元前69年,从小在宫廷中长大。她是马其顿人的后裔,美貌出众,姿色超群。

公元前51年,托勒密十二世去世,按照遗诏和当时法律规定,21岁的克里奥帕特拉和比她小6岁的异母弟弟结成夫妻,共同执政。由于在宫廷斗争中失败,公元前48年,她被其弟逐出亚历山大城。她野心勃勃,在埃及和叙利亚边界一带招募军队,准备回埃及跟弟弟争夺王位。

此时,适逢恺撒追击其政敌庞培来到埃及,他以罗马国家元首的身份,对埃及王位之争进行调停。在此过程中,克里奥帕特拉的一个党人想出了一条巧计:把女王包在毛毯里,然后派士兵化装成商人,把女王抬到恺撒的行馆。当时恺撒还以为是行囊,打开一看,使恺撒又惊又喜,出现在他面前的竟是一位具有维纳斯女神般的黄金身段、妩媚绰约的风姿、甜美艳丽的女子——克里奥帕特拉七世。恺撒立刻为她的美貌所倾倒。两人一见钟情,为后世留下了知己香艳的国际政治佳偶。

克里奥帕特拉夜闯军营的"壮举",后来自然得到了满意的回报,她成了大权独揽的埃及女王。不久,克里奥帕特拉为恺撒生下一子,取名托勒密·恺撒或恺撒·里昂。

公元前47年9月,恺撒在平定小亚细亚的战乱和庞培余党后,回到罗马,但他无时不思念克里奥帕特拉七世。公元前45年,克里奥帕特拉七世就应恺撒之邀来到罗马。当她进入罗马城时,恺撒亲自去迎接,同时也轰动了整个罗马上层社会,一些罗马达官贵人都以瞻仰艳后的风姿而感到荣幸。据说,连一代高士西塞罗也来到艳后面前顶礼膜拜。不料恺撒于公元前44年3月15日被刺身亡,她怅然离开了罗马。

恺撒死后，安东尼称雄罗马。当他巡视东方殖民地时，在小亚细亚的塔尔索马城，派人传达召见女王的命令。为了取得这位新贵的欢心，她刻意将自己打扮起来，显示出动人心魄的魅力。这位早在罗马时已使安东尼垂涎欲滴的美人，很快便投入了他的怀抱。安东尼毅然放弃了他到东方的使命，乘坐女王的豪华游艇，一起回到了亚历山大城。从此，他俩如胶似漆，恩爱非凡，在埃及王宫厮混了漫长的5年。这期间，安东尼也曾回过一次罗马。为了政治需要，他违心地与政敌屋大维的姐姐成婚，但不久便找到借口回到东方，遗弃了他的妻子，与克里奥帕特拉举行了婚礼。

这种违反罗马婚俗的举动，自然遭到了舆论的谴责，加上他擅自将罗马帝国在东方的大片殖民地，送给了被他尊奉为“众王之女王”的克里奥帕特拉，这就更加激起了罗马人的愤怒。在屋大维的煽动下，罗马元老院和公民大会，撤消了他的执政官职务，并剥夺了他的一切权力。

公元前31年，安东尼与屋大维会战于阿克提乌姆海角。从实力看，双方各有优劣，不相上下。然而，正当酣战之际，克里奥帕特拉突然命令她的舰队退出战斗，结果使安东尼海军阵容大乱。当此胜败存亡的紧急关头，身为全军主帅的安东尼，一看见艳后已率舰逃跑，居然丢下为自己血战的10万将士，乘一只小船追赶艳后而逃亡埃及。1年后，屋大维兵临埃及，由于埃及军队叛变，安东尼见大势已去，解下披甲，抽出佩剑，结束了自己的生命，时年52岁。

克里奥帕特拉被屋大维生俘后，她还抱着一丝幻想，想以美色再次迷惑屋大维，但没有奏效。一天，当她得知她将作为战利品被带到罗马游街示众的消息后，便恳求屋大维让她为去世的安东尼祭奠。她写了自己的遗书。沐浴后，用了一顿丰盛的晚餐。此后，便怅然地进入自己的卧室，安详地平躺在一张金床上，从此再没有醒来。

慌忙赶到的屋大维展开了她的遗书,女王恳求让她与安东尼埋葬在同一墓穴里,词情恳切,哀婉动人。屋大维对她的自杀虽然感到失望,但不能不钦佩她的伟大,便下令将她的遗体安葬在安东尼身边。

克里奥帕特拉女王自杀了。这位绝代佳人的死,不仅给后人留下了许多脍炙人口的佳话,而且为古今中外史学家留下了一个至今不解之谜:她究竟是用什么方法自杀的呢?

传统观点认为,女王事先安排一位农民带进墓堡一只盛满无花果的篮子,里面藏有一条叫"阿斯普"的小毒蛇,让它咬伤了自己的手臂,导致中毒昏迷而死。或者是,女王早就把蛇喂养在花瓶里,用一枚金簪刺伤它的身体,引它发怒,直到它缠住她的手臂。

另一种意见认为,女王不是死于毒蛇,而是用一只空心锥子,刺入自己的头部所致。

然而,也有不少人反对上述两种意见,因为死者尸体上没有发现有刺伤和咬伤的痕迹,在墓堡中也未找到任何有毒的小蛇。他们认为是服毒而死。

坚持是毒蛇咬死的人根据考证材料提出:墓堡朝向大海的一侧开有一个窗户,受惊的毒蛇是可以从这里溜走的。另外,女王的医生认定:"在她的手臂上,确实有两个不大明显的疤痕。"

□ 神秘沙皇

亚历山大一世是俄国罗曼诺夫王朝的第13位沙皇,后人称他为"神秘沙皇"、"北方的斯芬克斯"。他统治的时间尽管不长,却给后世留下许多未解之谜。

亚历山大一世的父亲保罗是女皇叶卡特琳娜二世与情夫萨尔蒂柯夫一夜风流后的产物。保罗出生后,女皇就对这个不该出生的儿子极其冷淡。保罗成人后,母子关系更加紧张,相互都避免在公开场合见面。孙子出生后,女皇叶卡特琳娜二世身上的母性突然复苏,给了他连自己儿子保罗都没有得到过的母爱,百忙之中还亲自制定详细的培养计划。她认定这个新生儿将取代保罗成为真正的皇位继承人,因此她亲自为孙子取名为亚历山大,希望他将来有俄国古代名君亚历山大·涅夫斯基的性格和功业。

亚历山大长大后,逐渐察觉到父亲与祖母间的严重不和,从而被迫在两人之间周旋。他很清楚,头戴皇冠的祖母可以给他一切,所以他努力讨取祖母的欢心,常常以自己的聪明和机智博得祖母的夸奖。

女皇叶卡特琳娜二世到了垂暮之年,更将皇位继承人的选择看成大事。她在宫中曾公开表示:"只有孙子亚历山大继位才能善掌朝纲。"亚历山大知道此事后,立即给祖母写信表示心领神会。同时他也给父亲保罗写信,在信中提前称他为"皇帝陛下",表示宫中所传,实为谣言。

女皇私下秘密起草一份诏书,宣布废除保罗的皇位继承权,立亚历山大为未来沙皇。她准备在1796年11月24日正式公布诏书,晓谕天下。然而突然的事变使亚历山大的希望落空,荒淫无度的女皇突然于1796年11月4日中风,命在旦夕。保罗闻讯后立即赶到宫中,到处搜查传闻已久的秘密诏书,最后在女皇梳妆台找到诏书,并付之一炬。11月6日,显赫一时的叶卡特琳娜女皇去世,保罗在苦苦等待34年之后,终于登上了皇帝的宝座。

俄国在保罗的恐怖统治下,全国上下怨声载道。

1801年3月11日晚11时,朱波夫、本尼格森带领亲信杀气腾腾地冲进保罗卧室,宣布:

"陛下无力掌管国家,请在退位书上签字。"

保罗死命拒绝,烛光熄灭,黑暗中,有人将军绶带套在保罗脖子上,几分钟后,保罗就一命归西。俄国开始了亚历山大统治时期。

保罗一世死于非命已属公认,但亚历山大是否参与却众说纷纭。主要有三种说法:

其一,认为亚历山大直接参与密谋策划活动,甚至其弟君士坦丁还亲自参加了3月11日晚的暗杀活动。这种说法属传统说法。

其二,亚历山大事先了解谋杀活动,但未加制止,置身事外,静观其变。这种说法比较可信。

其三,认为无论出于人伦纲常,还是出于父子亲情,亚历山大都不可能参加密谋活动。理由是亚历山大与保罗父子关系一直不错,而且保罗即位初就颁布嫡长子皇位继承法,并已在法律上确定了亚历山大的首席皇储地位,因此亚历山大没有理由违反天条。

亚历山大执政后,最大的功绩莫过于击败拿破仑入侵,这使他声名远扬。可是,卫国战争胜利不久,他便走向反动。在国内,他任用奸臣阿拉克切也夫,日益推行极端专制主义的政策,以致国家动乱不已。在国外,他伙同奥、普组织所谓"神圣同盟",充当镇压各国人民革命的刽子手。

在生活中,他逃避现实,笃信宗教。但痛苦似乎总是纠缠着他,使得他思想日益阴暗。这时,恰适莫斯科洪水泛滥,房屋严重损失,500多人因此毙命,与此相似的洪灾,在亚历山大出世那年也曾发生过。这种巧合,在他精神上受到严重打击,视为"上帝对自己的惩罚"。因为,父亲的死多年来就一直是缠绕在他心头的心病。

精神濒临崩溃的亚历山大,为了摆脱内心忧惧,于1825年9月同皇后伊丽莎白去亚速海海岸的一个叫塔冈罗格的小镇去休养。不久,俄国皇室发出讣告:沙皇陛下在休养地因病驾崩,终年47岁。

他的死,引起了一连串的疑问。

第一,为什么沙皇会选择此处为休养地?这个塔冈罗格的小镇一侧与风沙不断的大草原毗邻,另一侧紧挨着臭气熏人的亚速海。

第二,在皇后到达前,亚历山大什么体力活都干。他说:“要习惯于过另一种生活。”所谓“另一种生活”作何解释。

第三,10 月末,亚历山大喝了杯滚烫的伏牛花果子露,从那以后,他便一直觉得身上有些发烧。11 月初,病情略有好转,但还有种说法是他的病情正日趋严重。19 日,突然传来了沙皇驾崩的噩耗。他是怎么死的?

第四,被召去治病的 10 名医生中,只有两名在证书上签字。病情报告中所述亚历山大病况,又多处与实际情况相悖。证明书中说他患的是间歇热,因而肝脾肿大,但沙皇实无此病。两天后即 21 日,人们参加了他尸体防腐典礼,然而,死者的面目已经完全腐烂,人们已无法辨认出这位昔日沙皇的仪容了。次日,棺木便被禁止打开,而且灵柩迟迟不能运回首都。当沙皇家人向遗体最后告别时,普鲁斯亲王对死者的模样大吃一惊……种种情形都不合情理,这是为什么?

就在沙皇死后不久,传说和猜测不胫而走:有人称,沙皇已乘一艘英国船去圣地巴勒斯坦朝圣去了;也有人传闻,沙皇被哥萨克人劫走藏匿起来了;还有人透露,沙皇已秘密前往美洲。尽管众说纷纭,但都一致认为沙皇未死。1921 年,苏联发掘亚历山大的棺材,发现里边竟空空然无一物。历史学家设想,这位“替身”的尸体已被悄悄搬走了。

沙皇死了 10 年以后的一天,在乌拉尔山区的一个村子里突然出现了一个雍容高雅,仪表超俗,自称费道尔·库兹米奇的老人。他无法证明自己的身份和经历,警察问他,他对自己一无所知。据说他的外貌极似亚历山大。按法令,他被罚 20 大板,随即流放西伯利亚。先是不断迁居,最后由一位富商克罗莫夫的资助才有了自己的小屋。

这位库兹米奇博古通今，对重大政事了如指掌，他常谈论莫斯科大主教菲拉雷特，修道院长福狄斯，历数库图佐夫元帅的赫赫战功，描述俄军开进巴黎的盛况，甚至还记得当时沙皇的左右人员。人们相信，这位名叫库兹米奇的老人一定曾与政界要人有过密切的交往。有人说，他在某一段时间内常收到一个名叫玛丽·菲欧多果夫娜（亚历山大一世的母亲）的女人寄来的钱和衣物。还有一位农民说，伊尔库茨克的主教曾亲自来看望他，并同他作了长时间的交谈。

他的举止也酷似沙皇，喜欢将拇指插入腰带中间。亚历山大一世的长子以及亚历山大三世的幼弟，曾前来拜访这位长者。一位随行的老兵曾当着库兹米奇的面失声喊出：

"这是我们的沙皇。"

还有一件事情，值得人们注意。他收养了一个孤女，很像亚历山大与其情妇的孩子。当村民为她说媒时，总遭到养父的阻拦。他说：

"你比农民的身份高，将来可以嫁一个军官。"

他介绍养女走访名门望族和沙皇尼古拉一世。沙皇接见了她，并询问了养父的情况。后来，这位养女果然嫁给了一位军官。

库兹米奇死于1864年1月20日，直到临终前，他始终没有暴露自己的身份。遇到有人恳求他透露自己的身世时，却总是用"上帝会认出自己的亲人的"这句重复无数遍的老话，来回答别人的期待。

死后，人们为他建了一个小祠堂，墓碑上写着："这里安葬着上帝的选候——费道尔·库兹米奇。""上帝的选候"，正是亚历山大一世战胜拿破仑后正式接受的称号。

此外，还有两个发人深思的问题。

问题一，一位曾参与治疗亚历山大的医生，从不参加每年11月19日纪念亚历山大之死的祷告仪式；而1864年1月的一天，他却亲领人们为亚历山大的亡灵祈祷,他流着眼泪说:“沙皇这下可真是死了!”

问题二,在亚历山大二世的办公室的墙壁上,有人看见不知何故,却挂上了库兹米奇的画像。

一切似乎很清楚了,但也有相当多的人持与上述看法截然不同的见解,提出许多疑问。

(一)当时伊丽莎白皇后身患严重的肺病,已离死期不远,亚历山大一世同她重修旧好后,对她一片深情,十分体贴,绝不可能出于一时冲动将她弃之不顾。就算要走,也要等皇后去世后再作打算。

(二)如果沙皇出走是酝酿已久的,为什么未在离去前妥善解决继位人人选问题呢?

(三)沙皇如果施行掉包计,运回一具与他外表相似的尸体,一定得有许多人相助,其中必须包括军官、医生、秘书以及伊丽莎白皇后本人,皇后在最后时刻一直守候在病人的床前,沙皇死后,她即给母亲和皇太子等亲人写了悲恸欲绝、令人肝肠寸断的信件。她不可能会如此镇定地演出这样一场令人心碎的闹剧,也做不到仅仅为了避免外人怀疑而整天以泪洗面。

(四)亚历山大一世的侄孙尼古拉·米哈伊洛维奇大公,在仔细翻阅了皇宫秘密档案之后,也断定亚历山大一世确实在塔冈罗格驾崩。他认为,以亚历山大性格特点,他不会有如此雅兴,演出这一闹剧。沙皇当时已经人到中年,如此不计代价,无牵无挂地去苦修苦行,实在与他性格不相符合。

如果掉包计纯属奇谈,那么势必要辨明那位突然出现的长者费道尔·库兹米奇究竟是何人。

尼古拉·米哈伊洛维奇大公曾经就此问题进行过研究,他倾向于认为这位长者原是保罗一世的私生子、海军军官西蒙·维利基。但也有一些人认为,他原是禁卫军骑兵队的军官乌瓦洛夫。据说乌瓦洛夫于1827年离家出走,下落不明。还有一些人认为,这位长者只是一个为了改换环境而背井离乡的俄国贵族。

费道尔·库兹米奇果真是亚历山大吗？沙皇灵柩里躺着的只是他的替身吗？这给后人留下了一个千古之谜。

第七章

惊人之惑：死而复活的恐龙之谜

麦兰德在自己的书中写道："听到这儿，我赶紧吩咐人把家里两本印有恐龙图片的书拿来，让当地人一个一个的辨认书中的图片。当翻到印有翼手龙图片的那一页时，所有人都毫不犹豫地指着它嚷道：这就是'刚弋马托'！"

□ 恐龙灭绝之谜

近几年来，探索恐龙绝灭之谜成了热门，甚至成为地质学重要的前沿研究领域之一。

18世纪法国的古生物家居维叶(1796～1832年)提出了“灾变说”来解释生物突然绝灭。他认为，地球发生了突如其来的灾变或激变，使生物遭到毁灭，而这种地球灾变是洪水泛滥造成的。他设想，地球至少发生过4次大灾难，最后一次是圣经《旧约·创世纪》所说的五、六千年前出现的摩西洪水，即所谓诺亚时代的大洪水，几乎把生物扫荡殆尽。他的学生还加以发挥，说地球上的生物灭亡之后，再由上帝进行创造生物的活动，又出现了一批新的生物。当时，“灾变说”缺乏事实根据，并带有神学色彩，教会加以利用，终于被人否定了。100多年来，地质学界一直盛行英国地质学家赖尔(1797～1875年)的渐变论(或称均变论)，其中心思想是地质变化是缓慢的。他认为，地壳的变化不是什么超自然的灾变造成的而是由于自然的力量，诸如风雨、水流、潮汐、冰雪、火山、地震等自然因素，经过漫长的历史过程缓慢形成的。英国生物学家达尔文(1809～1882年)把赖尔的渐变论移植过来，解释生物进化的现象与规律，创立了进化论，强调生物进化是生物本身长期缓慢演化的历史产物。

但是，近20年来，天文学、地质学、宇宙学学科的新成就表明，地质史上的确发生过几次大的生物灾变。6500万年前，恐龙突然全部灭亡。除恐龙外，菊石、箭石、三角贝等代表中生代的生物，也在这个时候灭亡。这是生物绝灭最显著的一次。这个时期是在白垩纪——第三纪交界。自古以来，人们提出很多学说来解释这个谜。这些学说包括①气候和海流的变化学说；②随着地磁性的倒转；③超新星的爆炸；④植物因素；⑤动物因素；⑥宇宙运行因素等。但是哪个学说也没有被大多数科学家所证实。至今仍无定论。

1980年，美国加利福尼亚大学伯克利分校以卢斯和沃尔特·阿尔瓦雷斯父子为首的研究小组，提出了报告，认为，恐龙灭亡是由于一颗小行星或彗星突然撞到地球上来，在大气层掀起了大量尘埃，因而把阳光遮暗达数月之久，于是气温急剧下降，植物凋谢，这使得包括恐龙在内的许多生物绝灭。也是1980年，美籍著名地质学家许靖华教授在《纽约时报》等发表论文，提出与阿尔瓦雷斯父子相同的假设。他认为，有一颗与哈雷彗星大小相仿的彗星，在白垩纪末掉落到地球上，这个彗星重达1000万亿吨。它在坠落地球的过程中所产生的摩擦热使大气温度骤然增加，全球的水温提高了摄氏5度。恐龙因受不了这骤然升高的温度而全部灭亡。同时，这一颗掉落地球的大彗星，含有10%的氰化甲烷、氰化氢等氰化物，毒死了海水中的浮游生物菊石等。他们的看法统称为"碰撞理论"。从此，他们揭开了对地球历史上生物绝灭研究的序幕。

"碰撞理论"已得到某些论据。至1986年为止，地质学家们发现了迄今已知的最古老的陨石与南非的35亿年的岩石碰撞的痕迹。地质学家们还认为，印度洋底部的一个直径为300公里的凹地，可能是6500万年前一颗小行星或彗星的撞击地点。这些撞击也正是6500万年前物种大绝灭的原因。

"碰撞理论"在地质学界引起了极大的反响。国际地学界出现了重新探讨居维叶的灾变说的热潮，对赖尔的渐变论（或均变论）进行反思，认为渐变论不能解释生物绝灭的原因，只有灾变说才能予以自圆其说地解释。1980年7月，在巴黎召开的第26届国际地质大会，"碰撞理论"受到赞许。从上可见，灾变说法似乎又复活了，这就引起研究恐龙绝灭之谜的研究热潮。

1980年以后，美国、日本、前苏联等国家许多科学家力图揭开恐龙绝灭的原因。澳大利亚两位科学家对“碰撞理论”提出异议，认为灾变不是造成恐龙绝迹的惟一原因。几个月的黑暗期不会使它们绝灭，必定存在着其它影响。日本科学家则予以证实。因为，只要在地球找到6500万年以前的小行星撞击后形成的粉尘层，就能证实“碰撞理论”。过去，行星粉尘地层已在北美、欧洲、新西兰等地曾有发现。这位日本科学家又在亚洲发现行星粉尘地层，进一步证实了“碰撞理论”。

一些科学家提出了修正或新假设，芝加哥的科学家爱德华·安德斯和他的同事提出，白垩纪时期地球曾发生过全球性的大火，引起气候激变，使巨大的恐龙无处可逃而绝灭。

前苏联科学家列宁格勒一个古生物学家小组则认为，火山毁灭了恐龙，而不是宇宙灾变。活跃的火山作用还引起水、食物链的污染，致使鳞甲目动物遭受残杀。

前苏联阿塞拜疆地质科学研究所的古尔根·坦拉姜提出了这些动物的消失和地球连同太阳一起在银河系内运动的依赖关系的假说。据说，地球随同整个太阳系围绕我们的星系中心运动，用1700万年的时间沿椭圆轨道环绕一周。于是他认为，地球远离或接近银河系中心不能不影响地球的地质发展和地面植物和动物的栖息环境。

美国纽约大学的迈克尔·拉姆皮博士和泰勒·沃尔克博士说海洋中的浮游生物可能是导致恐龙在数千万年前灭绝的直接因素。他们两人认为，这些浮游生物可产生一种叫硫化二甲醇的化学物质。当这种化学物质升入大气层后，便会加剧产生凝聚湿气的粒子，形成云层。

恐龙从地球上灭绝的年代大约距今6500万年，而在这一时期恰巧有差不多90%的海洋浮游生物死去。他们认为，海洋中大批浮游生物死亡使大气中的硫化二甲醇锐减，云层变薄，地球表面日光辐射增强，致使地球表面温度逐年上升，最终出现异热气候，使恐龙无法适应,终于灭绝于世。

英国生物化学家托尼·斯韦因认为:1.22 亿年前出现的含有大量生物碱的有化植物导致了素食恐龙的绝灭。这些有化植物中,有的含有能使恐龙致死的马钱子碱等,这给习惯于食含有单宁酸的蕨类植物的恐龙,可能带来杀身之祸,食植物的恐龙绝种后,食肉恐龙也相继绝灭。

另一种植物因素论者认为:草的蔓延取代了早期软而多汁的蕨类植物,先后导致了素食恐龙和肉食恐龙的绝灭。

但另一些研究者认为:有化植物出现在 1.2 亿年前,恐龙却绝灭于 6500 万年前。当有化植物出现后,恐龙还生存了 5500 多万年,在这样漫长的岁月里,很难设想恐龙不能适应这一"新"的环境。

事实上,角龙亚目的恐龙(它包括几十个种样)以及肿头龙、鸭嘴龙等素食性恐龙,正是在有化植物出现后才繁盛起来。

此外,即使素食恐龙绝灭,存在于那个时代并一直活到现在的鱼类动物、两栖动物、哺乳动物、爬行动物仍然为数众多,因而海中的鱼龙、沧龙,空中的翼龙等肉食性恐龙也是不至于因饥饿而绝灭的。

德国波恩大学的厄尔本几年前提出一种假说,认为恐龙的变异造成了自身的绝灭。他认为,在后期,恐龙下的蛋具有非常厚的壳,幼恐龙出壳十分困难,成活越来越少,终致绝灭。

还有一种假说认为:恐龙突然开始经历大量变异,形成许多有缺陷的恐龙,终致绝灭。

另一种动物因素论者认为:恐龙的绝灭是由于早期哺乳动物吃恐龙蛋。

我国恐龙蛋化石材料之多,分布之广,在全世界是首屈一指的,曾先后在十来个省和自治区发现过恐龙化石蛋。从比较有代表性的山东莱阳、广东南雄、江南赣州出土的化石蛋来看,虽然也有蛋壳厚达 5—7 毫米的,但绝大多数还是正常的(厚 0.8—2 毫米)其厚度相当于鸵鸟蛋。而且这些蛋都是属于白垩纪晚期——即恐龙绝灭时代的化石蛋。

再说,像海中那种直接由雌性龙类通过卵胎生,生出小龙类的爬行动物,如鱼龙等,又为什么绝灭了呢?

何况,同时代的卵生动物有许多至今仍然繁衍不息,它们并没有因为哺乳动物的食蛋而绝灭。

有人认为,大陆漂移造成了恐龙的绝灭。在恐龙开始出现的三叠纪晚期,由劳亚古陆和冈瓦那古陆组成的泛古陆开始发生漂移,广大陆地为浅海所布,有利于恐龙的繁衍,然而到了白垩纪晚期,海水退却,两极变冷,温差加剧,恐龙不能适应,终致灭亡。

另一种理论认为:恐龙的绝灭与地球磁场的逆转有关。

以上两种假说的缺陷是,在一些恐龙绝灭地区的岩石中,找不到气候变冷的记录。此外,据科学家们测定,地球磁场是平均每30 万年左右逆转一次,这对于历经了一亿三千五百万年的恐龙来说,曾安全无恙地经历了四五百次地磁逆转,足见因此而绝种的可能性实在太小了。

美国堪萨斯大学的特里和波士顿大学的沃利斯·塔克博士以及加拿大的戴尔·拉塞尔教授指出:如果一个相当于 10 颗太阳能量的超新星在离地球 100 光年的距离内爆发,而且大气完全失去了吸收辐射的作用,则其抛射出的 R 射线、X 射线、红外辐射和光辐射等将使地球受到强烈的影响,上层大气被加温,导致地表刮起猛烈的风暴,风暴使高空形冰云,阻挡了太阳的热辐射,从而产生全球的温度下降,致使习惯于热带气温的恐龙在严寒下绝了种。他们计算出平均每 1000 万年左右地球得到的宇宙射线数量约为现在的 7000 倍。当 X 射线超过 100—700 伦琴时,直接辐射就会造成大批生物死亡。还有人认为,宇宙射线或太阳黑子引起了恐龙变异而使其绝灭。

对此,一些研究者指出,在恐龙开始绝灭时的地质结构表明,没有那种剧烈的气候变化。而且,假设 1000 万年左右出现一次比现在强 7000 倍的宇宙射线,恐龙应当已经历了 10 多次。再者,其它动物为什么能幸免于难呢?

恐龙为何完全绝种? 一位 UFO(不明飞行物体)专家说,那全是外星人一手策划制造成的——他们将所有恐龙杀死。目的是要让人类能顺利繁衍下去。

这惊人结论很大胆,它是历史学家兼 UFO 专家列夫·西云薜提出的。据说他曾查问过许多被外星人绑架过的人,而从他口中得知恐龙所以会忽然绝种,是外星人对地球一个长远实验计划的一部分。西云薜还说,大概是为了某种我们仍然不知道的原因,人类可能是由我们的 UFO 祖先刻意“种植”在地球上的。他们选择了地球作为他们一个伟大实验的地方,但却发现巨兽恐龙正统治着整个地球,于是就用他们先进的科技,把这些巨兽消失了,而把地球上其它生物保留下来。

□ 恐龙群族的“殉葬地”

1913 ~ 1915 年期间,美国地质学家劳德伯克在四川自贡地区荣县考察,采集到一节肉食恐龙的股骨和几颗牙齿的化石,并将它们偷运回国。

1935 年,美国著名古脊椎动物学家甘颇,开始研究这些存放在加利福尼亚大学古生物陈列馆的恐龙化石。随着他研究成果的公布,自贡恐龙化石便开始引起世界的关注。

我国古生物学家杨钟健与甘颇合作,于 1936 年在荣县东门外采集到一具不全的巨型蜥蜴类恐龙化石,被定为“荣县峨嵋龙”。

70 年代初,地质部第二地质大队科技人员黄建国等人在黄昏散步时，在自贡大山铺的公路旁裸露的岩石层中发现有一处生物化石，这就是恐龙化石。

中国考古专家云集这丘陵僻壤，从这块恐龙支骨化石发现了连绵大片的化石脉，认定此地必是化石宝库。

1977年10月，第一具40吨重的完整的恐龙化石展现在目瞪口呆的人们面前。

两年后，一个石油作业队在附近山坡炸石修建停车场时，暴露了惊心动魄的景象：恐龙化石重重叠叠堆积一片……世界奇观出现了，这是一座巨大的恐龙群族"殉葬地"。

初步发掘后，在大山铺出土恐龙化石300多箱、恐龙个体200多个，比较完整的骨架18具，极其难得的头骨4个。这些珍品引起国内外科学家们的浓厚兴趣，纷纷赶来进行实地研究，希望能解开恐龙生死存亡的千古之谜。

从隐喻为裂石洞口的正门迈入，就像跨进了亿万年前史前期的龙宫群窑。埋藏厅现场展现了半个足球场大的化石发掘地，这仅是约17000千平方米化石埋藏面积的不足1/6部分。凭栏俯瞰，交相横陈的化石堆十分壮观。恐龙非正常死亡的景象，酷似惨遭杀戮与被活埋的"万龙坑"。现已从这里采集到较完整的恐龙骨架30来具和数以百计的生物化石，近20个种属。

学者们认为，自贡成为恐龙窝的原因，是由于两亿多年前一次强烈地壳运动（印支运动）后，从海水中隆起的四川盆地形成了得天独厚的自然环境，是恐龙栖息的极乐世界。

从大山铺恐龙化石来看，恐龙并非都是庞然大物。此地当时有长20米，重40吨的"蜀龙"，也有仅1.4米长，0.7米高的鸟脚龙。它们无论大小，都不显得笨重，而且是精力旺盛，行动敏捷。

恐龙的智力也比较发达：剑龙类的脑智商平均值为0.56；角龙类为0.7—0.9；属肉食性的霸王龙和恐爪龙则超过了5。因此要捕食素食性恐龙，没有较高的智力是不行的。

尽管恐龙的体温比现代哺乳动物要低些,调温机制要差些,但它们不冬眠,没有羽毛,活动速度超过每小时4.8公里。所以科学家们认为它们是热血动物,而不是像蛇、蜥一样的冷血动物。

在大山铺恐龙化石开掘现场2000平方米的地面上,凸凹不平的岩石上半裸着不同类型的恐龙个体。它们或身首分离,或犬牙交错,或肢残骨碎,或交相叠现,甚是壮观。

据测算,这些恐龙是在1.6亿年前就被埋藏在地层里,在缺氧条件下,经泥沙、岩石的固结、充填、置换等石化作用,而形成现在所见到的化石。那么,是什么原因使恐龙集体死亡于此呢?

大约在7000万年前的白垩纪末期,地球又发生了一次强烈的地壳活动(燕山运动)。四川盆地继续隆起,浅丘开始出现,水枯林竭。幸而自贡地区是一大汇水池,使恐龙漂集于此,直至死亡。

也有人认为,在白垩末期,整个地球发生广泛性寒冷,日温差增大,季节出现。习惯热带环境的恐龙,不能像蛇、蜥那样进行冬眠,又不能像毛皮动物那样躲进山洞避寒,因而这些地球霸王们受到了大自然的惩罚。

还有人认为,是天外一颗超新星爆炸后,其强光和巨大宇宙射线引起恐龙的遗传基因突变而致灭绝。

还有一种理论认为,是一颗小行星撞入地球的大海之中,使海水升温,并掀起5公里高的巨浪,使恐龙被埋入泥沙之中。

另有专家认为,大山铺恐龙化石里砷含量过多,可能是恐龙吃了有毒的植物而暴死并堆积在一起。

尽管世界各地收到一些发现活“恐龙”的消息,但在恐龙之乡——自贡市,却永远不会有活恐龙存在了!因为这里的山丘,不再有恐龙生存的场所,而只是一个埋葬1.6亿年前恐龙遗体的坟地。目前,人们正在寻找更多的恐龙化石点。

自贡恐龙化石的发现,在国际上反响很大。美国地质和古生物学术代表团的专家们,在考察大山铺恐龙化石群后说:“这是近

10年来世界恐龙发掘史上最大的收获。"他们称中国是"恐龙财主"。

□ 非洲探险:寻找"复活"的恐龙

非洲的神秘人所共知,因此非洲探险的目的,便是为了解开那层神秘面纱。在得知恐龙"复活"的消息后,非洲探险又多了一个主题:寻找"复活"的恐龙。

关于恐龙的传说

20世纪70年代末的一天,动物学家詹姆斯·鲍威尔找到了正在得克萨斯州立大学讲授动物学课程的罗伊·麦克尔教授。鲍威尔向麦克尔教授讲述了一个有关神秘动物的有趣故事。

鲍威尔说,1976年,他在加蓬扎下营盘,准备研究生活在那里的鳄鱼。他遇到了一些对这种动物十分熟悉的当地人,并渐渐和他们交上了朋友。这些当地人曾向他讲起过一种被他们称为"恩亚成拉"的神奇动物,他们说这种长着长尾巴的怪物十分危险,所有的人都对它避之不及。

麦克尔和鲍威尔把他们各自所掌握的有关神秘动物的资料统统汇集到一起,两人计划到非洲中部去作一次探险,以揭开这种奇异动物的神秘面纱。他们两个都隐隐约约地感到,这种动物很可能是远古恐龙的遗种。道德鲍威尔返回加蓬去作一次为期两周的准备性调查工作。鲍威尔于1979年1月底赶到了加蓬,事后证明,他这次调查所得到的资料很有价值。

经人牵线,鲍威尔在加蓬拜访了当地一位巫师,这位巫师是一位深谙本地风土民情的智者。鲍威尔在自己的调查报告中这样记

录了与巫师的会面:

> 首先,我给他出示了一些已被人类所熟悉的非洲野生动物的图片,这些动物在加蓬的丛林中都能找到。它们中有猎豹、大猩猩、大象、河马、鳄鱼等等。我问巫师是否认识这些动物,他一一给出了正确回答。随后,我拿出了一张熊的图片给他看,要知道加蓬是绝对没有熊的,他摇了摇头说:"这东西我们这儿没有。"最后,我拿出了一张梁龙(一种形似古生雷龙的恐龙)的图片,再次问他是否见过地图上的东西。"那是'恩亚马拉'。"巫师毫不含糊地回答道。

接下来,鲍威尔又给巫师看了一张蛇颈龙的图片,这一次,巫师仍然将其指认为"恩亚马拉"。不过,当他随后看到另外几类古代恐龙的图片时,却诚实地告诉鲍威尔说这些动物是他们那个地区所没有的。

鲍威尔十分谨慎,最后他断定,这位巫师很可能亲眼见过一种类似于恐龙的动物,这种动物就藏匿于加蓬境内的丛林沼泽深处,或者说它至少在并不很久远的年代以前曾生活在这片沼泽中。

第二天,鲍威尔乘船向下游航行了 128 公里,来到另一个小村落。在这里,他向村民们出示了同样的图片并提出了同样的问题,这些人的反应几乎与前面那位巫师完全一致。鲍威尔在考察报告中写道:"这里的人对猎豹、大猩猩、河马、大象和鳄鱼的图片都能做出正确的辨认,只有熊是他们不认识的。而梁龙和蛇颈龙的图片都被他们认定为'恩亚马拉'。他们还说'恩亚马拉'这种动物是难得见到的,生活在丛林最深处的湖泊中,只有最勇敢的猎手才有机会目睹到它的影子。"

当地人还告诉鲍威尔,恩亚马拉以吃"褐果树"的果实为生。

所谓“褐果树”就是生长在这一地区的河岸或湖岸地带的一种树木，其果实较大呈褐色，形似栗子。人们还说有恩亚马拉出没的地方，所有的河马都莫名其妙地不见了。后来，在鲍威尔与麦克尔共同进行考察时，果然发现在同一条河流经过的一些自然环境完全相同的中心地区，有些地区生存着大量河马，而在另一些地区却根本见不到河马的踪迹。这一现象实在很奇怪。所有这一切能否说明，在这个地方确实生活着人们所说的那种不被人所知的动物呢？

加蓬的那位大巫师后来告诉鲍威尔，他本人曾亲眼见过一次恩亚马拉。那是在1946年，当时，他正在丛林中的一个小湖边露营。有一天一大早，一只恩亚马拉从湖中爬出来到岸上吃褐果，这使他有幸看清了这种神奇动物的全貌。恩亚马拉体长大约3.3米，长着一条长脖子和一条大尾巴。这头巨兽看上去有几头大象合起来那么重。巫师补充说，恩亚马拉一般在午夜至拂晓间才到陆地上进食，而一天的其余时间都是在水下渡过的。

人们似乎可以相信，加蓬的这种“恩亚马拉”与刚果的那种摩克利曼博怪龙是同一类动物。这一判断使鲍威尔和麦克尔感到振奋，他们最终下定决心为寻找这种怪兽到刚果去作一次探险。二人很快作好了一切准备，于1980年1月30日，从芝加哥的奥海尔机场起飞，奔向位于刚果北部的那片神秘沼泽。

目击“恐龙”

对于这次探险，麦克尔和鲍威尔在最初抱有三个目的：第一个也是最雄心勃勃的一个就是能生擒一头摩克利曼博怪龙，最起码也要拍一些它的照片；第二个目的是在利夸拉地区收集所有关于这种动物的资料，包括其生活习性以及生存环境，如果能弄清它最近一次被人发现的确切时间和确切地点，那当然是最好不过的；第三个目的则是尽可能多地去寻找和采访目击过这种怪兽的人。

麦克尔和鲍威尔为自己选定的考察区域非常合适,他们很快就在这里找到了一些声称目击过摩克利曼博怪龙的人。这些人很愿意合作,他们所提供的材料也进一步说明这种动物存在的可能性。两位科学家首先来到坐落于利夸拉-奥克斯-赫伯斯河上游盆地中一个叫"埃培纳"的小村落,并在那里驻扎了一段日子。这个小村子位于河边,据说近年来摩克利曼博怪龙频频在该村附近被人发现。麦克尔和鲍威尔访问了村中的十多名男女,这些人中绝大多数都声称曾亲眼见过摩克利曼博怪龙。

有一位目击者是当地的一位高级军事首领,他在当地土生土长,成家立业。他说自己曾两次见到摩克利曼博怪龙。一次是在 1948 年,当时他正同自己的母亲划一条独木舟在埃培纳村上游的河面上行进。忽然,他们看见在前方大约 10 米远的地方,一头摩克利曼博怪龙正在横渡河面。同年,就在同一条河的河心处,他所驾的独木舟不偏不倚地撞到了一头摩克利曼博怪龙身上。当时,这头摩克利曼博怪龙正伏在浅水里,身体几乎紧挨着水面。这位目击者声情并茂地讲述说他先是感到自己的船碰到了一个障碍物,说时迟那时快,这个"障碍物"在水中猛地一闪身就不见了。当他发现自己遇到的是一头摩克利曼博怪龙时,不禁大惊失色。

另一位目击者说自己是在 17 岁那年见到摩克利曼博怪龙的。一天早上 7 点左右,他划着一条独木舟出去打猎。当他发现岸上有一些猴子时就决定靠岸。就在他刚刚把自己的船拉上岸时,突然看到一头巨兽猛的从靠近河岸的浅水中跃起,激起好大一片水花。在至少几分钟的时间里,他清楚地看到这头巨兽。它有一条棕色的长脖子,脖跟处差不多有人的大腿那么粗。体长将近 10 米,身高大约 1.8 米。它还长着一条比脖子还长的大尾巴。

第三位目击者所提供的有关摩克利曼博怪龙的故事,仅仅发生在 7 个月以前的 1979 年 7 月。他说,事情发生在埃培纳村下游 80 公里处的另一个村子,当时旱季刚刚到来,住在村子里的居民惊奇的发现,在附近丛林内的一个水潭中,由于水位下降,一头摩克利曼博怪龙被困在了泥沼中。在一连几个月的时间内,人们都可以看到它们的身影。直到有一天,摩克利曼博怪龙终于爬到岸上的丛林中。它慢慢踱过一个沙岛,最后消失在滔滔河水中。它的脚印与大象的脚印差不多大,地面上还留下了它的爪子刨过的痕迹。而它的整个身体在泥地上经过时所留下的痕迹约有 1.8 米宽,所到之处高草都被荡平了。

在被麦克尔和鲍威尔访问过的村民中,有好几个人都提到了一个更为离奇的故事。据他们讲,在许多年以前,曾经有人捕获过一只怪龙并且把它杀掉吃了。据说这件事发生在泰利湖岸边,从埃培纳村向大陆深处走上 64 公里,就可以到达这个湖。它位于利夸拉-奥克斯-赫伯斯河与它的一条支流白河的夹角之内,周围是一片极为幽深的丛林。

大约在 40 年以前,生活在泰利湖附近的居民在湖中捕鱼时经常会受到两三条怪龙的骚扰,于是人们决心阻止怪龙再到湖里来。在泰利湖周围散布着几个类似于泻湖的卫星湖,每一个卫星湖都通过一条狭窄的水道与大湖相连,那些怪龙在平时就盘踞在其中一个湖里面,并经常经由水道进入大湖之中。当地人砍下了一些大约五六英寸粗的树木,剪掉树枝并把树干的一端削得尖如梭镖。一天,当人们确信怪龙们全都返回小湖之后,就用这些粗重的树桩在小湖与大湖相通的水道上筑起一道篱笆,并让树桩的尖端全部朝上。人们希望这道障碍物能阻止怪龙返回大湖。后来,当其中一头怪龙试图冲破篱笆时,人们手持长矛对它发起了猛烈攻击。一阵殊死搏斗之后,怪龙终于命丧黄泉。为了庆祝胜利,人们把怪龙的尸体大卸八块,然后吃了个精光。但据讲故事的人说,没过几天,所有参与这次屠杀和盛宴的人全都一命呜乎。

由于时间关系,麦克尔和鲍威尔没能亲自到泰利湖去核实这个故事。第二年,麦克尔率领着一支规模更大的考察队再次来到埃培纳村。这次,他的同伴中还有一位刚果本地的动物学家。尽管考察队找到了更多的目击者来讲述怪龙的情况,但他们仍然没能亲眼目睹到怪龙,更谈不上带回任何有关这种动物的第一手资料了。不过,这次他们倒是看到了一条据说是怪龙留下来的痕迹。这道痕迹似乎能说明摩克利曼博怪龙的存在并非仅仅是谣传。

在利夸拉-奥克斯-赫伯斯河岸边的德赛克村,当地人告诉考察队员说在该村上游不远处的地方有一条怪龙留下的痕迹。他们说在大约一年以前,有一头怪龙在那里受到了惊吓,在仓惶逃回河里的时候在岸边留下了这一道很清晰的痕迹。

在一名当地猎人的带领下,考察队前去查看了这处痕迹。他们发现这里的河岸非常坚硬,在距河岸 50 码以内的地带覆盖着 0.9 米高的茅草,50 码开外就是茂密的丛林。丛林中"褐果树"长得十分繁茂,结的果实有小柑桔那么大。向导把考察队员们带到了一片散布着几个小水潭的地方,当地人所说的那道由怪龙留下的痕迹就在其中一个水潭的旁边。麦克尔在考察报告中写道:"我们在灌木丛中看到了一连串已经枯萎了的断枝,它们显然是某种巨兽通过时碰断了。从这条痕迹来看,这头巨兽大约有 1.5~2 米高,体宽大约是身高的一半左右,这与人们所描述的怪龙的体形大体相当,但这也有可能是由体形稍大的丛林野象留下的。那道痕迹是从丛林中开始的,在林中的软土上还留有很大的脚印,每个脚印直径大约有 0.3 米宽。这条痕迹在树林中的一段清晰可见,可当它进入靠近河岸的草丛中时就模糊不清了,因为一年来长出的新草把它淹没了。"

向导帮麦克尔他们指出了草丛中的一段痕迹,并解释说在怪兽刚刚经过的所有的草都被压平了,当时留下来的痕迹足有 1.8 米宽。他还说这样一道痕迹不可能是大象留下来的,如果是一头大象,那么这头大象在走到河岸后为什么没有返回呢?这附近并没有其他的痕迹呀!另一种有可能留下这么宽一道痕迹的动物就是一条大鳄鱼,但从地上留下的那些 0.3 米来宽的脚印来看,这也不会是鳄鱼干的。另外,任何一条鳄鱼也不可能有 2 米之高,高得足以把树上的枝条都碰断。

麦克尔一下子意识到,一年以前,当他与鲍威尔正在埃培纳村附近苦苦追猎的这种怪兽就活动在眼前这个地方——埃培纳村上游。

在两次考察中,麦克尔一共获取了 30 多条有关这种神秘动物的详细描述,其中一半以上是从目击者口中直接得来的,有些目击者还声称曾不只一次看到过它。

麦克尔等人所作的考察一经媒体公布立刻引起了轰动,更多的探险者来到了非洲中部。从麦克尔和鲍威尔进行首次考察至今,又有 11 支考察队先后来到利夸拉沼泽,寻找这种有可能是恐龙的神秘动物,几乎平均每年一次。其中包括两支日本考察队和一支由刚果官方组织的考察队。所有的人都无功而返,从来没有谁拍到过这种动物的录像,甚至连一张照片都不曾拍到过。利夸拉沼泽的怪兽之谜至今仍未解开。

由于有组织的科考队和自发的恐龙爱好者接踵而来,利夸拉地区的居民因此找到了生财之道。一位叫雷德蒙·奥汉的作家也曾为寻找摩克利曼博怪龙到利夸拉沼泽作过一次探险,他后来写道:在布哈,一个距泰利湖最近的村落(从那里步行到泰利湖只需走两天),处于村中最显眼位置的一座小草棚上居然刷着这样的大字标语:“布哈能将您引见给恐龙。”

生活在利夸拉沼泽的神秘之物也许不仅仅是摩克利曼博怪龙一种,麦克尔和鲍威尔在这里还听人讲到了另外一些神秘动物,它们中至少有两种很像是其他类型的恐龙。

背上长"锯齿"的怪物

在麦克尔和鲍威尔采集的所有关于神秘动物的故事中,有一个故事听起来最让人感到离奇。这个故事是从一位妇女那里听来的,她在接受两位科学家的采访时一边滔滔不绝地讲有关摩克利曼博怪龙的事,一边翻看他们拿来的一本印有各种恐龙图片的书。当她无意中翻到印有剑龙图片的那一页时,突然笑着说:"我听老辈人讲起过这种东西。有一次我的父母告诉我说丛林中有一种背上长着锯齿的怪物,万一碰到了它你得赶紧躲到树后面去。"这名妇女还告诉两位科学家,这种被他们称为"姆别鲁"的怪物大部分时间是呆在水中的,它背上那道锯条状的东西经常挂满了绿绿的水草。这位女人还说她本人也亲眼见过一次"姆别鲁",那次她虽然没能看到这怪物的全貌,却清楚地看到了它从水中探出那道长在背上的"锯条"。

当麦克尔于1981年到利夸拉地区作第二次考察时,他很想收集到更多的有关"姆别鲁"的情况。他去拜访了当地的一位老者,这位老人当年曾为管辖利夸拉地区的法国人做过事,他把自己听到过的所有关于摩克利曼博怪龙的事件都详细记录下来,这些记录中提到了15起目击事件,每一起事件发生的地点都讲得很清楚。在麦克尔对他的访问快要结束时,老人也提到了一只背上长有"锯齿"的怪兽,并作了很具体的描述。他说,尽管他本人没能亲眼看到这个家伙,但其他一些人确实见过它。那是在一年旱季,水位处于最低的时候,这头怪兽频频出现于埃培纳村上游不远处的一个地方。它的背上长着一排绿绿的、像仙人掌一样的东西,当怪兽刚从水中浮出身来时,这一部位显得尤为突出。

麦克尔还从其他一些当地人口中听说了另一种与之相类似的怪兽,他们称之为"艾梅拉·恩托卡",这个词在当地语言中的意思是“大象杀手”。人们都说“艾梅拉·恩托卡”同“怪龙”一样,也是水陆两栖的,它也有大象那么粗壮的身躯和四肢,但没有怪龙那样的长脖子,而且它的头上还长着一只尖尖的角。据说这只独角龙喜欢袭击野水牛和大象,能把这两种庞然大物致于死地却从不吃它们的肉。同怪龙一样,它也是素食的。

麦克尔还听许多当地人说曾遇见过另一种奇怪的动物,他们称之为“恩古马·摩内内”。这种动物的头和颈像一条巨蟒,口中常吐出一条中间分叉的长长舌头,而它的身体却像一只硕大无比的蜥蜴。“恩古马·摩内内”用四条又短又粗的腿走路,它身上最引人注目的部位就是纵贯后背中央的一条呈锯齿形的脊椎骨。

一位来非洲传教的美国神父也曾亲眼目睹过这种动物。在接受麦克尔教授采访时他谈起了那次经历。神父说,1971 年底的一天,他正驾船航行在利夸拉境内一条大河的上游。突然,他发现在前方不远处,一只自己从未见过的动物正在渡河。这只怪物身长大约 10 米,尤其显眼的是,它的背上长着一溜儿锯齿形的东西。神父说他一发现这头怪兽就关掉马达让船在水上慢慢漂荡,以便自己能静静地观察。最后,怪兽渡过了河并爬上对岸,大摇大摆地消失在丛林中。

另外,在利夸拉地区,即使是在人类已经很熟悉的三种动物——鳄鱼、甲鱼和猎鹰——中也发现过体形大得惊人的个体。一位在 19 世纪来这里探险的比利时人最早提到过一条长达 15 米的鳄鱼,据说这条鳄鱼还在地下打了一个长的洞穴供自己栖身。还有人在这里见过一只巨鳖,它后背上的壳直径达 4 ~ 6 米,而一只硕大无比的猎鹰其翼展大约有 4 米,它能活捉猴子并将其吞食。

对于热衷于研究神秘动物的科学家们来说,在非洲中部的利夸拉地区,需要他们去揭开神秘面纱的动物实在是太多了。

□ 古人也见到了“恐龙”

生活在数千年以前的古代人类曾以图画的形式对他们所生活的世界作出描绘，这些图画所刻画的主要是早期人类的日常生活场景以及他们所猎取和驯养的动物，后来又加进了一些重大事件的内容。很多图画一直保留至今，成为早期人类历史的珍贵记录。其中有些作品所描绘的事物相当怪异，令我们百思不得其解。

公元前3100年左右，古埃及人刚刚开始建立奴隶制王朝，埃及的文字还处于萌芽状态，但人们已开始用图画来描绘自己的世界，这类图画在一些古埃及人使用过的调色板上就有大量发现。这种调色板由石头制成，它本来是用来调制化妆用的染料的，但逐渐演变成装饰有精美图画的工艺品。在埃及南部古希拉肯波利出土过许多块这样的调色板，它们中每一块上都刻着人们狩猎活动或其他生活场景的图画。这些图画相当精美，在画中，无论是人还是动物都显得栩栩如生。尤其是那些动物，人们一眼就能看出它们是什么。这些动物显然是现实中存在的而不是古代人类凭想像虚构出来的。

在剑桥艾斯姆林博物馆和开罗古代文物博物馆中各收藏着一块与众不同的石制调色板，其独特之处在于板面上画着一种十分怪异的动物，样子与利夸拉地区的居民所描述的摩克利曼博怪龙几乎完全相同。这种动物的模样在开罗博物馆那块曾归古埃及纳莫尔国王所有的调色板上被刻画得更为传神。这块色板上刻着两只长着长尾巴和粗壮四肢的怪兽，十分显眼的长脖子环绕在石板中心用于调制染料的圆形凹槽周围。这两只怪兽显然是狩猎得来的战利品，因为它们的长脖子被绳索死死捆扎着，牵着绳索的是一大群埃及猎人。人们看到这副图画一定会这么想：这只动物真是太大了,没有这么多人是绝对降伏不了它的。

然而,根据目前的科学研究结果,5000 多年以前的埃及是不会有这样一种动物的,所以,那两块石板上所刻的怪兽自然而然地被解释为埃及古代神话的产物。但人们只要稍加分析就会发现,这种简单的解释并不能让人完全信服。

首先,让我们抛开一些几乎被现代科学界所公认为的看法,诸如"5000 年以前的埃及不可能有恐龙"等等,去留意这样一个事实:除上面提到的那两幅画以外,迄今所发现的所有古埃及石板画全都画着真实的人物或动物。古埃及人干嘛要搞出这样两个特例呢? 如果我们认定古埃及人在石制调色板上所刻的全是写实画,而那两只长脖子动物同埃及所画的其他一切动物一样,都是他们亲眼见过的实物,这种推论并不是没有道理的。因此,尽管那样两只动物在当今的地球上已经不存在了,或者仅在一些还未被科学所探明的边远角落中才有可能存在着,我们并不能完全否定古埃及人当年确实捉到过那样两只动物。它们的样子与一些人声称在利夸拉沼泽中所见过的怪龙是那样地相像,这难道仅仅是巧合吗?

对于这种在古代世界里显然存在过而在当代世界仍可能存在着的奇怪动物,古埃及人并不是最早记录怪兽的人类。生活在最后一纪冰川时代的人类所遗留下来的岩画中也发现了这类动物。

在今天的法国和西班牙发现了许多早期人类生活过的洞穴,在这些洞穴的石壁上发现了很多岩画。这些画有些是用尖利的石块刻上去的,有些是用木炭画上去的,还有的是画好之后又涂了颜色的。很难想像生活年代如此久远的人类竟能取得如此之高的艺术成就。要不是这些图画的存在,我们几乎要把这些古代人类归入穴居人的行列了。另外,这些出自早期人类之手的图画画得非常逼真,它们中有多达数千幅是画动物的,其中绝大部分让人一眼看去就能辨别出画的是哪种动物。在这些或是刻出或是画出的动物图形中,有一种长着长长的脖子、样子与现代人所能看到的任何动物都不相同的怪兽,这种怪兽的图形虽然只有两幅,却足以让人惊骇不已了。

这两幅图中的第一幅发现于法国南部的一个岩洞中,其创作时间可以追溯到1.2万年前。这幅图是在岩壁上刻出来的,线条清晰,我们可以毫不费力地看出那是一只头很像马却有一条细长脖子的怪物。有人怀疑这是一头长颈鹿,但是,这幅画创作于冰川时代,当时这里是一片冰天雪地,绝不可能有长颈鹿生存。那么,这是否是一头类似于中非摩克利曼博怪龙或类似于温哥华"凯迪兽"的动物呢?没有人能给出确切的解释。1997年,几名考古学家曾对这幅画进行了一番研究,他们后来写到:"画中怪兽的脖子是精心描刻出来的,显然不是作者一时失手所造成的败笔。"这些考古学家推测,画中的动物也有可能是某位古代艺术家凭着自己幻觉或想像捏造出来的。但更大的可能性是,作者确实在洞外的世界中见到过它,凭自己的记忆画出来的。

画有同类动物的另一幅岩画就更加离奇了,它发现于西班牙的卡萨雷斯岩洞中。这幅画也诞生于冰川时代,也是雕刻在石壁之上的。这幅画中竟有三只形体奇特、又有点儿像恐龙的动物。三只怪兽中有两只体形较大,大概是成年的,第三只体形偏小,像是一头幼兽。在这幅画中,三只怪兽身体的轮廓已有些模糊,但不难看出,它们体形硕大,长着长长的脖子和蜥蜴一样的脑袋,而且样子特别凶。

我们同样可以推断,这幅画中动物同其他岩画中的动物一样,是它的作者根据自己在洞外世界中见过的实物画出来的。

上面这两幅图画似乎可以证明,当我们的祖先离开自己寄居的那些幽深而安全的洞穴到凶险的森林中打猎或到湍急的河流中捕鱼时,他们确实撞到过岩画中所描绘的那种怪兽。这种怪兽在当时还生活在地球上,只是在并不久远的年代以前才不知所终了。不管怎么说,对于这些散见于古代绘画中的怪兽,如果我们将它归于古代神话的范畴或古人幻觉的产物，这未免有些武断。接受这种不太负责任的解释很可能会使我们失掉某些极其重要的研究线索。

如果这种动物当初果真生活在陆地上，将来我们有可能会找到它们的骨骼化石。当然，如果它们是水生的或水陆两栖的，它们的遗骨恐怕早已被冲到茫茫大海之中去了。

□ 很可能残留下来的翼手龙

弗兰克·麦兰德(1911～1922年)是一位英国人，他曾为当时管辖非洲南部的英国殖民当局效力，担任一个地区的行政官(这个地区现在属赞比亚共和国管辖)。麦兰德对自然历史怀有浓厚的兴趣，是皇家人类学学会、皇家地理学学会和皇家动物学学会三个学术团体的会员。麦兰德在非洲期间，曾对当地一些部落中所盛行的巫术做过大量调查，回到英国后，于1923年出版了《巫术盛行的非洲》(In Witchbound Africa)一书。在这部主要研究巫术的著作中，麦兰德提到了一件十分有趣的事。他说有一天他听一些当地人讲起一种奇特的咒语，这些人认为在某些渡口过河时必须念这种咒语，否则就有可能遭到一种名为“刚弋马托”的猛兽的袭击。听到这些，麦兰德对动物学的兴趣一下子被激起来了。他连忙问这种被当地人称为“刚弋马托”的可怕动物到底是什么东西。结果，对方作了一个十分离奇的描述，让他听了惊诧不已。他们说这种怪物会飞，如果它不是鸟类就一定是别的什么会飞的动物。它的身子有点儿像蜥蜴，翅膀像蝙蝠，双翼展开时有1.2米至2.1米宽。麦兰德在自己的书中写道：“听到这儿，我赶紧吩咐人把家里两本印有恐龙图片的书拿来，让当地人一个一个的辨认书中的图片。当翻到印有翼手龙图片的那一页时，所有人都毫不犹豫地指着它嚷道:这就是'刚弋马托'! 据说,'刚弋马托'生活在丛林深处的沼泽地中,他们在姆沃姆贝滋河上游靠近扎伊尔边境的地带出现的频率最高。"

在赞比亚以南的津巴布韦,也有过目击到类似动物的报告。有一位曾在津巴布韦任职的殖民官员给英国记者 G·沃德·普赖斯讲过一个十分有趣的故事。这位官员说,他所管辖的地区有一片很大的沼泽,不知为什么,当地人对这片沼泽怀有极大的恐惧心理,许多人死也不肯进去。终于有一天,一个天不怕地不怕的楞头青只身闯进了沼泽之中。一两天后,这个家伙浑身是血地逃了回来,人们发现他的胸部有一道深深的伤口。他说自己在沼泽中受到了一只巨鸟的攻击,这巨鸟的嘴又长又尖又利。那位官员把一本印有各种史前动物图片的书拿给这个被啄伤的人。这家伙默不作声地看了起来,当翻到印有翼手龙图片的那一页时,他突然大叫一声,丢下书就没命地逃走了。

那位官员告诉普赖斯说:"在我看来,那片面积广大,从来没有人能穿越过去的沼泽里,很可能仍然生活着亿万年前残留下来的翼手龙。"

见过这种会飞怪物的不仅有当地人,还有一位英国军官以及他所率领的整支部队。这些英国军人称他们曾经亲眼看到这样一种动物从他们的头顶飞过。

1941 年,英国陆军中校西蒙斯率部队驻扎在苏丹。他的部队当时处于奥德·温盖特的指挥之下,而温盖特正在准备发起一场收复埃塞俄比亚(当时正处于意大利占领之下——编者注)的战役,以帮助流亡在外的海尔·塞拉西皇帝复位。作为战役准备阶段的一个步骤,西蒙斯中校奉命率一个小队的英军向南穿插。他们从苏丹南部边境渗透到埃塞俄比亚境内,然后一直向东穿过一大片丛林,在 15 天后到达了埃塞俄比亚的贝拉亚高地。就在这次行军途中,西蒙斯中校及他的手下人目击到了一只会飞的怪物。从他

们的描述来看,这只怪物很像是翼手龙。在写给女儿的一封信中,西蒙斯中校讲述了那次奇遇的经过:

> 在回到文明世界以后,我时常讲起那次经历,但我知道,直到今天仍然不会有人相信。我们那次行军所穿越的是一大片蛮荒地带。途中,我们不断地能看到各种野生动物或听到它们的叫声。参加那次行军的所有人都看到了一只硕大无比的怪鸟从头上掠过。它的翼展很宽,更让人感到奇怪的是,在它每只翅膀的末端还长有一支小小的附翼,好像是在主翼的尖端生出了一只爪子。另外,每支附翼也可以自由伸展。在回到开罗以后,我曾向一些自然学家提起过这只怪鸟,他们说我所描述的很像是一只翼手龙,不过这种恐龙至少在100万年以前就已在这个星球上灭绝了!

□ 美洲上空的"飞怪"

对于这种很像是翼手龙的怪物,如果有人声称在非洲那片与世隔绝的丛林沼泽中发现过它们,似乎还让人容易接受一些。但是,如果有人说在人类足迹几乎踏遍了的北美大陆上也发现过它们,那就更让人觉得不可思议了。

1890年4月26日,一家名为《墓志铭》的美国报纸(世界上恐怕没有几家报纸会取这么不吉利的名字)刊登出一条令人震惊的报道。这篇报道夸大其辞的成份似乎有些过分了,作者称几天以前,两名骑手在穿越距墨西哥边境约24公里的一片沙漠时,突然看到空中飞来一只巨大的怪物。据目击者称,这只"飞怪"体长超过27米,它那两支形似蝙蝠的翅膀在展开时竟有48米之宽。同蝙蝠翅膀一样,它的双翼上也没有羽毛,而是裸露着粗糙的厚皮。它的头部有 2 米长,两颊张开时露出上下两排尖利的长牙。报道中声称两名骑手当场就开枪打死了这只“飞怪”。

1969 年,有一家杂志重新登出了 80 年前由《墓志铭》报刊登过的那篇报道。这次重登时,原文中所有神乎其神的成份都被全盘照搬。一位年事极高的老人在看过重登出来的报道后站了出来,他说自己在孩提时代曾结识过报道中提到的那两位目击者,并曾亲耳听他们讲起过有关“飞怪”的故事。老人觉得有必要澄清报道中的夸大成份,以便那个真实的故事不至于被篡改得无人肯信。他说,那两位骑手是他们家乡赫赫有名的牛仔,他们确实在 1890 年 4 月下旬的一天看到过一只以前从未见过的会飞的怪物。这只怪物有一对不长羽毛的翅膀,但这对翅膀没有报纸上吹嘘的那么大。实际上,它的翼展只有大约 6 ~ 10 米宽,而不是传说中的 27 米。当然,这已经称得上是巨翅了。两名骑手也确实曾举枪向“飞怪”射击,但没能将其击毙。“飞怪”在中枪后有两次几乎栽落到地面上,但每一次都挣扎着又飞了起来。最后,当两位牛仔离开时,这只受了伤的巨怪仍然在半空中扑腾。

在距今更近的 1976 年 2 月 24 日,得克萨斯州的三名中学教师驾车外出办事。正当他们行驶在距墨西哥边境很近的一条乡间公路上时,他们突然感到自己的汽车被一个很大的黑影罩住了。三个人不约而同地抬头去看,发现汽车正上方很低的空中正飞行着一只巨大的怪物。这只“飞怪”长着一双巨翅,翅膀上没有羽毛,裸露在外的皮肤绷得紧紧的,从下面可以清楚地看到支撑起这双巨翅的那些长长的骨骼。这对翅膀倒很像蝙蝠的双翼,只是它们大得出奇,在完全展开时达 5 ~ 6 米宽。教师们被这只“飞怪”惊呆了,他们从未见过甚至从未听说过这样的怪物。事后,三个人花了很多时间去翻阅各种资料,想搞清楚它到底是什么东西。他们觉得哪怕曾有人发现过任何一种与之相类似的动物,不管是活的还是死的，都有助于解开他们心中的疑团。

最后，三位老师终于在一本书中找到了一种与他们所看到的“飞怪”最为接近的动物，那就是翼手龙，一种长着巨喙、翼展达9米的会飞的恐龙。不过，这种动物早在6500万年以前，也就是恐龙时代结束时就在地球上灭绝了。他们看到的会是翼手龙吗？三位老师心中的疑云更浓了。

一波未平，一波又起。很快，又有两个人声称在三位教师之前没几天也在靠近墨西哥边境的地方见过这种飞怪。或许这两拨人所见到的是同一只动物。

这种飞怪的活动范围或许可以覆盖到更靠北的地区。1981年8月8日清晨，一对夫妇驾车穿越宾夕法尼亚州的塔斯卡洛拉山，他们突然发现眼前跑出两只形似蝙蝠的动物。这两只长着翅膀的家伙显然因汽车快速驶近而受到了惊吓，它们张开双翅像受了惊的鸭子一样蹒跚着向前奔跑，拼命挣扎着要飞起来。它们的双翅没有羽毛，完全展开时有15米宽，几乎接近公路的宽度。没多久，两只怪物就腾空而起，向远方飞去。坐在汽车内的夫妇二人一直紧盯着这两只咆哮着的巨怪，直到它们消失在天际。从二人所描述的情况来看，他们所看到的也像是翼手龙。难道它们真是生活在史前时期的那种会飞恐龙的后裔吗？

所有这些目击事件都无法用现有的科学知识去解释。在持正统科学观念的人看来，这些目击者肯定是发生了错觉或幻觉，不然的话，他们就是在为哗众取宠而设置骗局。不过，科学研究已经证实，在北美大陆上确实生活过翼手龙一类的古代动物。1971年至1975年间，在得克萨斯州的西部，一共出土了三具翼手龙化石。经鉴定，它们都生活在恐龙时代的末期。尽管三具骨骼化石都不完整，但仅凭已经找到的骨骼就完全可以推算出这种翼手龙的翼展大约有15米宽。

迄今为止，这三具化石不仅是我们所发现的最大的飞龙化石，也是距今年代最近的飞龙化石。从现有的资料来看,它们很可能是地球上最后的翼手龙。也许有一天我们能找到距今年代更近的翼手龙化石,或许还能挖出几具它们的遗体呢。

上文已经提到过,在非洲利夸拉沼泽那种与世隔绝而且生态环境相对稳定的地方,有可能隐藏着某些还未被人所知的神秘动物,它们很像是被普遍认为早已灭绝了的恐龙类动物。另外,无比广阔的海洋也因发现了腔棘鱼和巨嘴鲨之类的奇异动物而显得更为神秘。海洋中不为人知的神奇动物一定还有很多,像在温哥华附近海域发现的"凯迪兽"恐怕就是其中一种。或许有一天这些生活在海洋中的神秘动物能被人类所认知。如果有人说在中非的热带丛林中确实生存着一种两栖怪兽,它们很可能是远古恐龙的后裔,这种说法似乎还有几分可信度。那么,如果有人说像得克萨斯这样一块地方也留有古代恐龙的遗种,又有谁会相信呢?

很长时间以来,人们注意到生长在得克萨斯的许多物种的体形要比其他地区的同类物种大得多。那么,那些目击者所看到的类似翼手龙的动物会不会是一些发生了变种的巨型蝙蝠呢?如果北美确实生存着一种神秘的飞翼类巨型动物,它们又怎么能在这片土地的上空自由自在地飞翔呢?要知道,在北美的上空无时无刻不充斥着大量固定翼飞机和直升飞机。那么,是不是在中美洲靠近得克萨斯的地方存在着一大片像非洲利夸拉沼泽一样与世隔绝的生态孤岛,可以供某种神秘动物藏身呢?如果有,这个孤岛又在哪里呢?

事实上,在中美洲确实有一大片渺无人烟的荒凉地带。

在墨西哥境内横亘着绵延数千里的马德雷山脉。这条山脉从该国最南端的瓦哈卡一直延伸到其北部与美国接壤的地带,像是墨西哥整个国土的一条"脊梁骨"。马德雷山脉的北部山区十分荒凉,至今仍是一片无人区。如果前面提到过的那种"飞怪"确实存在的话,这片山地正是它得以避开人类侵扰的最佳栖息场所。专门从事奇异动物研究的动物学家卡尔·舒克尔博士就一直认为在那片山地中有可能找到“飞怪”的下落。

根据一项考古发现，舒克尔博士还提出了另一种可能性，这同样引起了人们极大的兴趣。1968年，一位考古学家在玛雅古城塔金（该城坐落于马德雷山地东南部的群山脚下）的废墟中发现了一件奇特的浮雕作品。作品所刻画的是一只十分怪异的蛇身鸟翼的动物。这位考古学家经考证后得出结论：这只怪兽不是玛雅神话中的动物，它一定是为古代玛雅人所熟悉的、一种真实存在过的动物。显然，这蛇身鸟翼的怪物也很像是翼手龙。舒克尔博士指出，如果那位考古学家的判断是正确的，我们就可以据此得出推论：翼手龙在历史上曾生活于墨西哥东南部，它们很可能在距今只有一千多年的玛雅文化晚期仍生活于这一地带。

舒克尔博士后来又写道：

> 在研究奇异动物的过程中，往往会遇到许多发人深思的“巧合”。在已经进入现代社会的北美大陆，仍不断有人报告目击到了一种很像是翼手龙的“飞怪”。这些目击事件全部发生在这块大陆的同一地区，而历史上这一地区又恰恰是翼手龙的家园。面对这些事实，人们不禁要问，难道这仅仅是巧合吗？再没有什么比这样的“巧合”更让人费解的了。

□ 与人类捉迷藏的神秘动物

对于一种生存于6000万年以前的动物，它能延存至今的可能性究竟会有多大？面对这个问题，很多人会回答说：“可能性当然微乎其微。”如果是一种生存于一亿两千万年以前的动物呢？他们也许会回答说："可能性会再缩小一倍"。然而，如果让这些人看一看腔棘鱼的例子，他们一定会发现，仅凭这种动物的产生年代就作出上述回答实在有些草率。腔棘鱼是一种更为古老的动物，但它至今仍然生活在地球上。实际上，对于任何一种哪怕比腔棘鱼还要古老的物种，只要有一个相对稳定的生存环境，它就有可能延续下来。也许有人会说，海洋中的生态环境比陆地上任何地方都要稳定得多，所以，像腔棘鱼那样的特例在海洋中能够出现而在陆地上则不能。这种观点似乎有些道理，但事实远非如此。

在这里，我们还可以举出斑点楔齿蜥的例子，这种古老动物的生存历史引起了所有动物学家的深思。

斑点楔齿蜥是一种极为原始的爬行动物，从外观上看，它很像普通的蜥蜴，所不同的是这种蜥蜴长有三只眼睛，但它的第三只眼的功能十分有限。成年的楔齿蜥大约有 0.6 米长，它们性格极其孤僻而且基本上只在夜间才出来活动。从已经发现的大约生存于两亿年前的楔齿蜥的化石来看，这种动物在如此漫长的时间内竟没有发生多大变化。楔齿蜥化石在世界各地都有发现，但从这些化石的产生年代来看，楔齿蜥在恐龙时代结束时就在地球上绝大部分地区灭绝了。而今，如果不是在南太平洋的一些岛屿上发现仍有这种动物存在，人们一定认为，所有的楔齿蜥都在导致恐龙灭绝的同一场生态大灾难中消失殆尽了。恐龙在地球上来了又去了，但楔齿蜥仍生活在这个世界上，恐怕有朝一日当人类都无法在这个星球上生存下去时，楔齿蜥仍然健在。

今天，有一个品种的楔齿蜥生活在新西兰附近几个荒凉的小岛上，而它们家族的另一个成员则生活大约 3200 公里以外的库克群岛中一个面积只有 10 公顷大的岛礁上。地球这么大，为什么单单这几个离大陆几千英里远而彼此又被遥遥隔开的小岛能成为楔齿蜥家族的最后归宿呢？

在活生生的楔齿蜥被人类发现以前，科学家们会预见到这种古老的动物仍然生存在地球上吗？恐怕不会。以前，曾有一些人找出了很多理由，想去证明像楔齿蜥这类被普遍认为已经灭绝了的动物仍有可能存在于地球上一些生态孤岛之中。尽管他们的论述很有道理，但按照正统的科学观点去分析，这样的论述仍属无稽之谈。现在，连楔齿蜥这样的动物都被发现了，这难道不能说明些什么吗？

在这里，我们只想指明一点，那就是，在自然界中，各种可能性都是存在的。如果忘记了这个起码的道理，在研究世界时必将陷入一种误区。那么，在这个世界的陆地、海洋和天空之中是否真的存在还在与人类捉迷藏的神秘动物呢？热衷于研究这类动物的科学家始终持这样的态度：它们存在的可能性要比不存在的可性大。这种态度并没有错。

毫无疑问，人类对神秘动物所作的科学探索仍将继续下去。

第八章

离奇灾劫：有史可载的迷离玄案

她们俩每人都分别写了那天她们曾看到和听到的非常详细的记录：她们的经历是不一样。埃莉诺被整个事件所迷住，她于1902年1月进行了第二次参观，当时，那地方的几样事情再度显出好像有奇怪的、虚幻的，几乎是鬼一般的性质，但是详情有点儿怪诞。

□ 京都灾变的旷古之谜

1626年5月30日(明嘉宗天启六年五月初六),明朝故都北京城西南王恭厂(今宣武门)一带发生了一场破坏惨重的灾变,至今使人闻之骇然,难解事发端倪。

当天早上,天色皎洁,忽有声如吼,从东北方渐至京城西南角,灰气涌动,屋宇动荡。顷刻,大震一声,天崩地塌,昏黑如夜,万室平沉。若乱丝、若五色、若灵芝状的烟气冲天而起,经久方散。东自顺城门大街,北至刑部街,长1.5~2千米,周围6.5千米,上万间房屋、两万余人皆成粉碎状,瓦砾盈空而下,人头及臂、腿、耳、鼻等纷纷从空中落下。

街面上碎尸杂叠。血腥味浓,人亡惨痛,驴马鸡犬同时毙尽。在紫禁城内施工的匠师2000余人,被从高大的脚手架上震落,摔成肉饼。成片的树木连根拔起,飘飞远处,石驸马大街一尊2500千克重的大石狮子也飞出顺城门外。象来街的皇家象苑、象房全部倾倒,成群大象受惊而出,狂奔四方。

死难者奇况颇多。承恩寺街上8人抬一女轿正走时,赶上灾变,大轿被打坏放在街心,轿中女客人及8名轿夫全都不见了。菜市口有位姓周的绍兴来客正与6个人说话,忽然头颅飞去,躯肢倒地,而近旁6个人则无恙。

令人咄咄称怪的是,死难者与受伤者以及无恙者,个个在灾变中瞬间被剥光了衣服,赤身裸体。元宏寺街的一顶过路女轿,灾变时被掀支轿顶,女客衣饰尽去,赤体在轿,却毫无损伤。一位当官的侍从在灾变时,只觉棕帽、衣裤、鞋袜瞬间俱无,大惊其妙。有个被压伤腿的人,眼见周围的男女一丝不挂,有的以瓦片遮挡下身,有的用裹脚带缠掩下部,还有的披着床单或半条破裤;他们相互间啼笑皆非,无可奈何。一位官僚爱妾小二姐被埋在瓦砾下,听到有人在瓦砾上叫:"底下可有人可答应。"她急应:"救我!"等将她匆匆救出,才发现小二姐原来身无寸缕;救她的那位书手(即文书)赶紧脱下长衫把她裹严,让她骑驴回娘家了。

人们的衣服都被掠到哪里去了呢?灾变后,有人报告衣服全都飘移到几十里外的西山了,大半挂在树梢上。户部(明朝管民政的机构)张凤奎派长班(即侍从)前往查验,果然如此。只见在西山昌平州教场上衣服成堆,首饰、银钱、器皿无所不有。

面对北京城这场"上警九朝列祖,下致中外骇然"的亘古未有的大灾劫,明朝上下尽受震动,举国沸怨。饱受奸臣贼子、阉党宦官倒行逆施之苦的人们认为,这是"苍天有眼惩治朱家王朝"。还有的则上书天启皇帝要求他"反躬修省"。天启皇帝朱由校灾变时,正在乾清宫用早膳,其宫震动时皇上一人逃奔至交泰殿,连内侍们都来不及跟随。只有一个侍从曾扶他行至建极殿,不料鸳瓦飞堕,砸裂了侍从的脑袋。其余内侍全都死在受到严重损坏的乾清宫中,躲至交泰殿墙角的大桌下得以逃生的朱皇帝,自是惊魂难定。灾变后迫于民怨,他勉强下了一道"罪己诏",自我责骂一番,表示"亲诣太庙恭行慰礼",并告诫"中外大小臣工","务要竭虔洗心办事,痛加反省",以期王朝"长治久安,万事消弭"。

这场灾变究竟由何而来?从历史记载来看,还是有预兆的。"五月初二夜,'鬼火'见于前门之楼角,青色荧荧,如数百荧火,俄尔合并,火如车轮"(选自《东林始末》)在后宰门火神庙,"初六日早,守门内侍忽闻音乐之声,一番粗乐过,一番细乐,如此三迭。众内侍惊怪巡缉,其声出自庙中。方推殿门跳入,忽见有物如红球,腾空而上,众共瞩目。俄尔,东城震声发矣"(选自《天变杂记》)。这火球究竟是何物?它与京城灾变又有何干系呢?

明清学者以为这场灾变的中心是在处于北京西南角的王恭厂,这里巨响过后,平地深陷两个裂穴,深达数丈,地中且有不绝的霹雳声。为此,当时不少人都怀疑是王恭厂"火药自焚"引发的京都的空前劫难。但照天启皇帝的司礼太监刘若愚在其著作《明宫史》中所说,王恭厂只是"管营建钱粮"的军队后勤部,根本没有什么火药库,即使储存有火药,只占有几个老北京"四合院"的王恭厂,也绝不会因火药爆炸而涉及十几里乃至几十里那么大的范围。再者明代史、志各书都如实记载这次灾变"不焚寸木","焚燎之迹全无",证明王恭厂并非灾变源地;相反,王恭厂只是灾变的牺牲品而已。

值北京城特大灾变360周年之际,北京地质学会等二十多家团体于1986年发起了对这场灾变原因的学术研讨。学者们各抒己见,莫衷一是,主要有"大气静电酿祸"说、"地震引发火药爆炸致灾"说、"地球热核强爆作用"说等。这些观点虽不乏新奇,但皆难以解释灾变中的低温无火、荡尽衣物等罕见特征。

卷帙浩繁的明清之际的各种史料,为京都灾变留下了珍贵的记录,同时也为后人留下了旷古之谜。

□ 一百年前的核爆炸

近百年前的1908年7月13日晨7时43分,一场使整个地球都有震感的巨大爆炸在前苏联通古斯地区发生了。有人估计这场爆炸释放的能量超过广岛原子弹爆炸的1000倍!

地处西伯利亚叶尼塞河上游的通古斯塔伊加森林是大爆炸的中心区域。大爆炸使方圆六千多平方千米的原始森林几乎尽被摧毁,上千只动物死亡,一些游牧者也不幸遇难。

西伯利亚地区的一家报纸报道说,爆炸前,"有人亲眼看见一个燃烧的天体自天而降,从南到北划过天空,在东北方向的远处消失。由于速度太快,没有看清它的大小和形状。但是,好多村子的村民都看见,这个飞行物到达地平线时,升起了一团巨大的火焰。”

谢苗诺夫和科索拉夫住在距大爆炸中心仅 65 公里的村子里。他们作为幸存者,为这场大爆炸的始末提供了许多细节。当西北方向突然出现一道强烈而灼热的火光的刹那间,谢苗诺夫看到了一个几乎遮住半边天的巨大火球,它逐渐变成黑色,然后就消失在天际。他同时听到了巨大爆炸的声响,接着,迎面袭来的狂风将他卷向空中,甩出数米远,使他失去了知觉。一阵阵的巨响使谢苗诺夫苏醒过来:响声震动着整座房子,几乎使它塌下来,玻璃杯被震碎了,窗户框也震得散了架,住房附近的土地震开了裂缝。科索拉夫是谢苗诺夫的邻居,当时他感到一股热浪扑面而来,爆炸声震耳欲聋,耳膜刺疼得使他几乎直不起腰来。

这时,离爆炸中心较远的人也遭了殃。他们先是看到一个巨大的火团像太阳一般明亮地掠过天空,隐没在北方,随即传来霹雳似的一阵巨响。只见一道刺眼的火柱飞向空中,接着出现了一团巨大的蘑菇云。他们听到一连串的爆炸声,大地犹如地震般地颤抖着。

爆炸激起的咆哮飓风将大树连根拔起,将好多房屋的房顶掀走,骑在马上的牧民跌落在地;许多人被爆炸的声波弄得头晕目眩,甚至昏死过去。熊熊的森林大火燃烧了数天,其间天空竟又下起大雨。大爆炸还造成了西伯利亚地区河流的大泛滥。

令气象学家更为奇怪的是,大爆炸后整整 3 天没有黑夜,天空中出现了奇形怪状、闪着银光的云团;当太阳光穿透云团时,就会变成奇异的绿光和玫瑰色光。那几天,万里晴空转瞬间就会出现极似超自然现象的“云霞”。

“通古斯大爆炸”现场直到 1927 年才有科学家涉足,因为这里过于偏僻,爆炸之时适逢俄国政局动荡。利奥尼多·科利克在圣彼得堡矿物博物馆陨石部工作,他曾 4 次深入通古斯地区考察。他亲眼目睹大片烧焦折断的枯木,呈放射状向外倒在一块广阔的沼泽地的周围,铺成巨大的扇面。沼泽表面坑穴遍布,它们的直径10~50米不等,深约4米。

科利克未能在沼泽坑穴及附近地方,找到任何与爆炸物相关的遗迹,尽管科利克相信可能是巨大的陨石毁灭了通古斯的“塔伊加森林”。就在前苏联科学界准备对通古斯事件展开深入研究之际,爆发了第二次世界大战。科利克志愿参军,不幸被俘,于1942年死在集中营里。

战后的1945年12月,前苏联物理学家亚历山大·库扎切夫访问了日本广岛。广岛遭受美国原子弹轰炸后留下的破坏场面,看起来同通古斯当年大爆炸的现场具有特殊的相似性。特别是那一棵棵像电线杆子一样的树干,虽然核爆炸的冲击波削去了树皮和枝叶,但它们仍顽强地屹立在那里。这使库扎切夫联想到通古斯的受灾森林中,没有树木能够留下树枝、树梢和树皮,它们全都是“光秃秃”的模样,而且全都躺在了地上!进而库扎切夫意识到“通古斯大爆炸”可能是来历不明的威力极为强大的核爆炸事件。

库扎切夫的观点引起了科学界的争论,也引起了更多科学家对通古斯爆炸事件的重视。寻找大爆炸的起因已成为国际性的研究课题。

几十年过去了,关于通古斯爆炸的起因已出现了近百种的说法和推测。其中最流行的论点就是“彗星爆炸”说。利于这种观点的最新事实是,1984年2月16日傍晚,飞临西伯利亚托穆斯克附近上空的一个巨大火球凌空爆炸,其影响半径达150公里,但事后未留下任何明显的爆炸痕迹,地面上什么都找不到。巧得很,通古斯火球与托穆斯克火球都是出现在哈雷彗星飞近地球的前两年,且间隔同哈雷彗星的76年周期一致。有人猜测这表明地球上空的火球爆炸与这颗彗星相关。

同时,“反物质爆炸”说、“微型黑洞”说、“陨石坠落”说、“星际来客核事故”说等等,亦在诸家争鸣、各争其是,因此绝难定论通古斯事件。不过,科学家已在通古斯地区发现数千粒闪闪发光的甚相似于今天核试验场合中留下的颗粒,这显示出当地可能发生过核爆炸。

□“时间差错”的怪异报告

回到过去,或者提前步入未来,是许多人的梦想。然而有的人无意中却“梦想成真”,他们遭遇了什么?他们如何回到过去或步入未来?即使看完了下面的文字,你也未必能够明白:

洛克斯汉姆河段的来历

在历史学家、考古学家和历史地理学家中,诺福克郡的宽阔河段的起源仍是许多争论的主题。已被人们最普遍接受的传统理论是,当冰河时期结束时,海平面升高了,洪水涌入平坦的东盎格鲁地区,在那里,比尔河、威佛尼河、亚尔河缓缓流入北海。水位下降后,冲积层开始大量聚集。由这三条河的洪水形成的广阔的港湾变成了一片沼泽。那里生长的赤杨和其他植物变成了一层很深的灌木丛泥煤。

在罗马时代,这儿的整个地区再度遭受到洪水,这个大港湾再度改变了。在中世纪,诺福克郡是一个人口相对稠密的郡。森林被伐光了。取而代之的是那里农田生长出优质的谷物。森林消失以后,泥煤就成了另一种最好的燃料。

燃料寻找者们用当时的长把木锹,挖去质量很差的、刚刚被芦苇覆盖的泥煤,然后继续往下挖,穿过泥土层,挖到燃烧质量很好的灌木丛泥煤层。作为燃料使用之前,这种泥煤被切成长方形块,并且被堆起晾干。采掘时,梁木被留下,一部分作为挖掘者的通道,一部分作为一个挖掘区与另一个挖掘区的分界线。

到了12、13世纪。大部分工作已被做完,这块土地在缓慢地下陷。猛烈的暴风雨导致了洪水泛滥。当时那里还没有著名的诺福克风泵,也极少有海岸防御工事。矿区充满了水。那时境况极为困难,还因为花费大,以致不能从洪水下面把泥煤挖掘出来,因此,工作或多或少地被放弃了。一旦旧的分界梁木边不再有人维修了,它们就会自动塌落。有些是故意被拆毁的,以便于航运。尽管其后许多世纪中,芦苇扩展了,许多新的芦苇泥煤层形成了,但起先形成的景色今天或多或少地还保留着。

航空拍摄的照片有助于支持这种观点,即最初人们开挖诺福克湖宽阔河段是为了采掘泥煤。来自诺里奇教堂小修道院的中世纪记录表明,实际上大量的泥煤是被采掘出来了的。一张销售单显示,在14世纪早期,买40万块泥煤要支付19英镑。以后的记载显示生产遇到了严重的困难,因此,不得不用网挖取泥煤。

重要的一点是,关于这个宽阔河段是人造湖的观点,在学术上获得了大量支持:不论河段是否是无关紧要的泥煤采掘所留下的,或者是否有些人怀有其他的目的,这一切都有待于进一步辩论和探讨。

奇怪的报告

如果关于洛克斯汉姆湖河段的奇怪报告是精确和可靠的话,那么,这个河段湖至少是一处罗马竞技场,而不是一处挖泥煤的地方。它还似乎成为了一个焦点,这个焦点只能被描述为延续了好几个世纪的一系列可能的时间差错。关于洛克斯汉姆宽阔河段现象的报告可以上溯到很久以前,这些报告是有记载的和可信的。

概括地讲,好像有一支罗马队伍通过,或从现在的河段走过。目击者对此事的描述记录坚持认为,这个事件既能听得到又能看得到,并且在一些情况下,好像还有与神秘的卡斯特斯或者叫做罗马卫士的有意义的谈话,从某种角度上看,这位罗马卫士既属于目击者时代,又属于早已消失的罗马时代。

本杰明·柯蒂斯在他的《1603 年诺福克郡档案》中描述了发生在洛克斯汉姆的奇怪事件:

> "接近豪维顿·圣·约翰,在洛克斯汉姆的宽阔河段中,我自己和两位朋友正在从比欧河向对岸游过去,这时候,奇怪的是,我们感到我们的脚碰到了河底。现在,这块儿的水很多,有 3.6 米深,在另外的地方有 4.2 米左右。我们聚到一起,发现我们站在一座大剧场的中央,我们四周有许多台阶式座位,一个在一个上。水退了,我们站在那儿,穿着像罗马军官。还有更令人震惊的是,我们都没感到惊奇,我们也没有对于这景致感到不方便,而是对此非常习惯,以至于我们忘记了(原文如此)我们一直在游泳。竞技场的顶部全是露天的,在墙顶部,各种颜色的旗帜随风飘荡"。

接下来的是,对本杰明和他的两个朋友亲眼目睹的古罗马盛装游行的长篇而又详细的记载。刊登在 1709 年 4 月 16 日《绅士报》上的由尊敬的托马斯·乔赛亚·彭斯顿所做的描述里,这个故事做了一两处有趣的改动,并再次提及:

> "……在距离古城诺里奇大约 17.6 公里的诺福克郡,我们正在一处美丽的湖岸上举行野餐,这时,被一位极难看的人非常突然地不由分说命令我们离开,此人的容貌和着装掩饰了他有教养的品行。
>
> "由于这位不友善人的固执使我们有点儿气愤,我们

决定离开，这时，突然我们不得不赶快闪到一边，为帝王般豪华的一列长队伍让路，其中最显著的人物是一辆金制战车带着的一个着装像一名罗马将军、相貌可怕的男人。战车由十四昂然而行的白色种马拉着，大约十二头狮子由强壮的罗马士兵用链条牵着，一队号手正在吹号喧嚣着，另外有一队鼓手，跟着的是几百名长头发、穿部分铠甲的水手或者水兵，他们全都被链条连在一起。

"他们从我们身边很近的地方走过，但是很显然没有人看到我们。在这由弓箭手、长矛兵和弩炮组成的长队中，一定会有七八百名骑兵。我不知道，他们去哪儿或者来自何处，然而他们在湖边消失了。他们经过时所发出的喧嚣声是非常大的，而且是清清楚楚的。"

在1741出版的由卡尔沃特所著的名为《湖泊的传奇》诗中，提到了洛克斯汉姆湖现象。

当穿过湖那边的树林时，
一队骑兵来到近前。
朋友，不要瞧着这些罗马人，
怕的是他们的眼神与你们的相视。
站到后边，再往后，让他们通过，
这些死魂灵，并闭上你们的眼睛，
以免碰上他们死亡的景象。
在不幸可怜之中，那些人表演
他们的角色近一千年。
注定有这种命运来重演
他们过的日子。他们表演的角色：
不要跟他们走，不要看他们，

但为他们祷告,亲爱的朋友,
因为他们是死去的人。

戴编撰的《东盎格鲁编年史》一书 1825 年中,提到了这个奇特而神秘的洛克斯汉姆宽阔河段的现象。

“克罗瑟斯的皇家队伍……已经通过…… ……洛克斯汉姆的村庄……在其从布兰凯斯特来的道上。”

另一则记载来自贵族珀西瓦尔·杜兰德的私人信件,这个记载讲述了他和一些朋友在 1829 年 7 月 21 日的一些经历。在那一天,贵族杜兰德和他的随从在他的游艇“阿马力利斯”号上,它在距洛克斯汉姆河段东部入海口大约 200 码处抛锚。他们来到岸上坐下,眺望广阔水面。据记载,那天特别炎热。据杜兰德的描述,一位老头出现了,“他显得非常枯槁疲惫,拄着一根长拐棍……”在杜兰德的随从中,没有人看到这位老人从哪儿来,而且没有人看见他以后去了哪里。他们问那位老人是谁。那位老人自称是弗雷维斯·曼特斯,即罗马占领下的英国某部分的首席治安法官。

他警告杜兰德及他的客人们,他们正在践踏属于西部皇帝马科斯·奥雷列斯的土地。对于杜兰德那一帮人来说,好像很显然,那老头儿有精神病,但他们仍要求他进一步解释。他告诉他们,有一种感觉,即罗马从未放弃对英国的所有权,而他仍是看守者,今日将有一次皇帝生日大游行和庆祝活动。

然后,贵族珀西瓦尔继续描述,令他惊奇的是,河道宽阔的水面好像退了回去,而那位奇怪的老头儿却变成了一名穿着华丽的罗马军官。杜兰德记载到他和他的朋友们然后看见一座宏大的罗马竞技场,竞技场里有一支如以前的目击者们所描述的队伍。最后,盛典再一次消失,那个奇怪的老来访者飘忽地进了树林,并慢慢地穿过树林，直到消失在他们的视线之外。瓦伦廷·代尔的《未解之谜》包含有一篇写得出色的、结构严谨的和经过彻底调查研究的关于洛克斯汉姆宽阔河道现象的记述。查尔斯·桑普森的《宽阔河道的魔鬼》写出了这种现象最可能被见到的详细日期：4月13日和16日，5月7日和21日，6月1日、4日和11日，8月5日、13日和19日，还有在9月和10月的各种各样的日子里，即在3月艾德斯日，（莎士比亚在《裘力斯·凯撒》中使这个日子出了名）和10月的诺恩斯日之间。根据古罗马记法，诺恩斯日被认为是在某些月份的第5日及其他月份的第7日。艾德斯日总是诺恩斯日的第八天后。

是由于时间差错吗？

有一种奇怪的经历，它很可能是一种时间差错，与来自洛克斯汉姆所报告的众多的经历相类似，它与来自于萨默塞特郡伊尔敏斯特的约翰和克丽斯廷·斯维恩以及他们的儿子有关。在汉普夏郡新森林的比留修道院附近，他们正驱车沿着一些僻静的小道前进，寻找野餐地点，这时候看到一个奇怪的、被雾笼罩的湖泊，湖中央有一块石头。在这大石头里，有一把剑，几乎与亚瑟王传奇中的那把完全一样，很自然，他们首先想到的是，它是亚瑟王的某种纪念物。尽管他们寻找了许多年，但一直未能再一次发现那个湖泊。

萨里郡的帕福德教堂是另一处好像发生了时间差错的地方。塔雷尔·克拉克夫人是有关的目击者，在一个星期天夜间，她正在去做晚祷的路上，这时候，那条现代的马路好像变成了乡间小道。她清晰地回忆道，一个着装好像中世纪农民的男人，礼貌地让到一边，让她过去。然后她发现，她的穿着好像一个尼姑。当这段经历结束时，她又回到自己的“正常”时间，好像什么事情都没有发生过。

帕福德教堂曾经与附近的一所修道院有关系,而且比大多数教堂幸运的是,它得以从亨利八世的劫掠中幸存下来。

在塔雷尔·克拉克夫人奇特经历的几周之后,她来到了帕福德教堂,在那儿,唱诗班正在演唱某种奇特的素歌。在他们唱歌的时候,她感到教堂本身在经历着像公路一样的奇特过程。尖头窗、土地面以及石头祭坛使它呈现了早期中世纪的面貌。她看到了一队身穿褐色长袍的僧侣们,他们唱着现代唱诗班几秒钟之前刚唱过的同一首素歌。在她来说,她好像当时不知怎的来到了教堂的后面,而不再参加歌唱了。奇怪的经历消失了(就像洛克斯汉姆现象对其目击者所呈现的那样),一切又都回到了20世纪的正常状态。

这些怪诞事件引起塔雷尔·克拉克夫人的好奇,她开始调查她村庄教堂的历史。就她所知,邻近的纽瓦克僧侣可能穿的是黑色服装,而不是褐色的。然而,记载显示,在1293年,来自威斯敏斯特修道院的身穿褐袍的僧侣被授权使用帕福德小教堂。

科林·艾灵和约翰·英格兰是热心而有经验的金属鉴别器使用者,他们特别奇怪的时间差错经历在1997年英国4频道的"福廷电视"节目中播出。在一个宁静的秋天晚上,他们正在一处2000英亩的乡村地上工作,开始时喝着茶,吃着快餐,然后,出发去探险。科林取了一个对角线路线穿过大地,而约翰则绕着边缘走。那是一个有重大发现的夜晚。科林找到了一枚裘力斯·凯撒时期的迪纳里厄斯银币,它属于共和时期,还有几枚罗马铜币,然后是另一枚迪纳里厄斯银币,是儒提列斯·弗来克斯时期的。他们还发现了几件古代制品,他们不能确认这东西的精确质地,还有一支罗马标枪的尖头,上面刻有"尼格尔"的名字。

紧接着,他俩听见了急驰的马声朝他们而来。为了安全起见,他们向相反的方向跑去,他俩听到了这些马正好经过他们刚才站着的地方。科林和约翰都清清楚楚地听到了奔驰的马声,但连个马影都没有见到。

他们不可思议地被这经历弄蒙了，并且怀疑他们是否还在开始搜寻的地方。他们把这个地方叫做“石头地”，这是因为有一堆石头堆在一个角落里。

真正使他们困惑的是，在他们前面四十米的地方，突然莫名其妙地出现了似乎是紧密捆扎的而又不能穿透的树篱，大约3米高。他们小心地靠近它，并靠着它的边，沿着它走了近100米，之后他们找到了回到自己汽车的路。

当曙光到来之时，他们去寻找马蹄印和那奇怪的防护树篱。没有马蹄印，没有防护篱笆。可是两个人都能清晰地辨认出他们自己的脚印，并且他们看到了不得不绕着障碍物走的他们的脚印，而这个障碍此时已消失了。

麦克·斯托克斯是什鲁斯伯里的尤利豪斯博物馆的考古专家。后来，他鉴别了科林和约翰在标枪尖头附近发现的制品，它们是罗马骑兵队的部分用具。约翰和科林听到罗马骑兵巡逻队离开他们的军事城堡了吗？“石头地”中神秘的障碍物是那个古代罗马防卫地的一部分吗？标枪尖头上的名字“尼格尔”是尼格勒斯的缩写吗？他是未被看见的穿越时间奔跑的罗马骑兵队的一员吗？

安妮·梅夫人，一位来自诺里奇的学校教师，正在与她丈夫在因弗内斯度假，他们在那儿研究着铜器时代的克拉瓦凯尔恩斯，这是一个由三个坟墓组成的小墓群。在他们结束旅行时，梅夫人在其中的一块石头上稍事休息，就在这里，她明显地经历了洛克斯汉姆和帕福德那样的时间差错。她看到有长长黑发的一组男人，穿着粗制的短袖宽大外袍和有丁形吊袜带的裤子。他们正拖着一块巨大的石头。就在这时候，一群旅游者进入这个地方，一切又都恢复了正常。

琼·福曼是《时间面具》一书的作者，这是一部有趣的研究时间差错的著作。实际上，在她参观德比郡海顿礼堂的时候，她自己亲身经历了一次时间差错。她看到四个孩子在礼堂大院的石阶上高兴地玩耍着。最大的是一个九或十岁的女孩,有着漂亮的披肩长发。她穿着一件稍绿的灰色丝绸套裙,裙上有一个引人注目的花边领子,带着一顶白色的荷兰式帽子。琼开始只能看见她的背影,可是时间差错经历快结束时,女孩转过身来,她的脸可清楚看见。她有着轮廓明显的面貌,一个宽下巴和一只上翘的鼻子。当研究者靠近这群人时,他们全都无影无踪了,好像几乎稍微动一下,琼便在漫不经心中关掉了使孩子们出现的奇怪的长期电流开关。

在礼堂内,为了找到她所见到的孩子们的肖像,特别是年龄最大的,有着明显结实的清晰脸庞的那个女孩照片,琼找寻了所有地方。她发现了一张照片。稍绿的灰色套裙是同样的,帽子也是,带花边的领子也是。这个女孩被认了出来,她是格雷斯·曼纳斯女士,她几个世纪前与海顿礼堂有关系。

一些所谓的时间差错和类似的"体外"经历是非常有戏剧性的,以至于它们几乎具有城市里神秘轶事的可疑特色,但是当其中的一件事情与文献资料名称和地点紧密联在一起时,其影响是巨大的。在英国萨福克郡,当我们正在给"罗埃斯托夫特科学和文学会"做题为"未解释的现象"讲演时,一个名叫 A·M·特纳的听众,给我们讲了有关他曾祖父的以下情况。

文献资料保存在罗埃斯托夫特学院的《水星人》杂志中,是1910 年仲夏学期的第 11 期,由弗拉德父子有限公司印刷,罗埃斯托夫特市出版社出版。由特纳先生的祖父撰写的文章刊登在 29页,题为《奇特的巧合》:

"无疑,几乎每个人在某种时候,都经历过一种感觉,即到过一处特别的地点,在同一位置,与相同的伴侣,说同样的话,而问题中的人以前也许从未到过那个地方的160 公里内……这名女士正在首次参观一座苏格兰房屋,当她驱车到那里时,周围环境好像很熟悉。当她到了那所房子时，这房子似乎更为熟悉，她甚至会准确地说出礼堂门里有什么，家具是如何放置的，然后，她突然意识到，这是一处她曾梦见过的地方。管家打开门，当他看到这位女士时，他真是吓坏了，有那么几分钟，他看起来几乎瘫了。这位女士看到了他害怕的样子，便问他是怎么回事。“没什么”，这位男子回答道，“只是，你是常到这所房子来的鬼女士。”

这篇杂志里的文章中所提到的那位女士是埃玛·特纳夫人，她是我们的朋友 A.M. 特纳的曾祖母。她于 1840 年至 1917 年间在世，在罗埃斯托夫特的圣玛格丽特教堂公墓还能看到她的坟墓。但是，她与苏格兰那所房子的奇怪的错觉经历，决不是她仅有的与超自然事件的接触。一天夜里，她醒来看见她的父亲，他是一位拖网渔船的船长，穿着滴水的油布雨衣，正站在她的床头儿。

他以一种阴沉的声音说着：“我的天哪，埃玛，我们完了！”然后退走并消失了。她唤醒了她的丈夫，他试图安慰她说，那仅是一场噩梦。然而，大约一天以后，她丈夫回到家，看起来十分严肃。没等他开口，埃玛说道：“我知道你要说什么，我父亲已经淹死了，是不是？”她丈夫点点头并把她搂在怀里，安慰她。

“在海峡中，他们被一艘大得多的船撞下去，恰好是在你叫醒我的时候。”他轻声地说道。在另一处场合，埃玛梦见她站在一些高大并且非常奇异的峭壁上。一层浓雾在峭壁下翻滚，在雾的上方，她能看见一艘大帆船的桅顶，直朝着峭壁和下面凹凸的岩石驶来。她大声叫着，并且看见船转舵离开，回到公海，恰在她醒来之前。她把这事告诉了她丈夫，详细描述了该岛及其特殊的峭壁。“我想我知道它可能在哪儿，”他说，接着，他们一起看了一些海洋地图和航海图。他快速地做了几个航行计算，他发现她的姐夫杰克·海灵斯，大概那时曾在这一地区。鉴于她以前的经历，他认真记下了她“梦”中的时间及杰克所在船的可能位置。

他们非常高兴地并如释重负地欢迎杰克再次如期安全回家。他的头一句话是:“我未曾想会再次见到你……”在他讲述他的故事之前,他们递给他埃玛在奇特的峭壁顶上不寻常的梦中经历的记录。

“因为大雾,我们有点儿偏离航道,”杰克解释道,“朝着峭壁下面的岩石驶去。我们没有想到离岩石如此近,直到我们听见一位妇女喊叫声。我们及时把船转过来,并驶向公海。”特纳家族的灵感天赋不仅限于埃玛。特纳先生本人曾做过一个奇怪的梦,在梦中,他发现自己身着海军制服,站在一处等候公共汽车的排队人群中。当被问到,他是否正等着到他的潜艇那儿去,他回答道,是的,他被告知太晚了,因为潜艇已经出航而未带他。这个梦是如此有力而逼真,他记得,梦里正在为被带上军事法庭而犯愁,他正在黑暗的大街上走着,考虑如何清除他的名字。正在他徘徊的时候,他遇到了同一个神秘的通告人,此时这个人告诉他,他非常幸运,他的潜艇沉没了,船上所有的人都已丧生。第二天,一艘潜艇以及艇上所有的人消失在泰晤士河口。

特纳先生和他的曾祖母那样的经历与洛克斯汉姆宽阔河段的目击者,克拉瓦·凯恩斯,海顿礼堂和帕福德的女士们遇到的事件之间有什么样的关联?如果个人知觉的某种非身体部分,可能瞬间实际跨越广阔空间距离,那么它也能跨越时间吗?当然,关于其跨越将来的问题是,将来几乎是广阔无边的,未被确定的,和多变的:充其量,所有能被造访的事物是一些未定型的代替现时的未来事物,平行的宇宙,或者可能性的痕迹。也许,这会解释一些未来情景得以被实现,而另外一些未被实现的原因。

或者是否有一种完全不同的解释——至少是对于重访过去情景而言?石头、金属、木头、土壤和岩石是否会吸收和记录它们周围,及内部发生的事情的动力振动,然后,当外部条件适合的时候,重现给敏感的人呢?

时间性质之谜

也许,最著名和最令人迷惑的时间差错是"拉蒙小姐和莫里森小姐"访问凡尔赛宫,她们在《一次探险》上这样称呼她们自己,尽管她们的真名是安妮·莫伯利和埃莉诺·卓丹。安妮是牛津圣修斯学院的院长;埃莉诺是威特福得一所女子学校的校长。在1901年8月,她们游历了凡尔赛宫,并且来到"玻璃长廊"进行了短暂休息。窗户都开着,夏季鲜花的花香吸引她们再次到外面探险,并朝凡尔赛皇家小别墅走去。这是一座小城堡,原来根据路易十五的命令修建的,由路易十六给了他的皇后玛丽·安托瓦内特。

在安妮和埃莉诺自己的记述中,她们顺着林中大道走了一段路程,然后到了大别墅,这个别墅由著名的"太阳国王"路易十四建造。离开这座建筑后,她们向左到了一个宽阔的长满草的大道。由于不认识路,她们横穿过这条道,顺着另一条小巷到了它的旁边。如果她们顺着长满草的道走下去,就会直达她们正在寻找的那座皇家小型别墅。

她们碰到的第一个真正奇怪的异常现象是,一位妇女向窗外抖动一块白布。安妮非常清晰地看到了这位妇女,她有些吃惊的是,埃莉诺没有停下来,问她去小别墅的方向。只是在这之后,安妮得知她未曾见到抖动白布的那位妇女。更令人不安的是,她甚至没有见到出现过那位妇女的带有窗户的建筑物。

直到这时,两位英国参观者都未发现完全怪诞或不正常的东西。当她们向右经过一些建筑物时,她们通过一扇开着的门瞥见了一座雕刻的楼梯。此刻在她们面前有三条路,她们选择了中间的那条路,她俩遇到了两位男子,据她们描述,他们正在使用一辆手推车和铲子干活。安妮和埃莉诺以为他们是园艺工人,但有些被他们不同寻常的服装所迷惑,他们身穿长长的灰绿色外套,头戴三角帽。这两位被认为是园艺工人的人向前指出道路,这两位朋友继续往前走。

从这时开始,她们俩开始莫明其妙地觉得沮丧了,尽管当时她俩谁都没有把这种感觉告诉对方。另一个非常奇怪的事情是景色自身的细微变化。她们把此描述为看起来像是二维平面的,犹如她们正在舞台上走着,周围都是油画的布景,而不是正常的立体三维的世界。

这些感觉越来越糟糕,当埃莉诺和安妮来到一个圆形花园中亭子的时候,这些感觉达到了最低点,在亭子里,一个相貌奇怪的男人正在休息。她们俩对他都本能地感到一种恐惧和厌恶,她俩没有从亭子过去,因为那条路线会使她们更接近他。

当跑动的脚步声在她们身后响起时,她们热切地转过身来,迎接可能出现的新来的人,但是她俩发现那儿根本没人。然而,安妮此刻看到另外一个人在她们附近,而此人以前没有在那儿。她们描述说,他看起来很高雅。他是一个高个儿男子,长着大大的黑眼睛和卷曲的黑发。他指给她们那所房子,但他的笑好像是不同寻常的。当她们回头感谢他为她们指路时,他却不见踪影了。

她们再次听见莫名其妙的跑步声,离她们非常近,但当她们寻找那个跑步的人时,她们没能看见任何人。

最后,在安妮来到那座小别墅后,她看见了一位妇女坐在草地上,看来在忙着画图。当她俩经过时,她似乎正好看到这两位英国参观者。后来,安妮详细描述了她:她穿着一件领口开得很底的套裙,有一个披肩三角巾围在领口,她有一头浓密的金发,头戴一顶白色的遮阳帽。当她和埃莉诺走上阳台的时候,安妮觉得她好像正在睡眠中行走,或在一种恍惚的、不连贯的梦一般的状态中移动。当她再次看到那位妇女时,是从后边看。她感到高兴的是,她的同伴没有停下来问路。然而这次,又是安妮自己一人看到了戴白色遮阳帽的那位妇女,埃莉诺根本就没看到她。

她们俩遇到的另一个人,并且是她俩都清楚地看到并且听到的人,是一位年轻的男仆,他问她们是否愿意让他给她们引路。不一会儿,一群喧闹的参加婚礼的客人们出现了,埃莉诺和安妮觉得她们莫名其妙的沮丧消失了。

她们俩每人都分别写了那天她们曾看到和听到的非常详细的记录:她们的经历是不一样。埃莉诺被整个事件所迷住,她于1902年1月进行了第二次参观,当时,那地方的几样事情再度显出好像有奇怪的、虚幻的,几乎是鬼一般的性质,但是详情有点儿怪诞。

对安妮和埃莉诺奇特经历的长期研究,以及《一次冒险》一书出版后的尖刻争论,从未最后解决在凡尔赛发生在她们身上的问题。折衷地说,她们经历了一次真正的时间差错,使得她们能看见和听到过去一个世纪前的事件,这是很可能的。

从洛克斯汉姆宽阔河段、罗埃斯托夫特、萨里郡、德比、银沃内斯、巴黎郊区,以及几百处其他地方,时间差错的证据持续地增长着。

事情可能还没被证实,但是时间的奇特性质及它所表现出的非规律性甚至倒转的可能性,像是在证实,它像看起来稳定的地壳一样,易遭受弯曲、裂隙和不可预测的活动。到下一个千年末,时间震动会像今天地震那样被彻底地弄明白。

富有想象力,无畏的辩论家詹姆斯·金斯爵士早在1930年就写了《神秘的宇宙》,这似乎是不可能的。与爱因斯坦和霍金齐名的金斯爵士,把时间之谜描述为我们对整个宇宙理解的中心事物,以及人类在其中的地位。正像金斯所正确争论的那样,如果决定论和因果论,不像大肆得到吹嘘的“梅德人与波斯人的法律”那样不可改变,如果它们不像嵌在石板中的金色文字那样传给我们,那么为什么事情会照样发生?

用他自己的话说:

“如果我们及大自然,不以特定的方式对外部刺激产生反映,那么是什么决定事件的进程……对于这些问题我们不能得出任何确切结论,直到我们对时间的真正性质有一个更好的理解……是时间性质之谜把我们的思考带到了一种停滞状态。”

□ 奇怪的“调皮鬼”现象

我们把那些故意跟我们捣乱的人称为“调皮鬼”,然而如果捣乱的“调皮鬼”并不存在或者你看不见它,你会怎么想呢?

警察也无能为力

美国俄亥俄州哥伦布市的一个 8 口之家,在 1984 年 3 月 3 日晚上,家里出现了混乱。画框自行从钩子上脱落下来,把一套珍贵的烟具砸得粉碎;座椅离开了原位,睡椅翻了个底朝天。这家的父亲约翰不知所措地喊来了警察。

两位警官看了现场后说:“你们的确需要帮助,但我们无能为力。”

约翰仔细回想,觉得自己 14 岁的养女伊娜·丽施似乎与家里发生的这些事有关;当伊娜外出时,家里也就会安静下来了。

伊娜的养母琼·丽施把《哥伦布快报》的专栏作家米克·哈顿找到家中,希望哈顿能提供求助的线索。哈顿对琼说:“我不相信超自然的事情。”这时,却见一大怀咖啡从桌子上滑行下来,洒在伊娜的裙摆上,一本杂志随后也从桌子上飞落在地。哈顿吃惊地张大嘴巴。他赶忙打电话给报社摄影师弗雷德·希诺。

希诺带着摄影机匆匆赶到现场,他刚好看见一只长沙发正在向坐在椅子扶手上的伊娜移动;当伊娜转向沙发时,一张阿富汗小地毯忽地离地飞来罩在她的头上。希诺拍下了这个场面。接着,希诺又看见一只纸箱从距伊娜约1米远的地方飞起来,穿过了房间。

一只白色的电话,好像着了魔般地一次又一次地朝伊娜冲去。希诺设法拍下了一张电话听筒飞过伊娜身体的照片,这张著名的照片在全世界许多家报纸上发表过。

以科学家威廉·鲁尔为首的北卡罗来纳州物理研究基金会一行数人,专程来到琼·丽施家中进行调查。鲁尔和一位助手与琼全家共同生活了一个星期。鲁尔时刻密切观察着伊娜。

物体似乎仍在自行移动。当一幅画摔落在地板上时,鲁尔钉了一颗钉子准备把画重新挂上,伊娜就站在他身旁。当鲁尔的目光离开伊娜时,衣柜上的录音机自行挪动掉在地上,并滑动到对面墙壁前才停下。他放在地上的锤子也移动了,撞到墙根处。两样物品分别移动2.7米和1.5米。

威廉·鲁尔的调查工作还未结束时,伊娜骑着借来的摩托车撞断了腿。她的腿在哥伦布医院重新接上,又回到家中,从此,这个8口之家结束了家中的混乱,一直平安无事。

公寓中的奇事

在德国中部城市法兰克福有一幢普通公寓,两对青年男女卡尔和索菲、玛塔和埃尔维纳结伴住在这里。1983年的一天晚上,房间里播放着新买来的唱片《请把手放在我肩上》,4个青年正在兴致勃勃地欣赏着,忽然桌子上的杯子疯狂的转动起来,像是跳舞。当天夜里,他们的房间里又出现了令人毛骨悚然的声音,家具在动,特别是扶手椅不停地来回移动,厨房台子上的杯子摔到了地上,甚至无形中卡尔和索菲的衣服落进了玛塔和埃尔维纳的房间中,但随后又平静下来了。

1985年初,他们的房间里突然响起了一个男人说话的声音。这来历不明的声音还能同他们对话,有时还会无情地揭露他们的隐私。这使4位年青年深感不安和恐惧。无奈,他们请来了国内著名的心理学家、医学博士、"波尔代热斯"现象研究专家汉斯·本德教授,向他求救。

汉斯教授马上带了自己的科研小组成员在现场展开调查。迎候他们的是无端出自天花板的各种落物,什么面包、书籍、烟灰缸、手绢,甚至还有餐具、菜刀等等。汉斯边躲避着边喊着:"快停下来,够了!"房间里旁观的4位青人都笑了,根本没有人在乱扔东西。

当汉斯疑惑地仰望天花板想看到什么时,天花板上却传来问候的声音:"晚上好,汉斯教授!承蒙光临,不胜感激!"

汉斯教授顺口应道:"没什么,晚上好!"他接着追问对方:"你是谁?"

天花板上的声音说:"这与您无关!?"

当现场录音机录下这段对话后,天花板上又无端冒出好多东西朝汉斯身上砸来,教授只好领着助手们退离了此地。

2天后,汉斯·本德教授邀请4位青年中的卡尔来到自己的房间。当卡尔静坐在那里时,屋内一只笨重而巨大的老式衣柜突然自行移动起来,并向前倒下摔得粉碎。

后来,经汉斯教授对公寓中的4位青年施行催眠术,并予以"一切都会恢复正常"的暗示,结果使他们的生活重新走向了平静。

谁在骚扰塞伦一家

塞伦是法国的一名技术设计师和画家,他的妻子吉玛是一位西班牙女郎。他们夫妇还有一个小男孩。一家人住在米卢斯的一套公寓中。从1978年起,“波尔代热斯”现象闹得这个和谐的家庭不得安宁。

最先,家中的东西总是不翼而飞:衣裤、帽子、鞋子等。这些东西就像同主人玩游戏似的,有时消失了,隔一会儿又回来,有时一去不复返。一次吉玛的眼镜不见了,1个月后它竟出现在卧室的吊灯上。他们家里的书经常颠来倒去地移位。夜里还常常听见婴儿哭声和动物叫声;但打开灯,却又没声了。家里的大门,即使上了锁也能自动打开。

半夜里,吉玛常感到有谁对她拳打脚踢,连续3天晚上觉得有一双冰冷的手在掐她的脖子。她挣扎着反抗,开灯后并无人,可脖子上留有明显的伤痕。一天晚上,吉玛突然感到被谁猛推到地上,睡床也猛地移向前去,枕头也不知被抽到哪去了。

吉玛的小儿子在一天夜里,听见百叶窗上发出声响,第2天早晨他意外地发现在窗台上有许多玩具。他还常在半夜里感到有一个小朋友跟着爸爸来看自己,还不住地摸他的头和脸。

没完没了的不明骚扰使塞伦夫妇被迫决定搬家。在他们尚未动身的日子里,怪事更多了。一天中午,厨房里的一只罐头突然飞起砸到吉玛的头上,顿时鲜血直流。放在桌子上的吉他,也会自动奏响。一次,吉玛看见有不明影像出现在楼梯口,她勇敢地迎上去,穿过了那个影像,立时感到穿越了一种不坚实的冷冰冰的东西。影像随即消失了。

围绕吉玛出现的这起案例,受到了法国物理学家雅魁博士和德国学者本德教授的重视。两位研究者在塞伦家中安装了一部高精度雷达和一台超灵敏度的16毫米摄影机。一天夜间,塞伦夫妇被阵阵爆炸声惊醒,可转动的录音机竟没录下这种声响,只是留下了闹钟的滴答声和夫妇俩的呼吸声。

又一天夜里,录音机果真录下了“波尔代热斯”的异常音响;可到中午,声音又从磁带上神秘消失,晚上录音机又坏了。3天后录音机恢复了正常运转,磁带却又失去了踪影。

通过调查,雅魁博士和本德教授认为问题出在吉玛本人身上。有力的证明是,当她回娘家时,母亲家的电器全都失灵了;她一离开,又一切恢复正常。吉玛带来了自我相扰的种种怪现象,这是科学家的基本估计。

神奇的“制动者”

科学研究的初步结果表明,凡出现“波尔代热斯”现象时,大多有一位起引发作用的中心人物在场,这样的人可称“制动者”。

居住在美国纽约的詹姆斯·赫尔曼夫妇,截至1958年统计,就发生过67起“调皮鬼”事件。诸如瓶盖无端无故飞起。架子上的东西自行掉落,盆子莫名其妙地滚到地板上等等。有趣的是,大部分事件发生的时候,都有他们的孩子小詹姆斯在场或是他醒着。

1960年,苏格兰也发生数起“调皮鬼”事件,这些事件的焦点集中在一个名叫弗吉尼亚·坎普贝尔的8岁小姑娘身上。她寄居在哥哥家里。一天她正与哥嫂一块喝茶,突然靠墙放立的碗柜离开了墙移动了13厘米,然后又移了回去。在学校里,她所在教室的门无故地自动开启,她的课桌盖子无故地自动掀起,这些现象并非稀罕。

1967年,在迈阿密的一家批发店,也发生了“调皮鬼”事件,焦点集中在一个19岁的古巴籍青年米利欧身上。大多事件都发生在他在场的时候,他离开后又依然如故。

颇富有戏剧性的一例发生在肯塔基,中心人物是罗杰·卡林罕,当时采访者罗尔在场。卡林罕走进厨房,身子转向罗尔的时候,餐桌突然自己跳起来,在空中大约旋转了45°,然后落在旁边的一把椅子背上。

1967年,在德国的罗森梅因城的一家法律事务所里,出现了一系列"调皮鬼"现象。电灯泡自行从灯座上卸下来,自动保险丝无缘无故地自动烧毁,电话无端出现故障。虽然法律事务所的对外联系因此几乎全部中断,但电话自动记账单上费用仍高到惊人的程度。

为了查清原因,该城电话局里安置了一台自动计算机,它把由法律事务所拨出的每次电话的号码、时间和长度都记录下来,监测表明,法律事务所的电话对0119这个号码做了无数次呼叫。为什么会出现这种奇异现象?两位慕尼黑等离子物理学院的物理学家F·夏格和G·齐查被请来进行检查。他们经过认真的研究,认为这种现象无法在物理学中得到解释,它们是由非定期的、短时的、受智力控制的力量所导致的结果;电话的呼叫必定是由这样一种无名力量从电话盒内的转换器上拨出去的。

在确定了这一事件的性质之后,反常现象更为加剧了。有关研究人员认定法律事务所中一位叫安妮玛丽的职员是这些现象的中心人物。

每天早晨,当这位19岁的女职员跨入事务所门槛之际,有关监测仪器便开始出现偏差。当她走进大厅时,电灯泡就会大幅度晃动乃至爆炸,天花板上的吊灯也在摇荡。在她的办公室内,一个重200千克的文件柜从墙边移动开了,文件被从抽屉中自行挪动,墙上的画自动摇摆或旋转。调查人员已成功地拍摄下这种旋转。

不久,安妮玛丽被调离了这家法律事务所。自她走后,一切重归安宁。然而,"安妮玛丽制动"效应却成为"波尔代热斯"现象中的典型例证。

来历不明的东西

在英国伦敦郊区的恩菲尔德,人们见到的怪现象十分玄奥:玻璃状的大理石飞进封闭的屋内;它们的飞行是可视的,但只限于在屋子里。至于它们如何从外边飞来,又如何穿透关闭的窗户且不留痕迹,这实在是个谜。英国的研究者们认为,这些做远距传物运动的大理石,可能是先被无形地传送到窗户上,然后射进屋内的线性力量使它们显示出来。

"波尔代热斯"现象中的这种无踪迹的穿透性,早在1906年3月就有人领教过。荷兰探险家库罗汀笛卡一次在苏门答腊岛过夜时,半夜被物体落地的声音所惊醒,他起床一看发现地上有从未见过的一颗黑色石子。过了一会儿,随着吧的一声,又落地一颗。如此落个不停,而且石子是随着落地的响声来显示它的出现的。库罗汀笛卡不相信黑石子能穿过棕榈铺就的厚厚的屋顶落进来。他以为有人在捣乱,就举起来福枪漫无目标地射击,然而黑石子仍在吧、吧落地。天亮后,库罗汀笛卡仔仔细细地察看了屋顶的里里外外,毫无石子穿透的痕迹。可到了晚上,来历不明的黑石子又落在了屋内的地上。

在巴西接近巴拉圭的国境附近,有一座以"波尔代热斯"现象闻名远近的邦台普兰村。在这里,屋内物体瞬间会自行移动,过后房间就像被台风吹过般凌乱。在林中的小丘上有两幢房屋,这家主人大小5口同住一处。

一次,突然周围石头接二连三地乱飞,甚至连吉普车那么重的物体也飞了起来。它们飞似地弹起,然后撞向50米外的仓库,将墙壁撞出一个洞。不仅如此,这家人还经常在屋内受到石头的袭击。一次全家正在吃饭,又听到石头飞来击中桌子、碗柜。幸好人没事,过后屋里出现了一大堆石头,墙壁被击出许多小洞。最奇怪的是,没人能看见石头在空中飞动的情景,只是听到声音,石头就已落地。

有一支调查队来拍摄这里的情况,晚上在屋内歇息时,一位圣保罗的记者觉得有东西掉在脸边,仔细一看竟是糖果,包着红、黄等各色纸的糖果散落了一地,可天花板上根本没有什么东西。记者将糖果收进密封罐中,第二天却发现里面的糖果都变成同样的颜色了。

摄影队无法拍摄到怪异现象的发生过程,只能拍到结果情形,工作人员只好耐心地守候下去。突然,有人惊呼一声:“出现了!”大家顺着他的手指向屋梁上一看,原来梁上出现了一瓶威士忌和酒杯,还有一罐饮料,整齐地排成一列。一直静候在这里的人们全都呆住了,一时说不出话来。这些东西是从哪儿来的呢?

巴西的这个小村已成了科学家研究的一个目标,但谁也无法了解怪异现象的具体经过。

□ 燃烧的人体

他们找到了约翰·厄文·本特雷医生所剩下的躯体,就在他位于宾西法尼亚的家的厕所旁边。

剩下的东西不多。没有完整的躯干,他的四肢或者腿也看不见。没有衣服,也没有个人财物。所剩下的一切就是一个头骨,靠在水管上面,还有那棕黄色的,焦炭一样的一只脚,就在一个洞的旁边,那个洞已经给烧得直透地板,到了下面的地窖口。

横在那个洞口上的,是这位 92 岁的病残者行走用的支架,医生挣扎着想逃脱已经包围着他的死亡的时候,很不幸没有成功,那个架子已经在一个非常奇怪的角度倒了下去。使赶来清除场地的救火员感到万分惊奇的事情是,虽然本特雷的身体烧得如此厉害,整个身体烧得只剩下已经落到地下室的一英寸的圆锥形乌黑的灰堆,可是,那个行走用的支架的橡胶盖却还没有开始熔化。

什么样的火苗能够使本特雷的身体变成一堆余烬——要烧成这个样子,需要在焚化炉里用600度的火烧九十多分钟——而没有让他的家着火?为什么剩下的脚又没有烧到?那些消防员围在地板的洞边上,发现自己非得考虑一个不太常见的可能性:人体自燃。

自燃现象自18世纪中期即已得到确认,当时,一位年老的意大利伯爵夫人柯伦妮亚·班迪有天早晨在床上被人发现。她的身体已经减少得只剩下“一堆灰,两条腿从脚到膝盖一动未动,还穿着袜子;腿之间是她的头骨,其中的大脑、头骨的后半边,以及整个下巴,都烧成了灰,在里面又找到三根烧黑了的手指。其他的全都是灰,那些灰看起来十分特别,抓起来之后,它们会沾在手上,是一种油乎乎的、有臭味的潮湿的东西。”

在18和19世纪,自燃一般被认为是专门发生在一些年老的嗜酒者身上的事情,一般假定,过量的酒精摄入会使人体进入某种有可能燃烧的状态。到20世纪,这种解释已经被否定了,有人曾说过,一些很年轻的人也以同样奇怪的方式死掉了,可是,没有令人信服的解释来说明,到底是什么引起这种奇怪的现象的。

研究过自燃现象的人都同意,有很多种特别的迹象可以标志这样的灾祸来临。在几乎所有的自燃案件中,尸体都几乎完全销毁,但又没有完全销毁。最极端的情况——通常是脚,有时候是手——是那些一动不动的部分留了下来。更少见一些的情况是,骨头一般都是普通的火烧不透的,可在这种情况下也都烧成了灰。烤过的人肉有一种特别的香味,可在这种情况下也令人奇怪地没有了,动脉和静脉里的每一滴血都给蒸发掉了。在少见的情况下,发现的时候残渣仍然在冒火的时候,那种火一般所见为一种特别的电蓝色的火苗。最后,尸体的燃烧对周围的一切好像没有什么损害,这是令人惊奇的。

最后那一点,也许就是最反常的。在 1888 年 2 月,一位叫麦肯齐·布斯的医生接到一个电话,要他赶到阿伯丁市的宪法大街的一个干草仓去,他在那里发现了一位 65 岁的退伍士兵的残体倒在地上。整个身体都已经烧毁得差不多了,按布斯的说法,"两只手和右脚已经烧脱开,穿过地板掉在底下的马房里了,而那张脸上的轮廓只剩下一堆油乎乎的溶渣维持着脸的形状"——可是,烧死那位老人并且烧透了地板的大火,却没有点着堆在他身边的极干燥的草。

总起来说,纪录在案的也许有三百例人体自燃报告。最知名的一例发生在 1951 年夏天,当时,玛丽·瑞塞尔,一个 67 岁的老妪,在她佛罗里达的寓所里被烧死了。她死的那个房间展现出所有人体自燃(SHC)的典型性。到处都有油乎乎的黑灰,可是室内装置和摆设品却没有任何损坏。一把安乐椅、一张餐桌、还有一个灯罩在火中毁掉了,可是,警方报告提到,灯的塑料开关、棉床单和甚至放在墙边的一堆纸都一动未动,没有烧着。剩下的灰烬和残体拿到病理学者那里去的时候,44 公斤重的这位妇女,其残体仅重不到 5 公斤。

重要的是要注意到,对于看上去像是因为人体自燃而致死的死亡现象,是存在一项令人信服的科学解释的。这就是以"蜡烛效应"闻名的现象——意思是说,穿着衣服的人体很像反过来的蜡烛。衣服就是蜡烛芯,一旦遇上火,火就会点着熔化的人体脂肪,慢慢地使人体变得只剩下骨头。引火的来源一般假定是掉在地上的火柴,或者是一根点着的烟,在另外一些情况下,受害人往往会有痉挛发生,或者心脏病发作,从而面朝下扑倒在火炉里。一些装饰品,比如床单和椅子会使火的强度增大。

自燃现象当中的很多细节,的确赞同蜡烛效应说,年岁大的人,或者喜欢醉酒的人不像身体灵活的人更容易注意到并及时扑灭火苗,另外,他们额外的体重实际上也可能会使火苗更加旺起来。而腿和脚好像对自燃现象不太敏感,这虽然有些奇怪,但我们知道,热和火苗都是往上升的。

乔·莱克尔是非政党事件科学调查委员会的成员,他曾提出,本特雷医生遇火而亡的原因,就是蜡烛效应的一个典型例子。他指出,本特雷身体很弱,又“有乱扔火柴,和把烟斗中仍然在燃烧的烟灰弹到长袍里的习惯,以前曾看到过他的外衣上有烧糊的痕迹。他白天穿的衣服里还经常装有木制火柴——这种情形有可能会使一点余烬变成一场致命的大火。”

莱克尔相信,本特雷醒来发现自己的衣服烧着了,因此就跌跌撞撞地往浴室跑,想把火苗扑灭——在厕所的抽水马桶里,人们找到一个打破的水罐。“他一倒在地上,燃烧的衣服就点着了会燃烧的油地毡,底下铺的是硬木地板和木制横梁——那可是火葬用的柴堆啊,”他说,“来自地下室的冷风会在所谓的‘烟囱效应’中往上抽,从而使火苗炽烈地燃烧。”类似的命运有可能向玛丽·瑞塞尔问过好:“最后一次看到她的时候,她正坐在一把大椅子里,穿着易燃的夜礼服,还在抽着烟——此前还吞了两粒安眠丸,并说准备再吞两粒。”

某些明显的自燃案件涉及的,是一些残体躺在地上,头朝着壁炉的人,这一点当然是真实的。他们的身体大部分被火苗吞光了,只剩下极远的一些部位没有烧着。而且一旦承认,人体自燃的准确的症状可以在自然状态下复制出来,那么,由相信这种现象的人提出来的最重要的一个论点,即,人体不可能简单地在普通的家庭里面如此完全彻底地毁掉,就可以推翻了。

不过,接受蜡烛效应,认为它是对该神秘现象完全的答案,还有一些困难。最主要的问题在于,一般需要好几个小时,也许八到十二个小时才能使一个人体以这种方式烧成灰。因此,像玛丽·瑞塞尔和约翰·本特雷这样的案件,蜡烛效应并不是一个令人满意的答案。他们的残体是在清晨发现的，至少是在八个小时后他们才被看见的。不过，拉里·阿诺尔德这位宾西法尼亚的研究者，他花数年时间研究过人体自燃现象，最近发现了一个案子，案中，一位中年妇女在不到二十分钟内完全销毁，也许在更短的六分钟内。

这个案子开始的时候，阿诺尔德得到允许，参加了只允许消防人员参加的纵火检测培训班。该讲座完毕后，讲课的人让他看了几张极惊人的炭化尸体照片，都是被大火烧成那个样子的。只有腿下面的张开的部位没有烧着，仍然是一种很可怕的自然的姿态。

阿诺德花了八个月的时间进行侦察工作，一直追踪这些照片的来源——宾西法尼亚的德雷克塞尔希尔小镇和51岁的海伦·康威以前的家。他在照片里看到的就是康威的腿，她的身体因为炽烈的大火而烧得只剩下冒烟的焦炭，就堆在一个烧得焦糊的扶手椅里。"她的小腿一点也没有烧着，这很合理，"有人对阿诺尔德这样说，"不过，表皮已经给扯掉了，并在别的一些地方冒着泡。上腿的皮下组织已经裂开，其他的解剖学情况就只剩下烧黑的一大堆熔在一起的组织，几乎看不出是人类身上的东西。"

调查很快显示，康威的孙女曾替她拿过火柴，三分钟后回来时，就发现她已经被火苗所包围。救火队接到电话后，花了同样的时间就赶到并扑灭了火。康威已经走掉了，她一边抽着烟，一边就坐在烧黑的扶手椅上，在一会儿的工夫里就化作了一股青烟。

莱克尔注意到这样一个事实，火开始烧起来的时候，受害人当时在抽烟，并表明，不正常的快速燃烧之所以发生，是因为"火有可能是从坐着的身体的底部开始的，因此而直接向上烧起来，又因为身体躯干里面的油脂而加大火苗，因此而成为更大的一场火，这跟油脂火苗没有什么两样，做过饭的人都明白这一点。"的确，康威的死非常之突然，阿诺尔德相信，它有可能完全不是人体自燃案件。"依我的观点来看，"他写道，"海伦·康威有可能是在不到360秒的时间内，因为更少见的一种人体变形形式而烧死，那就是人体自爆。”

不管哪一种是正确的,阿诺尔德或者是莱克尔,人们还需要更多的证据才能肯定地说,这种可怕之谜的谜底是什么。

□ 不可思议的异食者

毒蛇、蜈蚣、蟾蜍、稻草、石砂、泥土、煤炭、汽油、书本、衣服、玻璃……这些都可以列入异食者的“食谱”中。

英国26岁的青年詹姆斯,因在计程车排班处闹事被捕,送进了西约克郡警察局的一所监狱。但在审讯时,他却穿了一套警察制服出庭。原来,詹姆斯有一种怪癖,对衣物胃口特佳。他在狱中吃光身上的所有衣物,包括衬衫、长裤、内裤、袜子甚至鞋。他出庭时穿的警察制服,是辩护律师临时给他找到的。

美国华盛顿州40岁的妇女艾玛也喜欢以衣服为食。她说:“我看到美丽的衣服时,往往会流口水。尤其看到较厚的外套时,很想拿到嘴里咀嚼。然而,最使我垂涎的是丈夫的衣服。”据她说,丈夫的衣服最合她的胃口。她丈夫对衣服常丢失感到奇怪,后来才知道被妻子吃掉了。

这类事情从“食癖”的角度来看不难理解,因为胃的容纳与消化能力毕竟是相当强的。16世纪时,英国有位吃书的妇女,开始每天吃1本,后来索性把书当饭吃。医生曾让她禁吃“书餐”3天,她竟苦熬不过,百病丛生。到了第4天继续吃书,便又精神焕发。丈夫和子女为她四处选购“书食”。她吃的书,首先要干净,而且最好是新书。这位“食书癖”患者在当地被称做“把书店吃进肚子里的人”。

真正令人不可思议的是,那些看来根本不可能为胃所接纳的东西,在有些人那里却被身体完好地吸收,而无任何中毒或受损迹象。

南非青年萨尔门素以生吞毒蛇驰名于世。他说:“我捉到毒蛇后用木棍把它打晕,才容易吞到肚子里,但不久毒蛇会苏醒过来,在肚里乱撞,我心里感到非常舒服。”其胃何其异然。

摩洛哥有个20岁的青年阿蒂·阿巴德拉,他每天要吃掉3个玻璃杯。他说,咀嚼玻璃杯就像咬脆苹果一样爽快。从14岁起,阿蒂已吃掉了8000个玻璃杯。好奇的人们能以观看他吃“玻璃杯餐”为乐事。吃玻璃杯并非这位摩洛哥青年生来俱有的能力。当他14岁时的一天午夜,从睡梦中醒来,一股咬嚼硬物的感觉促使他抓起床沿的玻璃杯便使劲地咬,并将裂片咯咯地嚼成碎片。从此玻璃杯成了阿蒂每日必备的特殊“食品”。摩洛哥伊朗中心的医生从阿蒂的X光片中检查不出任何结果,他的口腔、胃肠都没有损伤的痕迹,也找不到玻璃的碎末。医生说,这是医学常理无法解释的奇异现象。

印度的库卡尼吞食日光灯管时,就像品尝甘蔗一样津津有味。他经常为观众表演这种“进餐”,观众常自费买来日光灯管供他咽食。只见他敲去灯管两端的金属接头,抱着玻璃管子,狼吞虎咽地吃了起来,仿佛他不是在吃玻璃管,而是在吃甜脆可口的甘蔗。他一面咀嚼一面翘起大拇指,啧啧称赞:“好吃,好吃!”“进餐”表演结束,还让观众检查口腔,他的嘴唇、舌头、牙床乃至咽喉都无出血或破伤,实在令人惊奇。医学专家曾用各种仪器和最新技术,对库卡尼进行过全面的细致的检查,没有发现任何与众不同之处。

法国的洛蒂图能吞下铁钉、刀片、螺栓。先前他也是喜好吃玻璃。依他的习惯,吞吃硬物时,需伴以开水“助膳”;由于吞吃金属比玻璃所需开水少,使他对“金属餐”产生了偏爱。在一次记者招待会上,洛蒂图当众吃下一份夹有刀片、铁钉、硬壳果等馅料的三明治。会后,记者们立刻要求洛蒂图到就近医院检查,X光师指着当时拍下的洛蒂图的X片表示,他的胃里有一大堆金属。洛蒂图甚至还用6天时间，吃掉了被解体的电视机。医生说，洛蒂图的胃、肠、喉部壁膜看来特别厚。这位法国异食者已提出他死后将献出身体供科学研究。

如果说吞食毒蛇在于人体异常的解毒能力，吞食玻璃、金属在于人体异常的消化能力，那么不需要饮食而只喝进棉油或汽油的人，他们的生理特殊性又该做何等论呢？

法国水手华安列克已年过60，他此生虽无异食之好，但以从不喝一滴水而出名。有人不相信，邀他去非洲撒哈拉沙漠旅行，那人用5只骆驼带足了水，走了20天，华安列克滴水未进，一路上还大嚼饼干。看到这位长得又壮又胖的水手，谁也不会相信他是不喝水的人。

□ 小人国与巨人族

很久以前，在美洲落基山脉和安第斯山脉居住的印第安人中，就流传着种种关于“小人国”的传说。传说中的小人国的人身高不过几十厘米，眼睛却长得特别大，他们个个强悍不羁，力大无比。后来，突然有一天，天降神火于落基山峰，一场漫天大火把落基山全烧得光秃秃的。从此，小人国灭绝了。

这些神乎其神的传说，一代又一代地流传着，谁也无法考证它的真伪。

但是，1934年，有关小人国的问题突然又掀起了一场轩然大波。这年的一个假日，两位采金者乘坐小汽车从美国阿拉斯加州直向落基山脉的波得罗山驶去。他们到达目的地后，就在一处山坡上钻好了炮眼，安放好炸药。随着一声沉闷的爆炸声，山石被炸得四处飞散。等硝烟消散以后，两个采金者兴高采烈地在炸出的山石中寻找起黄金来。突然，他们被眼前的景象惊住了：只见刚被炸开的山坡上，露出一个黑黝黝的大山洞，洞口撑着几根石头支柱，冷气森森，令人十分惧怕。他俩大着胆子，打开手电往洞里照，发现里面有一张石凳，凳子上坐着一个似人非人的怪物，正睁着一双可怕的眼睛瞪着他俩！“这难道就是巨眼小人？”他们不禁胆战心惊，慌忙掉头就跑。

跑了一段路后，他们发现这位“巨眼小人”并没有追上来。于是又定上神来，壮着胆子回到山洞内，想看个究竟。当他们打亮手电走近一看，才看清坐在石凳上的那个“小怪人”，原来是一具干枯的尸体。

这具小干尸究竟是怎么一回事呢？是不是同印第安人传说中的“小人国”有关呢？消息不胫而走，震动了科学界。

很快，在美国卡斯珀布医院，一批科学家对采金人送来的那具干尸进行了一系列科学鉴别。最后得出结论：这是一具男性小人尸体，身高 48 厘米，肤色铜黄，椎骨及肢骨与一般人相同，眼睛比正常人要大，死时大约 60 多岁。从牙齿结构看，表明他生前喜好捕食肉类动物。这与古代印第安人的传说十分吻合。

这一结果更引起了研究小人国的热潮。一时间，不少科学家不辞劳苦，纷纷到落基山脉一带实地考察，竭力从那里找出更多有关小人国存在的事实。然而，很长一段时间都拿不到强有力的证据。

直到 20 世纪 50 年代，联合国教科文组织派遣了几位山地学家对安第斯山脉一带进行了比较全面的考察。这一次，他们获得了惊人的成果。有一天，科学家们在一个被丛林掩盖的山岩上，意外地发现了好几个三四十厘米高的龛式洞穴。每个洞穴里的洞壁上都雕刻着许多精美的图案，每个洞都有一面洞壁上挖着几个小洞，小洞里赫然摆着一个像人头颅的东西。科学家们通过对洞穴内外的认真勘测，并对像人头颅的东西进行了生理切片分析。最后，他们断言小人国在人类发展史上确实存在过。

然而，也有科学家认为，干尸和头颅虽然类似传说中的小人国人，但不能肯定是他们的遗体，还是印第安希洛族不同身份的人死后被药剂浸泡的结果。

尽管对人类历史上的小人国的存在还有争论，但当今世界上的小矮人族还是存在的，那就是俾格米人。他们是非洲土著，生活在非洲中部扎伊尔东北部依多利地区，自称为“森林之子”。这个矮人部落约有 5 万人口，平均身高为 1.4 米。他们的肤色为深棕色，头发垂直，皮肤不如一般黑人那样黑而头发卷曲。他们至今仍过着原始的游牧生活，以采集蘑菇、坚果、莓子和捕捉野兽为生。另外，在孟加拉湾东海上的安达曼群岛，也居住着一个古老奇特与世隔绝的矮小民族，目前只有 500 余人，分属于四个部落，居住在海峡岛、小安达曼岛、中贺南安达曼岛西部的热带丛林及北森庭岛上。这些人皮肤颜色像黑炭或稍带微红茶色，头发黑短而卷曲。有些学者认为，这个民族与非洲的俾格米是同类人种，同属世界上最矮小的人种。如果真是这样，那么远古时代他们是怎样从遥远的非洲来到亚洲的呢？这些现代的矮小人种同古代传说的小人国有什么联系？小人国果真存在过的话，他们是怎样消失的？有没有留下进化的后代呢？时至今日，这些问题仍然笼罩在一片迷雾中。

如果小人国确实存在的话，那么巨人族的传说，同样也有可能是真的。

在古希腊神话中，有一个叫“泰坦”的巨人神，他一直忠心耿耿侍奉司时神克罗诺斯。后来，司时神背叛了奥林匹斯山的神灵，遭到惩罚，因而泰坦也被投入了地狱。许多年过去了，由于惧怕宙斯这位全能神，他只好躲到远离人世的地方去了。

神话中的巨人有多高没有明确记述，但在各国流传的神话故事中有着记载。《旧约全书》所说的亚当高达 40 米，夏娃为 35 米；《诺亚方舟》中讲的诺亚身高是 31 米，摩西为 3 米多高，摩西与《山海经》中所说的盘古一样，算是最矮的了。

16世纪，法国作家拉伯雷曾写过一部叫《巨人传》的小说，专门描写了一个巨人的种种奇特经历和遭遇。书中的那个巨人名叫高康大，身躯高大，光一个下巴颏就有18层楼高。他食量惊人，每天要喝17000多头牛的奶；一件衬衣要用1700多米布，一双鞋底得用1100多张牛皮；他戴的项链，重5800公斤……在我国长江边上的乐山，古人雕刻的巨佛，也决不亚于这部小说中所描绘的巨人。

问题是，这些传说、小说和雕刻，到底有没有一定的事实依据？世界上到底有没有过巨人族的存在？如果说他们在很久很久以前曾经生活在世界上，那么他们是在什么时候绝迹的？又是怎样绝迹的？如果说他们并未绝迹，那他们现在到底生活在哪些地方？很长的时间里，人们一直想搞清楚这些问题。

19世纪末，一位学者深入马来半岛探险，在一片原始森林中，他发现了一些奇异的粗大棍棒。科学家们认为，这块地方确实存在过巨人族，这些粗大的棍棒，可能就是古代巨人们使用过的东西。可是，这位学者几乎跑遍了那里所有的山林平地，再也没有找到任何巨人踪迹和生活过的证据。

20世纪初叶，前苏联人类学家雅基莫夫博士等，在爪哇、非洲东部和南部、蒙古、中国、印度等地，相继发现了直立的猿人和大型猿人遗骨。他们认为已发现了古代巨人族的遗迹，并根据遗骨推断这些巨人体重都在500公斤以上。但是，后来经世界上许多有名的古人类学家研究，又否认了这些遗骨是古代巨人族的，而是类人猿中一种猿的遗骨。

1966年，印度科学家在印度发现了一架酷似人类骨骼的大型骨头化石。它有4米长，仅一根肋骨就长1米余。他们推断说，在距今数千到100万年前，巨人族确确实实在地球上存在过，但现在已经绝迹了。印度科学家的这一推断也引起不少科学家的非议，他们难以接受这种观点。

最为神奇的还是一位巴西科学家的发现，他的名字叫奥兰多·维托里奥。20 世纪 80 年代初的一天，这位科学家在巴西北部罗赖马山附近的原始森林中探险。当他正想坐下来休息一会儿时，忽然，他看见在远处的森林中出现了一群巨人。这些人几乎个个身高 2.5 米以上，赤身裸体，满身是毛，粗眉大眼，口若血盆。

奥兰多·维托里奥又惊又喜，急忙跑过去准备拍照时，又发现有五群巨人跑出，他们正汇集起来向深处走去。当维托里奥向他们靠近时，突然，他们像是发现了什么，不约而同地一边吼叫着一边向他掷起石块来。霎时间，莽莽森林里吼声震天，乱石如雨，充满了恐怖的气氛。维托里奥眼看着他们消失在森林深处。

维托里奥的发现，引起了许多科学家的强烈反响。他们认为，地球上还有不少文明人类尚未涉足的地方，比如偏远的高原、广袤的沙漠以及茂密的原始森林，那里可能还会有巨人在生活。但是，这只是一种猜想。是不是这些巨人就是传说中的野人呢？事实上，传说中的巨人未有存在证据，人类生活中也未找到巨人或野人存在的依据。巨人之谜还无法揭开。

第九章

奥秘深藏：未知事物的终极探索

1971年8月23日，在西班牙南部离柯都瓦市不远的贝尔梅兹村，农妇戈美芝正在厨房准备早餐，忽然她发现脚下的瓷砖地面上印出了一张人的面孔，表情惨然，看上去并非任何色料所绘成。戈美芝吓了一大跳，想赶快把它擦掉，但却总也抹不掉那清晰的面部轮廓、嘴鼻、眼睛等，越擦那对眼睛似乎张得越大。

□“神出鬼没”奇案录

在国外,有一座保存很好的大型古墓,墓壁上饰有许多精致的宝石。为了便于保护和观赏、研究古墓,人们特地在墓外修了一间玻璃房罩。在一个雷雨交加的夜里,两位守墓人去玻璃房罩中查漏。一道闪电过后,突然墓中射出一束奇异的光,只见几个穿着古装的人来回走动着,其中一人竟向他们对面走来,使他俩惊得呆住了。这个图像大约持续了1分钟之久,接着又恢复了黑暗。类似的事,古今中外还有。这难道真是什么“神出鬼没”现象么?

在我国天姥山有个“善真洞”,洞内阴森可怖,人们从不敢进去。有位叫孟阿勇的村民,承包了附近的笋山,一次他上山掘毛笋,不巧天下起了大雨,便急忙到“善真洞”内去避雨。

进洞后,他将洞内的枯枝干叶收拢在一起,摸出塑料袋里的火柴,生起了火,脱下被雨淋湿的衣服在火上烘烤。洞里顿时暖和起来,阿勇迷迷糊糊闭上了眼睛。这时,随着“轰隆”一声巨响,一个身披古代盔甲的彪形大汉手举大刀,口中喊着震耳欲聋的杀声冲进洞来,阿勇朦胧中被这突如其来的响声惊醒,急忙拿出山锄乱舞乱打,一锄打在洞壁石上,山锄震出好远,只见那大汉不敢近他身边了。他睁大眼睛细看,洞内一切照旧,哪有什么彪形大汉。此情此景,使阿勇不免有些打怵。

为了探个究竟,第2天、第3天都是晴天,他又两次来到“善真洞”,观察洞内及周围的情况,但没有出现异常情况。第4天天气转阴,下起了雨,阿勇在洞里又生起了火。结果,那个彪形大汉又口喊杀声冲了进来,这回阿勇已有思想准备,手拿山锄,想看看那大汉如何动作,但三四秒钟后,大汉不见了,一切又恢复了正常。

“善真洞”发生的奇事惊动了科学家。他们带着数台仪器来到洞里,从声音、光学、心理学等方面进行了测试,又翻阅了古籍,从而结合史实做出了解释:原来,阿勇在洞中见到的可能是已被天然存录的清将哈里多的历史影像。

当年,在“善真洞”附近,曾发生过一次太平天国军队阻击清军的战斗;太平军撤退后,清军首领哈里多曾在大雨中冲进“善真洞”,挥刀砍死了正在火堆边烤火诵经的乐天和尚。据仪器测试表明,天姥山中的“善真洞”与“善源洞”遥遥相对,形成了一个特殊的电磁场,哈里多砍杀乐天和尚这一瞬间发生的事,恰巧被这个特殊的磁场录音录像,只要在天气、风向、温度等多种条件基本相等的情况下,这一历史现象就会像放电影录像一样重现出来。

北京故宫也曾出现过成队宫女“再现”宫中的神奇场景:一个微风习习的寅夜,故宫深墙上突然出现了一群年青貌美、服饰华丽的宫女,她们排列有序地沿走廊鱼贯而出。在銮殿前的砖地上,宫女们曼舒长袖、翩翩起舞,宫廷乐队在一旁奏乐助兴。宫女们的舞蹈姿态优美、轻柔似水,很像是在庆祝哪位皇妃娘娘的生日……过了不久,这一切就突然消失了。

□ 惊心动魄的“影像战争”

20 世纪 80 年代初的盛夏,在地中海海滩上度假的人们,曾在黄昏时刻目睹到爱琴海上空出现的冷兵器时代的战争场面:

在湛蓝无垠的天幕上,战车滚滚,尘烟弥漫,身穿铠甲的士兵们手执盾牌长剑,正在浴血奋战;主帅骑在大象身上指挥,将军策马驰骋,战场上尸横狼藉,血流成河,其壮烈场面与《荷马史诗》中描写的特洛伊战争差不多……

其实,这类“影像战争”的目击史,可以追溯到几个世纪之前。

三百多年前,在英国的凯东地区,有一天半夜,突然半空中出现了两支穿戴着金盔甲的军队，他们横刀跃马，互相厮杀，这是两个多月前发生的埃奇·希尔战役的再现。这一天是 1642 年 12 月 24 日零点到凌晨 1 点。当地的牧羊人、农民和旅行者仰望天幕，目击了皇家军队被议员党人击败的全过程。

到了圣诞节夜里，两军又在天边出现了，展开了一场激战，还伴随着阵阵奇怪的响声。激战的天空中人山人海，双方的战旗历历在目。3 个小时的酣战结束时，只留下一片荒凉、寂静的苍穹。

这个消息轰动了整个英国。当时的英王查理一世派了一位上校和 3 位随从前去实地调查，国王的代表不仅亲眼看见了重现的埃奇·希尔战役的场面，并且认出了一些将领，其中有在这场战役中阵亡的埃德蒙瓦陛下。

1577 年 6 月 28 日，大约在太阳落山后一个半小时的光景，法国安贝尔山区村子里的男女老少看见天边出现了一群手握利剑和匕首的人，像蜗牛一般迂回走向北方……片刻之后，一阵迷雾卷走了这些罕见的军队，剩下 3 个武装的强壮斗士。他们之间展开了激烈的搏斗，但没有受伤的样子。停息了一阵后，斗士用手往肚子前一贴，表示敬意，便随风而去了。

法国与西班牙之间曾在 1574 年爆发了莫克之战。当年 2 月 1 日夜里，法国境内的 5 名警卫看见头顶上发生了一场奇怪的战斗：两军正在交锋，一军从西北方向开来，另一军从东南方向冲来……残酷的厮杀开始了。但是，两军突然在一次新的交锋下不见了。这个幻景消失后，天空中留下了一道长长的血色云彩。

第二天，地方司法官记下了这几个警卫的报告。虽然人们查阅了许多书籍，但谁也不明白这个可怕的幻景的真正含义。在 20 天后，流血的莫克之战打响了。由达阿维拉公爵指挥的西班牙军队从东北方向开来，被亨利与路易的大军击退。不久，前者又投入战斗，最后取胜。这一切完全与那日夜里出现的幻景一样，只是具体方位偏南一百多千米。

《德意志报》曾报道了这样一条消息:1875 年 1 月 27 日,德国上西西里亚地区,大约 50 个农民正在田里干活,突然有一个步兵团排成 3 行向他们走来,领队的是两个戴红帽子的军官。队列整齐的“影像”士兵在一个地方停了下来,然后举枪射击,但没有一点枪声,只有一股浓烟从行列中升起,1 个月之内,这支“影像”队伍竟出现了 3 次。

当地驻军立即派遣一个支队前往闹事地点。当支队到达时“影像”战士也出现了。两军在田野上摆开了作战队形。一个戴红帽子的“影像”军官骑着马离开队列迎着支队指挥官走来,双方相互敬礼。当普鲁士指挥官询问对方是何人,有何贵干时,对方没有回答。当他拔出手枪射击时,对方突然不见了。

据另一则历史记载,滑铁卢战役后不久,离这个著名的平原 100 千米的居民曾瞧见天边有一支炮兵走过,其中还有一部炮车破烂不堪,车轮都快要掉出来了,队伍很快就无影无踪了。

1914 年 8 月底,在法国维特里盟,盟军与德军展开了一场激战。正当法军和英军第 2 团撤退、德军骑兵追击的时候,一片幕布般的黄雾突然横在德国人面前。黄雾消失后,出现了一位身材魁伟高大、一头金发的武士,穿着金质的盔甲,骑一匹白马,手持长剑,张着嘴,仿佛在厉声高喊着什么。德国骑兵面对这位天神般的武士,立即停止追击,恐惧万分地扭转缰绳跑掉了。正当英法两国士兵崇敬地望向武士时,对方却倏然不见了。

这件事发生后的一两天,8 月 28 日夜里,一位英国准将和他的战友看到天上出现一道亮光,接着又出现了一些装束奇怪、像是要展翅飞翔的人们,身上仿佛裹着下垂的帷幔。

在混浊的天际,一幅栩栩如生的“影像大战”的景象很快出现了:天空中人喊马叫、刀光剑影……

同年,英军在经历了可怕的卡托战役之后,一支英国军队在行军途中发现一队“影像”骑兵与他们间隔不远平行地护送他们。待人走近时,护送队伍顿时不见了。

在意大利,居民们也目睹了一个奇迹:天上有个巨人挥舞着他的长剑,形象十分清晰。

历史上许多有名的人物曾有幸见过"影像战争"。19 世纪苏格兰作家沃尔特·司各托在他的一本著作中曾描写过他亲眼见过的空中行军队列和搏斗场面,甚至相当清楚地叙述了"影像"士兵的剑柄和帽子飘带等东西的模样。

那些航行在各个海洋上的海员们,直到现在还会偶然地遇到一些古老的战船。这些古代的桅杆帆船刀剑林立、战鼓擂动、杀声震耳,毫不理会过往船只发出的信号,照着自己的航线勇敢地前进,最后消失在落日的余辉中……

□"恐怖谷"

在我国陕西省旬阳县境内有一条幽深而狭窄的峡谷,被人称做"哭谷"。1980 年 6 月的一天,几名地质人员路过"哭谷"时,正值阴雨天,阴云随着山风徐徐掠过峡谷上空,突然传出一阵震耳的枪声,大人、小孩的凄厉的哭喊声,恐怖的气氛使地质人员心头发颤。究竟发生了什么事?然而,审视峡谷,一切如常。原来,据说解放前夕,曾有一个戏班子路过这里,被国民党军队用机枪屠杀于峡谷之中。当时天阴沉沉的,枪声、人们的惨叫声响彻峡谷。以后,每年到这时碰上相同的天气,寂静的峡谷就会变成真正的"哭谷",昔日的枪声、哭叫声复响人间。

广西融水县有一处著名的风景区"古鼎龙潭"。1987 年 1 月 10 日清晨 6 时,这里忽然响起来此起彼伏的"古道场"的锣鼓声、吹唢呐声、敲木鱼声,声音越来越响,并且富有节奏感,直到当晚 10 时,龙潭鼓乐声才停止。当天有七千多人听到这奇异的鼓乐声。这种现象曾在1953年出现过一次,事隔30余年又重来,其间的奥秘尚待揭示。

自然界的这种储存历史音响的现象,表现最多的则与战争有关,好像昔日战场易产生音响奇闻。

1951年8月4日凌晨,两位正在法国普伊斯村度假的妇女,突然被一阵阵震耳欲聋的炮声惊醒。起初,她俩以为发生了战争,可是屋子外面毫无动静,炮声足足响了3个小时才告平息。

英国有关研究组织惊奇地发现,她们所描述的声音,与9年前9月19日英国、加拿大联军突然袭击被德军占领的诺曼底狄厄普海港的战斗十分相似,而普伊斯村正是联军登陆地点。研究人员查阅了当时的军事记录,发现这两位妇女听到的飞机声、炮火声以及突然出现寂静的时间与当时战争中的登陆、炮火支援、空军支援以及海军轰击停止的时间几乎相同。

在土耳其西南部有一个叫"恐怖谷"的地方,平时死一般寂静,但一到电闪雷鸣的时候,这里就会发出战马的嘶鸣声、人的呐喊声和刀枪的碰击声,听来惊心动魄,犹见恐怖的战争场面。当地居民说这是"鬼在打架",近100年来一直如此。据历史学家考证,这里曾是古代罗马和波斯军队激战的战场之一。新的科学发现表明,"恐怖谷"地下有一个巨大的磁铁矿,可能是磁铁与雷电相互作用,产生了天然录音效应,使人得以重闻古代军队的激战音响。

我国山海关附近有一片森林。一天夜晚,露宿在林间开阔地里的地质勘探队,忽然听见帐篷外杀声震天,刀剑的撞击声和战马的嘶叫声交织成一片。但是到天亮一看,这里依然是野草青青,古树森森,什么也没有发生过。第二天,又出现了这种现象。后来他们从史书上看到记载,原来这个地方曾是一个数百年前的古战场。有的研究者提出:这里的古树是否也会产生天然录音效应呢?

在玉门关不远的一个峡谷里,每逢阴雨、湿热的天气,晚上便会听到鼓角声声,呐喊震天,战马嘶鸣,兵器铿锵,仿佛有千军万马在激烈厮杀。古建筑设计院的一位教授通过查阅古籍、实地调查，向人们揭示了这样一段史实：

1700年前，西晋大将马隆率3000人马与羌兵万余人马曾在此地混战多时，双方伤亡都很惨重。马隆见敌众我寡，硬拼难以取胜，就想利用当地的磁铁矿，设计智取。他派兵丁预先挖来好多磁矿石摆放在一个险要峡谷的入口两旁，然后让全军兵马用牛皮甲替换掉铁甲，与羌兵交战。当晋兵佯败将羌兵引近峡谷口时，磁矿石产生的磁场吸引着羌兵身上的铁甲，使他们个个东倒西歪，挣脱不开。这时，恰遇倾盆大雨，马隆率部调头杀回，全歼羌兵……

由于当时激战的声音被附近的磁场录了下来，才使玉门关附近的这个古战场的面目被今人所知晓。

□“抹不掉的人脸”

1971年8月23日，在西班牙南部离柯都瓦市不远的贝尔梅兹村，农妇戈美芝正在厨房准备早餐，忽然她发现脚下的瓷砖地面上印出了一张人的面孔，表情惨然，看上去并非任何色料所绘成。戈美芝吓了一大跳，想赶快把它擦掉，但却总也抹不掉那清晰的面部轮廓、嘴鼻、眼睛等，越擦那对眼睛似乎张得越大。这件怪事很快传遍全村，弄得戈美芝心神不安。6天后，她让儿子把厨房地面的粉红色瓷砖掀去，改铺水泥地面。未料，到了9月8日，这张人脸又重新在原地显现出来，而且比上次更分明，能看出是男人的面孔。

消息像长了翅膀，人们纷纷来到戈美芝家里观看，甚至连国外的猎奇者都来了。尽管人们用洗涤剂擦抹、用利器铲刮，可是地面上的面孔依然如故，未损分毫。当年11月2日，有关当局提出对策，将水泥地面的人脸完整地挖出来，镶到镜柜中，再挂到墙上。

然而同样不能奏效,两个星期后,新的人脸又在地面上显现出来了。当局无奈,下令挖地三尺搞个明白,但一无所获。厨房被加了锁贴了封条,可奇怪的人脸却又在戈美芝房屋的其他地方出现了。

1972 年 4 月 9 日,西班牙一位著名研究专家阿尔古摩萨来到贝尔梅兹村,观察和了解了地面人脸显现的全部过程。随后,他又邀请德国以研究超自然现象著称的汉斯·本德教授前来观看和研究。但直至 1977 年在巴塞罗那召开的一次国际性研讨会时,参与对"抹不掉的人脸"现象研究的学者们仍不得不承认,他们无法解释这一现象。

类似于西班牙"抹不掉的人脸"事例也出现在英国。1959 年 5 月,玛丽·普里斯夫人发现家里会客室的绿墙上有人影出现,看上去很清楚,甚至在灯光或阳光照射时也照样能见到。她好奇地用粉笔勾出轮廓,原来是一幅女人的影像。当她用湿刷子洗去其影像后,这幅影像又几次反复出现。这影像先显现出身躯,接着显现出手和手腕;这 1.5 米高的影像很像东方的女性,有鸭蛋形面孔。后来,普里斯夫人用粉笔勾清影像轮廓时,看出原来是一个女人仰着头在祈祷。当地报纸曾向公众介绍了此事,使好多人都有机会目睹了这来历不明的影像。

总的说来,不明声影现象似乎是显示了某种保留的再现;无论是来历不明的声音,还是来历不明的图像。

来历不明的声音可分两种情形:一种是周期性出现的声音,一种是偶然性出现的声音。前者每逢气候条件适宜时便会出现,如中国的"哭谷"、土耳其的"恐怖谷"等。后者的出现则无规律可寻,如英国妇女听到的世界第二次大战期间的炮火声等。

来历不明的图像亦分两种情形:一种是凭空出现的图像,一种是依附于物体的图像。前者以天幕为背景或以山野为背景等显现出与历史事件相关的活动图像,从世界各地的"影像大战"到中国"善真洞"的清将影像,都属此类(个别的亦如"投影"古石)。后者是指或依附于地面及墙面,或依附于人体所显现出的个别静态图像,如地面上“抹不掉的人脸”、墙面上反复出现的女人影像、农夫脑门上的黑猫“烙印”等。

探索不明声影现象的形成原因,看来有二:

1. 大自然对于某些声音、图像具有自动录放功能

也就是说,大自然能够以某种未知机制,保留某些社会音响、社会场景,而在适宜的条件下又会将它们再现出来。

已有人提出,地球是一个大磁场,在磁场强度较大的环境里,在适宜的温度、湿度、地理等条件下,人物的形象和声音就很可能被周围的建筑物、岩石、铁矿或是古树等记录并储存起来,像录像机、录音机一样地能够重新放出来。还有人认为这是自然界里的激光在起录像和录音的作用;也有人认为,可能是具有“记忆”特性的铁钛合金之类物质在起录像录音作用。

英国的一位电气工程师詹金斯与助手,曾成功地将一家具有700年历史小酒店墙内的声音录下来。他俩有一次偶然听到这家酒店主人说,他曾听到过从店墙里传出人的说话声和风琴演奏的乐曲声。这引起了他俩的好奇。一天晚上,詹金斯和助手把电极接到墙上,然后通过2万伏电压,再把磁带录音机打开,一连录了4个小时。他们果然录下了男人的谈笑声和悠扬的风琴声,听声音似乎是一种已被遗忘的威尔士方言。

詹金斯推测,小酒房的墙里使用了硅和铁盐的混合物,正是这种类似录音磁带的材料保留下了过去的声音。

据此推断开来,人们关于大自然具有天然录放功能的考虑还是有根据的。那些出自自然界的不明声影现象看来多与历史上的战争事件有关,这与电磁场的特定作用肯定是有联系的。

从这个角度上讲,人类发明的照相术、录音术、录像术,在某种程度上都是对“大自然潜能”的发掘罢了。

2. 不能排除极个别事件中存在非自然因素的可能性

譬如能够一再清晰显现的人的面孔或周身影像,就不能不使人怀疑到是否会与某种超自然因素相联系。

有的研究者认为,是某种生命的残余信息产生了诸如人像那样的效果。

还有的研究者提出,是否有外星智能制造了某些影像并传送到地球人类面前来了呢?

无论在不明声影现象中存在着怎样的意外原因,大自然录放声影的客观功能却是无法否认的。一旦人类真正搞清了其中的奥秘,就可以予以充分利用的:一方面利用大自然为后世储存更丰富的社会信息;另一方面利用大自然发掘出早期人类更全面的生存信息。

□ 难以理喻的巧合现象

巧合现象和别的神秘现象比起来,最大的不同是一般人也能遇上它。巧合的另外一个特点,则是真假参半。下面撷取的几个神奇巧合的例子,均为有据可查。

令人惊叹的完美之日

每个人都会有这样的经历:在一天中,万事如意,超出了最乐观的期望,这样的一天会使人相信,他们的保护神对他们的关心是无微不至的。而最令人惊叹的这样的“完美之日”是由美国俄亥俄州立大学哥伦布分校土木工程系教授 C·E·谢尔曼记载下来的。他在《王国诞生》一书中写道:

“1909 年,当我们刚刚开始绘制俄亥俄州铁路图时,我们很难找到该州西南部诸县的地图……联邦地理勘测部门没有绘制这一地区的地图,而我们手中惟一可用的资料是约15英寸见方半英寸厚的一叠旧的县级地图……

"经过大量通信联系,我们找到了该州各县的资料,只有派克县和海兰德县除外。我既没有这两个县的资料,写信到处打听也没找到该地区的地图。在资料全无的情况下,我们只能对两县的道路做全面勘察。实际上对此我们在经费上是毫无问题的。于是我离开了哥伦布市,决心用一、二个星期在县府和附近居民区寻找所需的资料。我们还想找一份俄亥俄河地图,以便校正我们已经收集到的资料。

"下面的事情是在8月的一个星期六的12个小时内发生的:我乘早班火车赶往辛辛那提,在我拜访的第一个地方——联邦工程师事务所——就找到了一份俄亥俄河的精确地图……然后我马上动身去海兰德县,我必须在诺伍德等候汽车。当我偶然向诺伍德的车票代销员谈到我要找的东西,他说道:'我想在后屋有一本你要找的书。'我们在积满灰尘的书堆中东翻西找,终于把久寻未见的海兰德县地图找到了!

"到派克县府有两条路线可走。午饭后,我坐上到奇里考彻的B·O线火车。在那里稍事停留,等候换乘南去的N·W线火车时,我信步走上街去看一位老朋友,当我刚刚起步,就见这位老朋友向我走来,就好像是事先约好了似的。我们聊过之后,我登上了南去的火车,这时一位绅士向我打招呼。他在这天之前给我写过一封信,现在不期而遇。我正好当面向他谈了他信中所关心的事。

"在派克县府韦弗利我只有两个熟人,一个是机械师,另一个是学土木工程的学生,我没指望他们有谁现在会在城里,正当我在韦弗利的街上走着,那位机械师恰从前面的一辆小汽车上下来。于是我们俩一起向旅馆走去,他说他会给那位土木工程学生格雷斯捎个信,如果他在家的话。晚上7点,我刚刚悠闲自得地吃完晚饭,格雷斯就来了。他是否知道派克县地图的事呢?'不,我不知道,不过我父亲可能知道,'他说,'他马上就到这儿来。'老格雷斯来了,他说他记得县里的审计员有一本。他的话音未落,那位就从街上走了过来。经介绍之后,他带我们穿过街道到他所在法院的办公室去。办公室的墙上正挂着一幅精制的该县地图。这之前我曾给该县的勘测员写过信,但他对这幅地图一无所知。

实际上我不敢把这次旅行中所发生的事情全都公布于此,因为它们太难以置信了……你看,这一天里我的每一步行动都达到了目的,就好像预先安排好的。我一点弯路也没走就找到了俄亥俄河地图……又不费吹灰之力地找到了海兰德县地图,甚至当时连是否有这么幅地图都不知道。当到达目的地的路线有两条可走的时候,我偏偏选择了能垂手得到我所需资料的那条路。

"这一天中哪怕最细小的事情也会和谐得天衣无缝。比如:诺伍德的车票代销员并不想出售那本书,但他乐于将它借给我,这就使我们省了一笔购书费。在韦弗利,我期待能对我有所帮助的人恰恰知道我所需要的地图。有谁会想到在周末的晚上到一座陌生城镇的法院去呢?然而恰恰有人,恰恰在那个时间,领我在那儿找到了连我也不知道是否存在的地图。在奇里考彻到韦弗利的火车上,旅客人满为患,连过道上都站满了人,而当我一上车,就有一个座位空在那里。一路上我感到十分舒适,暇想着一天发生的事情。那天晚上,我带着对一天的美妙回忆进入梦乡。"

躲也躲不掉的厄运

我们中国有句俗话:是福不是祸,是祸躲不过。意思是说,如果我们命中注定有灾难或不幸降临,那是躲也躲不掉的!

下面的故事是哈罗德·尼科尔森在他的文章《巧合》中谈到的:

1866 年 5 月,俾斯麦亲王在下林登乘马行进。有一个名叫科恩·布林德的学生靠上来,拔出左轮手枪近距离向他开了四枪,其中两枪未击中目标,一枪打在俾斯麦肩膀上,还有一枪击穿了他的胸部。这位铁血宰相(德国首相俾斯麦因主张强权政治而被称为铁血宰相)并未受致命伤,六天后,他又再次露面,身体笔挺,威严赫赫地骑马行进。那时布林德已经被捕,枪也被夺下了,那支枪被当成这一事件的纪念品送给了俾斯麦。

1886年,有一天我的友人利奥波德的父亲正同俾斯麦在一起,同在屋中的还有几位女士。午餐后,俾斯麦夫人领着女士们参观各个房间,向她们展示房中的历史陈列物。俾斯麦本人和男宾则留在客厅里抽着汉堡雪茄。在首相的书房里可以听到妇人们的讲话声。"这一件,"一个声音说道:"是布林德1866年向首相行刺时用的手枪。"于是传来了一阵饶有兴味的嘁嘁喳喳的声音,紧接着发出一声巨响。俾斯麦从椅子上跳起来,冲到隔壁房间里,但见女士们目瞪口呆地立在那里,不知所措,空气中缭绕着一股火药味。那支手枪掉在地上,还在冒烟。首相少有地大发雷霆。他怒喝着:"你们怎么这么愚蠢,竟去动这支枪!"这次没有人被击中真是个奇迹。此后任何人都不允许再去碰这支枪。

1906年,我的友人利奥波德同他的几个表亲住在腓特烈鲁。那是一个潮湿的午后,有几个年轻人来吃午饭。利奥波德让他们参观俾斯麦的书房。他从写字台上拿起那支手枪,说,"这是1866年布林德刺杀俾斯麦时用的手枪:20年后,当我的父亲在这儿的时候,有几位女士访问这里,其中一位拿起这支枪,愚蠢地扣动了扳机,就像这样……"话音未落,火光一闪,发出一声巨响,他们急忙闪开,脸色苍白地面面相觑。姑娘们中有一位手上受了轻伤。利奥波德本人手指流了血,手被火药灼伤。那颗子弹,也是布林德手枪中的第六颗,即最后一颗子弹,嵌在他上臂的肌肉里。

无独有偶,这样的巧合故事还有两个:

1883年,美国得克萨斯州哈尼格罗吾的亨利·齐格兰德抛弃了他的情人,他的情人因此自杀。她的兄弟要为她报仇,开枪击中齐格兰德。子弹只是擦伤了他的脸部,钻进一棵树里。那位兄弟以为齐格兰德已死,自己遂自杀身亡。

1913年,齐格兰德要把曾被子弹击中的那颗树伐倒,这是一件困难的工作,于是他使用了炸药。炸药的爆炸使树中那棵子弹飞起,正好击中齐格兰德的头部,将他打死了。这颗子弹历经30年后终于打中了它的目标。

第一次世界大战开始时,德国间谍彼得·卡尔品潜入法国,刚一入境就被法国情报人员抓获。他们将此事秘而不宣,并以卡尔品的名义不断给他的上司寄去假情报,同时截取寄到他名下的一切经费。此事一直进行了三年,直到1917年卡尔品逃跑。法方截取的那些经费被用来购置了一辆汽车。1919年,这辆车在还处于法国占领下的鲁尔撞死了一个人,他不是别人,正是逃跑了的间谍彼得·卡尔品!

上帝的旨意:巧合

据说,英国人爱护宠物尤甚于自己的儿女;法国人十分讲究饮食之道;意大利人对脚踏车比赛与歌剧同样重视;其他有关民族特性的说法,诸如日本人的智谋、德国人的勤快、丹麦人的忧郁等,为数甚多,不胜枚举,其中许多不无道理。由此推论,人类最共同的特性,最无可置疑的莫如追求快乐和避免痛苦。但除此之外,还有别的吗?

我们可以这样说,一般人都欣赏幽默,但必须适得其所;敬佩勇气,但并非匹夫之勇;鄙视吝啬,但不是应有的节俭。我们还可以说,只要不致引起人口爆炸,生儿育女通常都获得一般人赞同。那么,有什么事是人类绝对喜欢的呢?

答案是巧合。所有人都绝对欣赏称心如意的巧合事件。

原因有几个。第一,巧合是民主的,不分贫富,也不分贵贱。

第二,巧合表示出宇宙不但以神秘方式关注我们,而且有时还竭力证明它的关注。这里所说的宇宙是指使人感到自身极为渺小的广袤时空。第三,巧合使我们对不可知的将来寄予希望,是可能暂时解除对日常生活困境感到厌倦与疲累的一个途径。

最后也是最主要的就是,上述三点都没有违反现有的社会、政治、宗教或科学原则。即使那些奉劝我们不要过分相信巧合的严肃统计学家,对于巧合给他们专业技能带来的挑战也深感兴趣。

由于巧合事例普遍受到重视,难怪有关的意见和理论多得不可胜数。不能用因果关系解释的事件其实都是巧合,是不是?巧合是由我们的内在精神力量促成的吗?巧合是上帝的旨意?是集体无意识的结果?与无数轮回转世事例有密切关系?巧合的价值在于我们由此了解到自己精神力量的潜能及如何为巧合事件赋予意义?巧合事件将来可能用统计方法正确分析吗?

总有一天,人类会对巧合的现象获得深切的认识,可以确实鉴定其内涵和性质。不过有谁能够保证,到那时人类所掌握的证据不是从巧合得来的呢?

话又说回来,巧合现象的出现,有没有一定的概率呢?

1970年初,英国演员安东尼·霍普金斯签了一个演出合同,在根据乔治·法弗的《从彼得罗夫卡来的姑娘》一书改编的电影中担任主角。他跑遍了伦敦的察灵克罗斯路上的所有书店去找这本书,都未能如愿,几经失败后,他只好走进兰彻斯特广场地铁站打道回家。这时他发现在车站长凳上正放着一本他要找的书。这显然是哪个行人遗忘在那里的。

两年后,霍普金斯在维也纳从事电影制片工作,乔治·法弗访问了他。法弗说,《姑娘》那本书他自己一本也没有了,他已把最后一本送给了他的一位朋友,这位朋友在伦敦把书丢失了。“是不是这一本?”霍普金斯把捡到的那本递过去问道。“在书的页边上草写着批注。”是的,这的确是法弗自己的那一本。《从彼得罗夫卡来的姑娘》终于回到家了。

汤姆·利奥纳德是英国沃里克大学的统计教授，他在 1974 年对亚瑟·凯斯特勒做了如下论述：

“根据定义，一特定巧合事件发生的可能性是无限小的。但是，对于具体的个人，可能发生巧合但碰巧没有发生的事情是无限多的，如果我们把所有可能发生巧合的事情归总起来，那么我们就可以发现至少其中在这个人一生中发生的概率是非常大的。如果许多人都说他们从来未经历过极大的巧合，那我的确会感到奇怪。

“我所知道的最巧合的事情是这样的：一位新来的统计学教授在本大学所做的首次讲演中对他的学生就概率问题做了描述，为证明概率律，他从衣袋里掏出一枚硬币，抛向空中。硬币落在光滑的地面上，转了一会儿，停住了——它竟然是垂直地竖立在那里！周围响起了雷鸣般的欢呼声。这就是许多可能发生的巧合中的一个。”

数学家沃伦·韦弗计算过，一枚圆形硬币抛出后最后竖立静立在那里的可能性很小，大约十亿分之一。

□ 它们为何自杀

在我们这个美丽的地球上，当你见到这样一幅画面：或者是鸟儿，或者是老鼠，或者是别的动物突然集体自杀，如此悲惨的情景，是否会使你在伤心之余顿生迷惑？

群鸟集体自杀之谜

此事发生在印度东部阿萨姆邦边远地区的一个叫贾廷加的小村里。1905 年的一个风雨交加的夜晚，有一村民家的大水牛不见了,一些村民举着火把去帮助寻找失踪的牛,找啊找,大水牛还未找到。突然一大群一大群的鸟飞来,像雨点一样莫名其妙地跌落在火把周围,任凭人们捉、赶,怎么也不飞走。捉来的鸟也不吃东西,不到两天时间,这些鸟就全部死去。

自那以后,这里的村民注意到,每年一定季节的风雨之夜,人们点燃火把时,就会有几百只各种各样的鸟,昏头昏脑地向所有明亮的火源冲去。它们不仅懒得飞走,甚至也懒得啄食投给它们的食物,往往一两天就命归“西天”。开始几年,人们用木材和竹子点火,后来用煤气灯作光源,甚至用电灯了,同样也能招来飞鸟。村民们由于遇到这奇特的现象而感到高兴,他们把这村叫做落鸟村,后来干脆把一年一度的捕鸟活动变成当地人的狂欢节。

这个村白天很少见到鸟,在无云、无雨的夜晚,鸟儿们也难得光顾,其他季节的有雨的晚上,鸟儿也极少,但为什么到一定季节的风雨之夜,就会发生这样的奇迹呢?

这样的怪事惊动了鸟类学家和其他研究生物的科学家,他们纷纷专程赶到这个村子实地考察。经过考察,他们发现,在风雨之夜里,没有任何光亮的地方,很少有鸟落下,而有光亮的点,平均每个点有20只以上的鸟儿飞来,而且,风雨越大,飞来的鸟儿就越多,都不吃不喝,也不再起飞,直至死去。遗憾的是,除了这种现象重复以外,他们没有找到任何可以解开这个谜的钥匙。

印度动物学家曾把考察结果写信告诉美国和欧洲的50多位著名的鸟类学家,许多科学家对贾廷加村之谜都不能做出令人满意的解释,也没有一个人能够列举其他地方类似的现象。

后来,科学家们对这个村子所处的环境、地质地貌进行了仔细研究,经过较长时间的综合调查,似乎发现了其中的奥秘。

这个偏僻的贾廷加村,四周被一座1万米长、2000米宽的巴顿山环绕着,像是一个严密封锁的谷地。巴顿山的地下蕴藏着丰富的磁铁矿,使这个谷地磁感特别强。当大群的鸟类飞到贾廷加村上空时，因地心引力和地磁发生瞬间变化的影响，致使鸟类的神经系统受到干扰，于是在黑暗中瞎飞乱撞，后来突然看到村子里火把的光亮，便自然而然地向着光亮飞来。因光亮更接近地面，磁力更加强烈，鸟类体内的神经系统遭到更大程度的破坏，以致使鸟类失去了飞翔的能力和饮食的欲望。这样，势必坐以待毙了。

还有一些人认为，可能是大气电的变化，使鸟晕头转向而发生“自杀”现象。但是，这种观点不能解释为什么这种现象只发生在这个小村附近，而不发生在其他地方。

1982年，印度林业部门为了保护生态环境，在村子一头竖起一座钢塔，在塔上装有高度灯泡，希望以此把鸟吸引到塔上来，然后再放掉，以免被村民打死。然而塔的诱惑力有限，只有少数鸟飞来，大多数鸟仍然飞到村里去。

因而，迄今为止，贾廷加村的鸟为什么集体自杀？还未找到科学的答案。

旅行鼠投海之谜

故事发生在130年前的某一天，天气晴朗，万里无云。北大西洋上一艘满载着旅客的挪威邮轮乘风破浪，朝着自己祖国所在方向驶去，远处的挪威海岸线已清晰可辨。忽然，甲板上有人大声叫喊起来：“大家快来看哪！海面上都是些什么东西啊？”大家闻声顺着他指的方向望去，只见离船不远处的海面上，一片黑糊糊的东西在慢慢蠕动。是鱼群？不像。那又会是什么呢？人们纷纷猜测着，可是谁也说不准。

渐渐地，当邮轮驶近那片黑东西时，人们终于看清楚了：原来是一群多得数不清的老鼠，它们从海岸线游来，直向大海的中心游去。游在最前面的老鼠已经精疲力尽，动作僵硬，向水下沉去，而后面的老鼠却依然“义无反顾”，奋力向前游，真像“视死如归”—

样。

后来人们发现,差不多每隔三四年,这些北欧的旅行鼠就在这一带海面和巴伦支海或北冰洋一带,来一次同样的投海自杀行动。每到这时候,就会有成千上万的旅行鼠从山上冲下来,逢河过河,横冲直撞,奔向大海,什么也挡不住它们的去路,直到全部被海水淹死为止。

人们惊奇万分,这些生长在陆地的旅行鼠,为什么要游到大海里去自杀呢?有人猜想,旅行鼠有可能是得了某种疾病,误入海洋,或者受不了病魔折磨而投海自杀的。但是,哪有成千上万只老鼠一起得病而有组织地投海的?

有人认为,可能是那里的旅行鼠繁殖力太强,过多的旅行鼠造成“鼠口爆炸”,食物供不应求。在这种情况下,迫于生机,一部分旅行鼠就组织了大规模的越海迁徙,寻找食物。而且,由于很久很久之前,波罗的海和北海都比现在窄得多,因此,那时候的旅行鼠曾经泅水过海到达彼岸,寻找食物并建立新居。于是,长期以来,集体渡海迁徙成为挪威旅行鼠的本能,而且一代传一代。而今那里的海面变得宽多了,老鼠不会“审时度势”,依然按照老传统越海觅食,显然会带来这杀身之祸。

但是,这样的解释还是有懈可击。既然时世变迁老鼠不知道,那后面的旅行鼠为什么还每隔三四年重蹈死亡的老路呢?如果说旅行鼠投海迁徙是因为“鼠满为患”的话,那为什么它们不在辽阔的陆地上另辟新的栖息地呢?

据考古学者调查发现,远古的时候,挪威旅行鼠曾经在不列颠海岸以南出现,那里有一个已经沉没的古陆地,叫大西洲。它处在亚热带地区,气候温暖,四季如春,有旅行鼠的丰富食物,是旅行鼠的故乡。一万多年前,大西洲与斯堪的纳维亚半岛和英伦三岛毗邻,由于地壳的变迁,大西洲沉没了。科学家们发现,投海的旅行鼠在大西洋海面一定范围内转圈游动,仿佛是在寻找它们的这个已沉没了的故乡。如果真是这样,那么旅行鼠是因为“怀古”而渡海的。

但这也不能叫人信服。1981 年春天,我国西藏墨脱,一夜之间不知从哪里来了那么多老鼠,它们成群结队地在江边集结。后来,老鼠集体从岩岸投江,刹那间鼠尸布满江面。

看来,要揭开旅行鼠投海之谜,还得努力探索,找到更有说服力的证据。

跳鼠上吊之谜

塔克拉玛干大沙漠不仅并非“死亡之海”,还称得上是动物王国。据不完全统计,已发现有几十种野生动物。在这些野生动物中,有一种叫跳鼠的小老鼠,前腿特别短,后腿特别长,走路的姿态就像澳大利亚的袋鼠,呈跳跃式,一跃便是二三米远,动作十分敏捷。然而就是这样一种灵巧的小动物,居然会“吊”死哩。

有一天,几名勘探队员发现,营地门口的一簇梭梭柴上,卡着一只死跳鼠。他们猜测,是前一天扎营挖沙时,毁了这小动物的窝,而这小动物性情急躁,得知窝被毁后,夜里竟气得乱蹦乱跳,气急败坏地把自己卡“吊”在柴杈上。

果真是这样吗?对大漠上这种小动物人们还不熟悉,且这种解释也缺少依据。小跳鼠为什么自己上“吊”,至今还是个谜。

1971 年,在西双版纳捕捉到一头野象,在人工圈养下,那野象怎么也不肯吃东西,似闹着绝食,以死相威胁。后来,经多方设法,它才慢慢恢复饮食。这种现象在捕捉到麻雀等鸟类中也经常遇到,任凭你给它好的“待遇”,关在箱笼里的鸟,总是拒绝吃东西,甚至撞壁而死。

据说在国外一个生物站的池子里,养着两头白腹海豚,雄的叫“亚当”,雌的叫“夏娃”。后来“亚当”不幸死亡,“夏娃”竟然当着站里工作人员的面,两次猛撞池壁“寻死”,终于撞碎嘴巴,鲜血直流,20分钟后就命归西天,似乎为“贞节”而死。

非洲有一种白蚁,在遇到敌害侵袭它们群体时,有的白蚁就会“挺身而出”,让自身特有的“爆炸腺体”自动爆炸,让自己和敌人“同归于尽”来保护它的群体。

更令人惊异的是非洲的斑马。当斑马群受到狮子或其他凶猛动物袭击时,逃跳中就会有一匹勇敢的斑马断后,孤身与猛兽搏斗,掩护同伴安全撤退。要是寡不敌众或单身斑马受到杀害,另外又有一匹斑马毅然站出,继续抵挡猛兽,它们以牺牲自己来保护同伴安全撤离,发扬“英勇献身”的精神。

这些动物的“自杀”,表现了“宁死不屈”和“牺牲自己、保护同伴”的精神,是思维能力所驱使的吗?抑或还隐藏着别的不为人知的秘密?

□ 神秘的不祥之物

美国华盛顿史密斯研究院的珠宝大厅里,有一只防弹玻璃柜,里面陈列着一颗由62块小钻石装饰着的稀世珍宝——“希望”蓝钻石。500多年来,它给占有它的人带来的厄运比所有的巫师的诅咒还要快。这使它蒙上了极其神秘的色彩,因而又有“神秘的不祥之物”之称。

500多年前,在印度基伯可地区,一位老人在路经废弃的钻石矿时,发现沙地里一块石头正放着异样的蓝光,他扒开沙土,原来是一颗硕大无比的蓝钻石,经粗加工后,重量为112.5克拉。老人虔诚地祈祷,希望钻石给他带来好运。老人一直供奉钻石直到去世,他的3个儿子对这颗钻石垂涎已久,老人尸骨未寒,就为夺取它大打出手,为了制止这场流血争斗,族长出面了:“这是神的赐予，你们是无福消受的，让我们把它献给神庙，神会赐福于你们。”钻石被镶嵌在神像的前额上。从此，朝拜的信徒趋之若鹜。一位青年抵不住钻石蓝光的诱惑，一天深夜，他爬上神像，掠走了钻石。黎明进香时，看守神庙的人们发现钻石被抢劫，急忙分路追赶，日出时，就把窃贼逮住了。这个犯了弥天大罪的青年在几百人的围观下被活活打死。他成了这颗蓝宝石的第一个牺牲者。16 世纪初的一个冬天，神庙里来了个身材很高的“信徒”，他紧裹着袈纱，虔诚跪拜，趁着人们不注意时，悄悄地躲到神龛背后。半夜时分，这个“信徒”像幽灵似的走出圣坛，用斧子劈死两名看守，然后从神像上凿下蓝宝石，很快消失在夜幕中。几天后，这位“信徒”登上了加尔各答驶往欧洲的轮船，这时他才露出真面目，原来是一位法国传教士。这颗蓝宝石从此永远地离开了它的故地——印度。但是蓝宝石并没有给这位贪婪、残忍的传教士带来幸福。回到法国后，他变得惊恐不安、忧虑多疑，好像随时都有人跟踪、暗杀他。他祈祷，忏悔，但谁也救不了他。在一个雷雨交加的深夜，他在自己的床上割断了喉管，蓝宝石也不知去向。40 年后，蓝宝石神秘地落入巴黎珠宝商琼·泰弗尼尔手中，他惧怕这颗灾星，转手卖给了法国国王路易十四。经过精心雕琢，路易十四将它镶嵌在手杖上，并取名为“法国蓝宝”。

此后不久，灾难就降临到法国国王路易十四的身上，他最宠爱的孙子突然死去。他早年的光辉战绩也开始衰退，并且娶了一个宗教狂热信徒梅恩特依夫人为妻。她给路易的生活带来了许多不幸。而卖给法国国王这颗钻石的珠宝商琼·泰弗尼尔后来也在俄国被野狗活活地给咬死了。

路易十四去世后，“法国蓝宝”落入蓓丽公主之手。这个虚荣心很强的女人，公开露面时，总把“蓝宝”挂在胸前。

此后，这颗蓝钻石又传到法国国王路易十六手里，据说他和王后玛丽·安东尼对它爱不释手。可是不久，一场法国历史上有名的法国大革命兴起,起义者攻克了历朝关押、残害政治犯的“巴士底监狱”,并把它夷为平地。1773 年 1 月 21 日,路易十六和王后玛丽·安东尼也被起义者押上了断头台。1792 年 9 月 3 日,曾占有“法国蓝宝”的蓓丽公主也被愤怒的人群打死。在这场大革命中,法国的国库遭到劫掠,这颗蓝宝石一度下落不明。法国临时政府贴出通告:凡私藏皇家珍宝者处以死刑。盗走“法国蓝宝”的皇家侍卫雅各斯·凯洛蒂终日惶恐不安,后因精神错乱而自杀。“法国蓝宝”再次失踪。

40 年后,这颗名钻在俄国沙皇王宫出现,它的新主人是皇太子伊凡。他在普鲁士结识了一位妓女,感情甚笃,将她带回俄国,暗中常来幽会。一次,伊凡带着“法国蓝宝”去幽会,那妓女被这颗钻石迷住了,含情脉脉地对伊凡说:“如果我能拥有它,我就是世界上最幸福的人了。”伊凡一时冲动,竟把宝钻送给了她。一年后,伊凡另结新欢,后悔当初轻易把举世无双的宝物送给了一个妓女。他决定索回钻石,殊不知情妇已离开了莫斯科,伊凡连忙出发赶赴普鲁士寻找那位妓女。当找到这名妓女索要宝钻时,却遭到推诿和拒绝,伊凡一怒之下,拔剑杀死了情妇,夺回了宝钻,回到俄国。可是不久,伊凡在宫中被刺杀,“蓝宝”落入女皇加德琳一世的手中。她决定再次来雕琢“蓝宝”,镶嵌在她的皇冠上。当时俄国没有高级钻石匠,女皇决定让密友把钻石带到荷兰首都阿姆斯特丹。一个叫威尔赫姆·佛尔斯的手艺高超的钻石匠接下了这颗蓝宝石,经过数周加工,将这颗蓝宝石割成现在的样子,重量为 44.4 克拉。后来,佛尔斯的儿子汉德利克从其父那里将这颗钻石偷走,并带到了英国伦敦。这位可怜的手艺高超的荷兰钻石匠自知无法交代,服毒自杀了。可偷走宝钻的他的儿子也在英国莫名其妙的自杀了,至今无人知道他自杀的原因。

几年以后,英国珠宝收藏家亨利·候普用 9 万美元买到了这颗钻石,从此这颗钻石取名叫“希望”。因为“候普”这个名字在英文中意思是“希望”。1839 年,老候普暴死,他的侄子托马斯·候普继承了“希望”钻石。小候普与他的前人不同,没有把这颗钻石藏于密室,而是放到水晶展览馆展出,据说他后来寿终正寝。

本世纪初,“希望”钻石和候普收藏的其它珠宝被一个叫杰奎斯·赛罗的商人买去,不久他也莫名其妙地自杀了。这颗钻石又被俄国康尼托夫斯基买去,此人不幸被刺而死。

“希望”钻石的下一个主人是商人哈比布·贝,在他将其卖给一个叫西蒙的人之后不久,他和他的家人都被淹死在直布罗陀附近的海中。而西蒙在把这颗钻石卖给土耳其阿卜杜拉·哈密特苏丹二世后,在一次车祸中全家 3 人都跌到悬崖下死去。而哈密特把“希望”宝石赠送给新婚的王妃苏娅。苏娅婚前有一男情人,婚后仍暗中往来,最后竟把“希望”钻石送给了这位情人。为了欺骗哈密特,苏娅请人特制了一枚假石挂在胸前。在一次宴会上,一位对珠宝很在行的客人,发现苏娅胸前佩戴的钻石是赝品,十分惊讶,马上告诉了哈密特。这天晚上,哈密特手执利剑追问苏娅,苏娅自知难免一死,趁其不备,一头撞死在墙上,钻石再次失踪。而阿卜杜拉·哈密特苏丹也于 1909 年被土耳其青年党人废黜。

后来“希望”宝石再次出现在巴黎,并经珠宝商皮埃尔以 15 万 4 千美元的价格卖给了华盛顿的百万富翁沃尔斯·麦克林。麦克林和丈夫奈德是《华盛顿邮报》和《辛辛那提市早报》的出版商。这对夫妇自从买了这颗钻石后,就遭到了许多不幸。1918 年,他们去看肯塔基赛马时,他们在华盛顿的 8 岁的儿子在街上被汽车压死。此后不久,奈德便开始酗酒,最后失去了健全头脑并丢失了报业。他们的一个女儿也死于误服了过量的安眠药;他们的 25 岁的孙子因酒精中毒而死。

1947 年,麦克林夫人死后,珠宝商海里·温斯顿用 1500 万美元买下了这颗“希望”蓝钻石。此后 10 年后,温斯顿带着这钻石行程 64 万公里,在世界各地巡回展出,为慈善事业募捐经费,共募捐到

1000 万美元。

1957 年,温斯顿和史密斯研究院协商,要把“希望”钻石送给该院作为一系列宝石中的展品,与英国伦敦塔上的那些加冕礼用的珠宝媲美。1958 年 11 月 8 日,这颗蓝宝石被放进一只小羊皮盒子里,用褐色纸包好送给纽约邮政总局,寄往华盛顿。温斯顿是“希望”钻石的最后的一个主人,也是 300 年来最幸运的一个主人。

至今前往史密斯研究院参观的人络绎不绝,人们在赞叹这颗稀世之宝历尽沧桑的同时仿佛感觉到那闪闪的蓝光向人们默默地诉说着它那神秘的历史……

后　记

本书在编写过程中，参考了一些资料文献及书籍，主要书目如下：

《奇怪的植物》(宁虹编著，北京学苑出版社，1999版)；《陆地生物的奥秘》(王充编著，北京中国城市出版社，1999年版)；《大自然未解之谜》(司以明编著，北京中国戏剧出版社，1999年版)；《出土的谜团》(晨灯编著，北京宗教文化出版社，1999年版)；《人类面临的不明现象》(程路山著，兰州甘肃科学技术出版社，1999年版)；《神秘的星空》(张过编著，民族出版社，1999年版)；《地球的迷惑》(陈福民编，杭州出版社，1999年版)；《世界最大的未解之谜》(王永利编著，呼和浩特内蒙古人民出版社，1999年版)；《回忆未来》(龙豪译，北京中国青年出版社，1998年版)。

本书还参考了其他学者一些研究资料，在此一并向这些学者表示感谢。限于本人学识，书中不足之处在所难免，敬请专家学者及广大读者不吝批评指正。

编　者

2000.10